Des éloges pour le livre *Sans regret*...

Sans regret est destiné à occuper une place aux côtés des plus grands ouvrages traitant d'épanouissement personnel. Hamilton Beazley est un grand écrivain doté d'un esprit remarquable pouvant saisir les rouages complexes de l'esprit humain. Avec respect, inspiration et compassion, Beazley nous décrit les méthodes et les stratégies qui sauront nous aider à changer la structure du regret et à vivre une profonde transformation personnelle. Dans cette méthode en dix étapes, Beazley a omis de mentionner que la toute première étape à franchir pour nous libérer de nos regrets est de lire cet ouvrage.

– Howard J. Shaffer, Ph. D., professeur associé et directeur
The Division on Addictions, Harvard Medical School

Nous passons une bonne partie de notre vie à souhaiter, en vain, avoir fait d'autres choix. Lorsque nous sommes mécontents des résultats d'une décision, nous croyons que nous aurions eu plus de chance si nous avions agi autrement. Il est vrai que les résultats auraient été différents si nous avions fait des choix différents. Mais nous ignorons si la conclusion aurait été plus heureuse. Dans son livre *Sans regret*, Hamilton Beazley a mis au point une méthode tout à fait remarquable qui nous permet de mettre fin aux doutes qui nous assaillent après avoir pris une décision. Voici un guide dont nous avons grandement besoin; il aidera nombre d'entre nous à accepter plus aisément leur condition humaine.

– Pia Mellody, auteure de *Facing Codependence*,
Facing Love Addiction* et *The Intimacy Factor

Cet ouvrage nous dévoile les dynamiques de la vie intérieure – de chacun d'entre nous. L'auteur expose avec brio de quelle manière certaines personnes ont réussi – ou peuvent réussir – à se libérer de leurs regrets pour gagner santé et vitalité.

– Révérend Claude E. Payne, D. D.
Archevêque du Texas à la retraite

Sans regret nous transmet un message rempli d'espoir, il nous persuade que nous pouvons nous libérer des regrets qui minent notre vitalité, notre compétence et notre joie de vivre. Que notre regret repose sur une violente

querelle que nous semblons ne pouvoir oublier ou sur une tragédie comme la mort d'un enfant, la méthode en dix étapes de Beazley peut nous
aider à nous libérer de notre trop lourde peine.

– Martha W. Hickman, auteure de
Healing After Loss

SANS
regret

Catalogage avant publication de Bibliothèque et Archives nationales du Québec et Bibliothèque et Archives Canada

Beazley, Hamilton, 1943-

Sans regrets : un programme en 10 étapes pour vivre le moment présent et se libérer du passé

Traduction de: No regrets.

Comprend des réf. bibliogr.

ISBN 978-2-89436-248-8

1. Regret. 2. Réalisation de soi. I. Titre.

BF575.R33B4314 2010   152.4'4   C2009-942487-8

Nous reconnaissons l'aide financière du gouvernement du Canada par l'entremise du Programme d'aide au développement de l'industrie de l'édition (PADIÉ) pour nos activités d'édition.

Nous remercions la Société de développement des entreprises culturelles du Québec (SODEC) pour son appui à notre programme de publication.

Traduction : Danièle Bellehumeur
Infographie et mise en pages : Marjorie Patry
Révision linguistique : Amélie Lapierre

Éditeur : Les Éditions Le Dauphin Blanc inc.
        6655, boulevard Pierre-Bertrand, local 133
        Québec (Québec) G2K 1M1 CANADA
        Tél. : 418 845-4045 Téléc. : 418 845-1933
        Courriel : dauphin@mediom.qc.ca
        Site Web : www.dauphinblanc.com

ISBN : 978-2-89436-248-8

Dépôt légal : 1e trimestre 2010
            Bibliothèque nationale du Québec
            Bibliothèque nationale du Canada

Limite de responsabilité

Hamilton Beazley, Ph. D.

SANS
regret

*Un programme en dix étapes
pour vivre le moment présent
et se libérer du passé*

Traduit de l'anglais par
Danièle Bellehumeur

Le Dauphin Blanc

À Judith Nowak, dont la vision, l'amour et le rire
ont fait toute la différence sur le chemin le moins fréquenté.
Pour celle que tu es et pour cette différence,
je te suis à jamais reconnaissant.
« Deo non fortuna. »

Table des matières

Remerciements

*C*et ouvrage est le fruit d'une collaboration entre toutes les personnes qui m'ont raconté leur histoire personnelle et leurs regrets et entre les nombreux universitaires et praticiens en psychologie, psychiatrie et spiritualité que j'ai consultés lors de mes recherches. À tout un chacun, j'offre ma plus profonde reconnaissance; vous m'avez consacré votre temps, votre savoir et votre réflexion avec tant de générosité.

L'idée même du livre *Sans regret*, c'est à mon ami Michael K. Deaver que je la dois, sans parler du défi qu'il m'a lancé, soit d'écrire cet ouvrage. Je le remercie de m'avoir fait cette suggestion et incité à la réaliser. Merci également de m'avoir encouragé tout au long de la rédaction de ce livre.

La métaphore du « chemin le moins fréquenté », reprise tout au long de cet ouvrage, est tirée du poème « The Road Not Taken » de Robert Frost. Mais cette phrase fut d'abord ou à tout le moins souvent associée au monde de la psychologie et de la spiritualité par M. Scott Peck, auteur du livre *Le chemin le moins fréquenté*. Cet ouvrage remarquable du docteur Peck a eu un impact sur ma vie lors de sa première publication, mais il a également influencé l'écriture de *Sans regret*. Je lui dois d'avoir popularisé cette phrase et d'avoir écrit ce livre merveilleux qui demeure, aujourd'hui encore, l'un des meilleurs guides pour quiconque désire mener une vie riche, pleine et productive.

Je désire souligner à grands traits ma dette immense envers le mouvement des Alcooliques anonymes (AA) et son programme en douze étapes duquel j'ai tiré le concept de ma méthode. Bien que le programme en douze étapes des AA diffère de ma méthode en dix étapes pour se libérer des regrets (à l'exception de l'étape « Faire amende honorable »), il a grandement contribué à structurer la méthode en dix étapes; on y retrouve également plusieurs principes spirituels communs aux deux approches. Je suis particulièrement reconnaissant envers les membres des AA qui m'ont accordé leur temps afin de m'expliquer le programme des douze étapes et les principes spirituels sur lesquels il repose. J'ai été

11

grandement inspiré par leur dévouement à mon égard et par leur service désintéressé envers tout un chacun.

J'exprime toute ma reconnaissance à Dave Tortorelli qui a lu les premiers jets du manuscrit; ses commentaires judicieux m'ont permis de clarifier les concepts et d'améliorer l'écriture. Eliot Hodges a suggéré des modifications à la structure et d'autres changements. Andre Delbecq, Ila Ziebell et mon filleul, Brett Hogan, ont fait des suggestions inspirées qui m'ont permis d'améliorer la qualité de cet ouvrage. Merci à chacun d'entre vous de m'avoir consacré votre temps, vos efforts et votre soutien.

Je dois à Brett un double remerciement. Dans un de mes ouvrages précédents, j'ai emprunté son prénom (avec son autorisation) pour le donner au personnage principal. Il ne s'agissait pas d'une fiction, mais j'avais recours à un narrateur fictif pour décrire comment Brett avait réussi à transformer un organisme en ayant recours aux principes que je décrivais dans le livre. Mais j'ai omis de remercier Brett dans mes remerciements de l'ouvrage en question. Je me reprends donc aujourd'hui. L'usage de son prénom était évidemment une marque de ma profonde affection. Alors, merci Brett de m'avoir permis d'utiliser ton prénom et, surtout, merci d'être un si merveilleux filleul.

Je veux dire toute ma gratitude à Elizabeth Zack, mon éditrice en acquisition chez John Wiley & Sons, qui m'a appuyé depuis le début du projet de cet ouvrage et qui m'a soutenu tout au long du processus d'acceptation. Merci à mon agent littéraire, Doris S. Michaels, de chez Doris S. Michaels Literary Agency, qui en a fait l'acquisition. Je suis grandement reconnaissant envers Lisa Considine, ma superbe éditrice chez Wiley, qui a fait un remarquable travail d'analyse du manuscrit, a travaillé avec moi à la révision et coordonné la publication. Un grand merci à Kimberly Monroe-Hill qui a supervisé avec grâce et générosité la production de cet ouvrage chez Wiley. Et merci à Denise L. Nielsen pour son travail dévoué et consciencieux lors de la révision et de la dactylographie du texte; son aide précieuse m'a permis de respecter l'échéancier de production.

Je ne saurais terminer mes remerciements, dans un livre de ce genre, sans exprimer ma gratitude aux personnes qui ont contribué à mon évolution spirituelle. Je veux remercier tout particulièrement le révérend Claude E. Payne, D. D., archevêque du Texas, qui fut d'abord mon recteur, puis mon archevêque avant de devenir mon grand et précieux ami; le révérend Tom Butler, mon conseiller spirituel pendant plusieurs années à qui je dois plus que je ne saurai jamais l'exprimer; Dave Tortorelli qui, par ses actions, m'a transmis une foule d'enseignements spirituels – tout comme sa conjointe, par son exemple; Ila Ziebell qui m'inspire et me soutient par sa profondeur spirituelle; Andre Delbecq qui, par sa simple présence et son enseignement patient, m'a permis d'approfondir ma compréhension et mon engagement spirituel; John Lobuts qui fut mon mentor à l'université; de lui j'ai appris ce qu'est la véritable générosité et la grande noblesse de l'esprit humain; et merci aux nombreux pèlerins spirituels rencontrés au fil des ans et qui ont su me toucher.

Enfin, je désire remercier les membres de ma famille qui m'ont accordé leur soutien pendant le processus de recherche et d'écriture. Mon défunt frère, Herbert Malcolm Beazley (1932- 2001) s'est enthousiasmé pour le projet *Sans regret;* je déplore qu'il n'ait pas vécu assez longtemps pour en voir la publication. Ma belle-sœur, Norma Dominy Beazley, m'a constamment encouragé dans ma carrière d'écrivain, et ce, de mille façons et je lui en suis grandement reconnaissant. Mon filleul, Andrew Callaway, a révisé le manuscrit à maintes reprises, offrant chaque fois de précieuses suggestions qui ont contribué à améliorer le débit et l'efficacité de cet ouvrage. Outre l'aide littéraire apportée, je lui suis reconnaissant d'avoir élargi mes horizons, enrichi mon expérience et ma vie de façon extraordinaire, chose que j'étais à mille lieues d'imaginer la première fois que je l'ai tenu dans mes bras à titre de parrain.

Enfin, la toute dernière personne que je désire remercier est un bout de chou : ma petite-fille de douze mois, Parker Hamill Callaway, dont le radieux sourire me rappelle constamment que tout ce qui compte réellement est le moment présent – et que la vie est une aventure à vivre à bras-le-corps avec une intense curiosité, une anticipation infinie et une joie de tous les instants.

QUELQUE CHOSE DE MERVEILLEUX VOUS ATTEND!

« *I*l était une fois » est une formule magique qui nous ramène à l'époque où nous rêvions de faire de notre vie un véritable conte de fées. Mais les dragons et les poupées ont cédé la place aux rendez-vous galants et à la conduite automobile, le monde s'est complexifié, le poids des années a fait son œuvre et l'innocence de l'enfance s'est envolée. La vision d'« il était une fois » s'est évaporée afin d'être remplacée par une autre, plus sombre, soit « si seulement j'avais ». Ces mots nous habitent et s'imposent parfois comme une ritournelle sans fin. Quand ce n'est pas « si seulement je n'avais pas ».

Nous avons tous des regrets. Plus nous avançons en âge et plus nous prenons conscience de nos erreurs et des rendez-vous manqués, plus nous avons – ou aurions – des raisons d'accumuler des regrets. Certaines personnes refusent de s'accrocher aux regrets, véritables ou potentiels. Mais ce n'est pas toujours le cas. Nombre d'entre nous sont habités par de profonds regrets qui les consument et les pèsent, qui handicapent leurs relations et sabotent leur avenir. Nos regrets n'ont de cesse de nous tourmenter, comme ce remords qui s'insinue doucement dans notre vie ou cette douleur vive qui nous étouffe lorsque surgit un souvenir douloureux. Ils sapent notre énergie en nous remémorant ce que fut ou aurait pu être notre vie. Intermittents ou constants, ces regrets nous gardent prisonniers d'un passé mort depuis longtemps; la culpabilité et la honte nous assaillent, nous sommes incapables de goûter aux joies de la vie et de retrouver le sens de notre propre valeur. Et chaque fois que ces regrets refont surface, ils nous « vident » de toute substance puis nous laissent, blessés et gisants, à l'article de la mort.

Le regret a mille visages : un amour perdu, des biens gaspillés, des années de dépendance, une carrière ratée, l'abandon d'un enfant illégitime, un avortement, une disgrâce publique, des enfants mal nourris, une ruine financière, la trahison d'un ami, des occasions professionnelles manquées, un parent alcoolique, une scolarité insuffisante, une liaison extraconjugale, les horreurs de la guerre ou tout autre événement ou série d'événements passés qui ont, encore aujourd'hui, de fâcheuses conséquences sur la qualité de notre vie. Nos regrets peuvent se limiter à une ou deux expériences malheureuses : la mort subite d'un enfant ou un divorce vécu dans l'amertume. Ou ce sont une myriade de souvenirs accumulés au fil des ans et qui nous poignardent sans cesse, dans notre vie actuelle : la douleur de l'orphelin ou les souffrances d'un père abusif.

Certaines personnes sont traquées par non pas un, mais plusieurs regrets. En fait, elles regrettent toutes les décisions importantes prises au cours de leur vie, convaincues d'avoir fait erreur. Elles sont incapables de lâcher prise et d'avancer. Même dans une société opulente – et peut-être surtout dans une société opulente –, bien des gens éprouvent de profonds regrets lorsqu'ils contemplent leur vie, des regrets qui les hantent et les tiennent prisonniers d'un passé qui n'existe plus.

Mais ces regrets que nous traînons comme vestiges et fantômes du passé, nous pouvons les transformer pour en faire les guides de notre présent et les mentors de notre avenir. Ils peuvent nous servir plutôt que nous tourmenter, nous mener au bonheur plutôt que nous en éloigner. Ils peuvent être une réponse à nos prières plutôt qu'un motif de prier. Nos regrets peuvent nous aider à évoluer, sur le plan psychologique et spirituel, afin d'intégrer plus de joie et de maîtrise de nous-mêmes dans notre vie plutôt que de nous laisser stagner sur des souvenirs pénibles qui nous plongent dans la souffrance et le désespoir. Nous pouvons apprendre à regarder le passé bien en face sans peur, sans complaisance et sans déni. Nous pouvons accepter notre passé sans éprouver le moindre regret et franchir le seuil de la porte du présent pour mener une vie à la fois plus riche et plus productive. Mais comment y parvenir?

VOUS LIBÉRER DU REGRET

Cet ouvrage vous présente une méthode pratique, en dix étapes, qui vous aidera à laisser derrière vous votre passé et vos regrets pour vivre enfin le moment présent et goûter ses nombreuses richesses. *Sans regret* est un processus qui nous permet de faire la paix avec nos regrets

- pour ensuite les accepter et nous en libérer - avant de pouvoir les utiliser de manière constructive pour notre propre croissance et le bénéfice d'autrui. Peu importe que le regret soit constant ou intermittent. Peu importe qu'il s'agisse d'un geste qu'on a fait ou pas, de ce qu'une personne ou le destin a fait ou pas. Peu importe que ce regret renvoie à des événements survenus hier, l'année dernière ou il y a 25 ans. Quels que soient votre regret et l'intensité de la souffrance qui s'y rattache, quelque chose de merveilleux vous attend. Ce formidable cadeau, c'est celui de la liberté : le cadeau de vivre libre de tout regret.

Nous libérer de tout regret ne signifie pas les nier ou les minimiser. Il s'agit plutôt de nous pacifier par rapport à nos regrets, d'exprimer les émotions et les souffrances qu'ils nous imposent et de mettre fin aux distorsions qu'ils produisent dans notre vie. Quand les regrets sapent notre joie, quand notre vie se consume à revivre le passé plutôt qu'à goûter aux richesses du présent, alors le moment est venu d'examiner soigneusement nos regrets - et d'en évaluer les coûts.

Mais nul ne peut changer le passé!

S'il est vrai que nous ne pouvons modifier un événement du passé, nous *pouvons* changer notre façon d'y réagir, de le comprendre et de l'utiliser. Autrement dit, nous *pouvons* changer les répercussions psychologiques qu'un événement du passé peut avoir sur notre vie d'aujourd'hui. Or, modifier l'impact psychologique d'un événement, c'est comme changer l'événement lui-même. Après tout, ce sont les *répercussions psychologiques* qui déterminent comment un *événement* passé agit, aujourd'hui, sur notre vie émotive. Nous pouvons donc changer le passé.

Quelque chose de merveilleux vous attend. Vous avez le pouvoir de changer les règles du jeu, de faire du passé une force qui joue en votre faveur et non plus contre vous. Quelle que soit la nature de votre regret, vous pouvez y mettre fin. Quelle que soit la nature de votre regret, vous pouvez mettre à profit les leçons à en tirer et les présents qu'il vous offre. Quelle que soit la nature de votre regret, vous pouvez vous en libérer.

VOUS LIBÉRER DU REGRET EN DIX ÉTAPES

Ce programme en dix étapes, que nous nous apprêtons à suivre ensemble, est le fruit de longues recherches, dont la revue de la littérature en psychologie portant sur le regret, le ressentiment et leur guérison; la littérature spirituelle traitant de prière, de méditation, de pardon et d'acceptation; des entrevues auprès de psychiatres, de membres du clergé et autres spécialistes du monde de la psychologie et de la spiritualité; et, finalement, la méthode en douze étapes mise au point par les Alcooliques anonymes (AA), reprise et adaptée par différents groupes d'épanouissement personnel. Pendant la rédaction de cet ouvrage, j'ai discuté avec des centaines de personnes aux prises avec de lourds regrets; certaines sont parvenues à s'en libérer, d'autres pas. Dans les pages qui suivent, vous rencontrerez quelques-unes de ces personnes présentées, bien sûr, sous un nom fictif.

Cette méthode en dix étapes fait appel à des pratiques spirituelles et thérapeutiques, dont la visualisation, le journal personnel, l'autoanalyse, l'analyse cognitive, les affirmations, la prière, la méditation et le partage. On peut être attiré par la spiritualité et s'adonner à des pratiques spirituelles sans appartenir à une religion, car spiritualité et croyance religieuse ne vont pas nécessairement de pair. Bien qu'une tradition religieuse solidement établie offre une structure pour guider nos pas vers l'approfondissement de notre foi et de notre spiritualité, nous pouvons choisir d'entreprendre une quête spirituelle sans croire en ce Dieu des religions traditionnelles. Au début de cette démarche, la volonté de mettre sa confiance en quelque chose de plus grand que soi, peu importe son nom ou sa forme, peut s'avérer utile, mais ce n'est pas essentiel. La volonté de croire en plus grand que soi accélère le mouvement de sa quête, mais, encore une fois, ce n'est nullement essentiel. Qui que vous soyez, athée ou agnostique, fidèle disciple d'une tradition religieuse ou simple chercheur dont la spiritualité n'est rattachée à aucune divinité ou croyance particulière, la méthode en dix étapes vous conviendra. Vous n'avez besoin de rien, dans votre bagage, si ce n'est la volonté de faire ce voyage. Ou la volonté de vouloir. Et les étapes feront le reste.

Toutefois, certaines personnes ne peuvent se libérer de leurs regrets non par manque de volonté, mais par manque de compréhension. Elles ignorent *comment* procéder pour s'en défaire et passer à autre chose. Elles ignorent tout des étapes à accomplir pour atteindre cette liberté tant recherchée. *Sans regret* fut écrit précisément pour répondre à ce besoin. Ce livre vous explique comment franchir le seuil qui vous mènera vers une nouvelle vie – une vie libre de tous les regrets qui vous pèsent. En comprenant la marche à suivre et en l'intégrant à vos activités quotidiennes, vous ferez la paix avec tous vos regrets – vous pourrez enfin lâcher prise et vous en libérer.

Cet ouvrage sera votre guide. Il vous accompagnera lors des dix étapes du programme, les franchissant une à une, dans un ordre établi, et vous laissant le loisir de progresser à votre rythme. *Sans regret* est un livre interactif qui vous invite à participer à des activités et à faire des exercices pratiques. Sachez que vous y trouverez tous les encouragements voulus, car être soutenu est un besoin légitime et universel. La joie et l'autonomie devraient être nos plus fidèles compagnons dans tout ce que nous entreprenons.

LA QUÊTE

Muni de ce guide et mu par la volonté de changer, vous voici au seuil d'une grande aventure qui vous mènera au pays des merveilles. Votre route sera parsemée de miracles, d'amour et de guérison. Et des cadeaux vous attendent. Vous ne serez jamais seul sur cette route faite de découvertes, de lâcher-prise et d'épanouissement spirituel. Vous verrez apparaître une main secourable et inattendue au détour du chemin. D'étonnantes « coïncidences » se produiront pour vous venir en aide au moment précis où vous en aurez besoin. De vieux copains et de nouvelles connaissances croiseront votre route et prononceront les bons mots au bon moment. Vous recevrez de l'amour, du soutien et de précieux conseils de la part de personnes dont vous n'attendiez rien et dans des lieux pour le moins inattendus. Des forces incroyables joindront leurs efforts pour vous soutenir. Si vous vous donnez entièrement à ce programme en dix étapes, vous serez guidé et protégé, vous ferez l'expérience d'une joie profonde, d'une liberté et d'un sentiment d'appartenance qui dépassent l'imagination. Tout ceci est non seulement possible, c'est une promesse.

Cet ouvrage a débuté par un projet, celui d'aider un ami à se libérer d'un lourd regret. Comme d'habitude, lorsque nous tendons une main secourable, nous sommes les premiers à en bénéficier au bout du compte. En examinant attentivement le problème de cet ami, j'ai dû faire la paix avec trois grands regrets dont je n'arrivais pas à me défaire, y compris la mort d'une personne et mon deuil inachevé. Tous correspondaient à la description d'un regret écrasant : ils m'empêchaient de goûter aux plaisirs du moment présent et de me créer l'avenir dont je rêvais. Cela dit, que faire? Comment procéder pour m'en libérer? Je l'ignorais. Lâcher prise me semblait impossible. Mais en menant mes recherches pour la rédaction de cet ouvrage, j'ai découvert la marche à suivre. J'ai donc mis en application ce programme en dix étapes afin de me libérer de mes propres regrets et j'y suis parvenu. J'en suis encore émerveillé. Et très reconnaissant.

J'AI RÉUSSI ET VOUS POUVEZ EN FAIRE AUTANT

Sans regret vous indiquera le chemin à suivre. Il vous expliquera comment procéder pour vous libérer des regrets qui vous pèsent et pour éviter d'en accumuler de nouveaux. Mieux encore, ce programme en dix étapes vous donnera le pouvoir de vous créer une vie plus riche et plus satisfaisante, de reprendre vos droits sur votre vie actuelle et de vous bâtir un avenir à la hauteur de vos rêves.

Le chemin vers une vie libre de tout regret vous attend. Suivez mes pas et ceux des gens qui l'ont parcouru avant vous. Nous vous indiquerons la voie.

PREMIÈRE PARTIE

Vous préparer à lâcher prise

Chapitre 1

COMPRENDRE CE QU'EST LE REGRET

*L*e poème de Robert Frost, « The Road Not Taken » (non traduit en français), commence par une question fascinante et rendue célèbre : « Deux routes conduisent vers un sous-bois jaune [traduction libre]. Laquelle prendre? », demande le poète (*Two roads diverged in a yellow wood*). Le narrateur opte pour « le chemin le moins fréquenté », un choix qui « fera toute la différence », dit-il. Mais quel aurait été son destin s'il avait choisi le chemin *le plus* fréquenté? Ce choix aurait également « fait toute la différence ». Mais en quoi? En quoi sa vie aurait-elle été « différente » au bout du compte s'il s'était engagé dans une voie plutôt que dans une autre? Ni lui ni personne n'en saura jamais rien, car nul ne connaît l'issue du chemin non emprunté.

Le chemin non emprunté est à la source de tous nos regrets. Il séduit notre imaginaire, nous entraîne dans des rêveries sur « ce qui aurait pu se produire si » et nous fait miroiter les infinies possibilités qui se seraient offertes à nous « si seulement ». Quand nous sommes malheureux, nous explorons ces routes que nous avons ignorées et plongeons au cœur d'une myriade de fantaisies, créant un monde de regrets autour de nos rêves et de nos espoirs déchus. Dans nos rêveries, au pays des « si seulement », les chemins non empruntés nous attisent de leurs mille et une possibilités, empoisonnant du coup nos routes empruntées par des choix ou par la force des choses ainsi que notre vie d'aujourd'hui.

La vie est une suite de choix – et d'incertitudes qui, inévitablement, les accompagnent. Nous ne pouvons deviner l'issue de nos choix. Nous pensons parfois savoir où nous mènera telle décision, mais ce ne sont que des suppositions. Où nous aurait conduits un choix différent? Nul ne le sait. Encore une fois, nous ne pouvons qu'imaginer divers scénarios. Quel que soit le chemin emprunté – un subtil changement de direction ou un virage de 360 degrés vers une nouvelle destination –, le chemin ignoré gardera son secret et son mystère. Nous ne saurons jamais où il nous aurait conduits, vers quelles personnes ou quels événements, pour nous offrir le meilleur ou le pire. Mais nous pouvons l'imaginer…

Dans la vie, nombre de choix s'imposent d'eux-mêmes; d'autres, par contre, nous donnent du fil à retordre, comme devoir choisir entre la ville qu'on aime et l'emploi de nos rêves. Il peut être difficile, en certaines circonstances, de devoir choisir entre accepter ou rejeter une demande en mariage, entre faire ou non cette demande officielle. Mais nous faisons aussi des choix de moindre importance, du moins, en apparence. Par exemple, hésitant entre deux films à voir, nous visionnons finalement un film qui renforce notre désir de changer de carrière et, au sortir du cinéma, nous passons à l'action. Cette décision qui semblait sans conséquence nous aura incités à réorienter notre vie professionnelle.

Certaines routes ne présentent aucune croisée des chemins – mais une courbe sans merci qui bouscule notre vie de but en blanc, avec fracas. Par exemple, une crise cardiaque ou l'apparition d'un cancer nous force à prendre des décisions d'ordre médical que nous n'avions jamais cru devoir envisager. Toutes les options qui s'offrent nous déplaisent, mais nous devons faire un choix; sans quoi d'autres le feront à notre place devant notre inaction ou notre indécision. Ayant perdu sa sœur et son beau-frère dans un accident de voiture, Casey s'est retrouvée seule pour élever ses deux jeunes nièces. Célibataire, elle menait une vie flamboyante, excitante et exigeante; elle n'avait ni le temps ni l'espace pour autre chose. Elle se retrouva subitement devant l'éventualité de devoir prendre deux petites filles sous son aile. Elle se sentait parfaitement inapte dans ce rôle de mère improvisée et détestait l'idée de prendre ces enfants avec elle. Mais il n'y avait personne d'autre pour jouer ce rôle, si ce n'est un étranger qu'elle jugeait insupportable. Ce virage inattendu dans sa vie était bouleversant et malvenu, propulsant Casey dans une profonde tristesse, une grande peur et un changement tous azimuts. Au bout du compte, tout se passa à merveille pour elle et les enfants, cette expérience leur fut des plus profitables. Mais rien ne laissait présager cette fin heureuse au moment de faire ces choix difficiles.

Des virages plus agréables nous attendent aussi sur le chemin de la vie. Charlie avait abandonné tout espoir de rencontrer son âme sœur jusqu'au jour où, faisant des emplettes, il rencontra une femme faisant une démonstration de cuisine dans un grand magasin. Ils ont discuté de l'art de réussir l'omelette. Et contre toute attente, Charlie se retrouva avec un nouvel achat sous le bras – un poêlon pour omelette. La conversation dériva sur d'autres petits plats à cuisiner puis sur divers sujets passionnants. Les deux tourtereaux se sont fréquentés puis mariés. Lorsqu'on prend un virage aussi agréable qu'inattendu, on quitte un lieu qui avait toutes les apparences d'un cul-de-sac pour aboutir sur un grand boulevard menant vers une toute nouvelle destination.

Il nous arrive aussi d'instaurer nos propres choix et de les qualifier d'occasions à saisir. Don a consenti tous les sacrifices pour se payer des études universitaires en sciences informatiques. Il cumulait deux emplois, prenait tous ses repas à la maison et se privait de toute vie sociale. Il acceptait ces longues heures de travail et d'étude, de même que des horaires chargés, parce qu'il voulait décrocher un emploi prestigieux et rémunérateur qui le propulserait en haut de l'échelle sociale. Don voulait élargir ses horizons et ses options dans la vie.

Certaines routes nous obligent à nous interroger pendant des jours, soupesant le pour et le contre, calculant les risques et les chances du choix à faire dans une croisée des chemins. Nous devons alors faire face à d'importantes questions qui demandent une réponse : avoir ou non des enfants? Accepter ce nouvel emploi ou préserver mes acquis? Divorcer ou tenter de pardonner? Lequel de ces choix comblera au mieux mes désirs? Que faire? Le doute nous assaille jusqu'au dernier moment; nous prenons enfin une décision en espérant faire le bon choix, et ce, malgré notre incertitude. C'est le propre de la vie. Nous ne savons rien de ce que nous réserve l'avenir, nous sommes privés de cette information qui nous parviendra… plus tard. Avec le temps, on peut facilement repérer un faux pas ou une « erreur » commise en réexaminant un choix personnel, professionnel, financier ou autre. Avec le recul, à peu près toutes nos décisions peuvent – dans une certaine mesure – soulever des regrets. Comment activer nos regrets? Rien de plus simple : il suffit de comparer notre décision aux mystères et aux fantasmes nourrissant « ce qu'aurait pu être » notre vie « si seulement » nous avions fait un autre choix!

CHOIX ET ATTENTES

Toute décision vient avec son lot d'attentes par rapport à demain. Nous exprimons nos attentes de multiples manières – sous forme de prédictions ou de vagues espoirs, d'émotions ou de pensées. Nos attentes nous incitent à emprunter une route plutôt qu'une autre et, si elles ne se réalisent pas, nous regrettons notre décision et souhaitons avoir agi autrement. Dès que nous nous accrochons au regret, nous revisitons notre décision dans le moindre détail – souvent avec tristesse, colère ou désespoir. Nous ressassons parfois ces pensées de manière compulsive : « Tout me semble si évident maintenant! Quel imbécile j'étais! Comment ai-je pu faire preuve de tant de négligence? Quel aveuglement! » Ces retours constants sur un choix malheureux jettent de l'huile sur le feu et alimentent notre colère; nous nous en voulons d'avoir commis ou non un geste.

Notre action ou notre inaction n'est pas toujours à l'origine d'un regret. Il peut s'agir d'un geste qu'une personne a fait – ou non – à notre égard. Ou d'un événement sur lequel nous n'avions aucune prise. Ce peut être un arbre qui s'écroule sur notre voiture. L'inondation de notre maison. Un incendie ayant détruit notre garage et les deux voitures qui s'y trouvaient. Une maladie qui bouscule notre vie. Alors, on se dit : « Si seulement j'étais parti plus tôt! Comment ai-je pu négliger de m'assurer contre les inondations? J'aurais dû vérifier le filage électrique. »

Quelle qu'en soit la cause, le regret s'installe et prend de l'expansion jusqu'à devenir incontrôlable. Nous voulons à tout prix qu'il en soit autrement, les choses doivent tourner en notre faveur et selon nos désirs. Nous refusons d'accepter la réalité telle qu'elle se présente. Nous trépignons de rage ou baignons dans la tristesse ou l'apitoiement. Nous gémissons dans l'espoir qu'une personne ou un événement se chargera d'améliorer la situation, de changer les choses ou d'anéantir l'obstacle. Nous nous plaignons comme des enfants pensant que nos larmes persuaderont nos parents de recoller pour nous les pots cassés. Alors, nos pensées négatives usurpent notre pouvoir et font de nous des victimes. Noyés dans la colère et le désespoir, nous sommes convaincus d'avoir définitivement raté notre vie ou d'avoir été blessés sans espoir de nous en remettre. Nous nous répétons intérieurement que, dorénavant, plus rien ne saurait nous aider. Et nous nous enfonçons dans les sables mouvants du regret.

Comme une ritournelle sans fin, nous répétons :

❖ « Si seulement j'avais… »

❖ « Si seulement elle n'avait pas… »

❖ « Mais pourquoi n'ai-je pas…? »

❖ « Tout aurait été différent si... »

❖ « J'ai peine à croire que je n'ai pas... »

❖ « Si je devais le refaire, je... »

❖ « Si seulement j'avais su... »

❖ « Si seulement je n'avais pas... »

❖ « Je donnerais une fortune pour... »

❖ « Pourquoi, mais pourquoi donc n'avoir pas...? »

Ces pensées nous assaillent inlassablement lorsque nous sommes aux prises avec un profond regret. Devant tant d'intensité et de souffrance, nul doute qu'il s'agit d'un regret trop lourd à porter et qu'il nous faut nous en départir.

Regretter, c'est revisiter des décisions ou des événements du passé, les comparer à ce qui aurait pu être et désirer que les choses soient autrement. *En accordant aux décisions et aux événements du passé le pouvoir de nous blesser dans notre vie actuelle, nous nous créons de lourds regrets qui empoisonnent notre existence.* Regretter, c'est s'offrir un voyage dans le passé dont le prix à payer est la perte du moment présent. Regretter, c'est quitter aujourd'hui pour hier, ce qui est pour ce qui fut. C'est quitter le présent, où nous sommes des acteurs ayant le pouvoir de changer nos vies, afin de retourner dans le passé qui fait de nous des victimes délestées de tout pouvoir, des victimes de ce qu'aurait pu être notre vie.

Mais pourquoi ces regrets? Ils font écho à des attentes non satisfaites, à des rêves perdus et à des espoirs déchus, à des échecs et à des drames, à des fautes ou à des erreurs de jugement. Les regrets jaillissent naturellement au cours d'une vie et tissent le canevas de l'expérience humaine. Les regrets font partie intégrante de la vie. Ils sont inévitables, mais ne doivent pas nous accabler. Nous devons les accepter dans une certaine mesure puisqu'ils font partie de la vie. Mais qui d'entre nous n'a pas tenté de s'en libérer? Nous nous y appliquons jour après jour lorsque surgissent de petits regrets, facilement négociables. « J'aurais mieux fait de ne pas prendre de dessert. Comment a-t-il pu oublier mon anniversaire? J'ai commis une erreur en achetant ce veston. » Ces petits regrets nous agacent un court moment puis disparaissent.

Mais certains regrets sont d'une autre nature; ils sont plus sérieux, plus urgents et plus difficiles à oublier. Cette fois, l'enjeu est de taille et les conséquences sont graves (si on les compare aux calories ingé-rées ou à l'anniversaire loupé). Nous avons du mal à nous libérer de ces regrets. Ils nous emprisonnent. Ils font de nous des êtres obsédés par les conséquences malheureuses de nos gestes et par la tristesse qui en découle, celle d'hier et d'aujourd'hui. Sur le manège des regrets, nous tourbillonnons inlassablement dans les « si seulement j'avais » ou les « si seulement je n'avais pas ».

Plus nous avançons en âge, plus les regrets potentiels à conserver ou à laisser tomber s'amoncellent sur le parvis de notre existence. Les chemins non empruntés se multiplient. Les années s'accumulent et nous offrent le recul nécessaire pour évaluer les événements de notre vie... et nous laissent bien peu de temps pour « corriger » nos erreurs. Nous faisons face à une multitude de regrets au cours d'une vie et, à chacune des occasions, nous devons choisir entre deux options : nous y accrocher ou nous en libérer. Or, ce choix est nôtre. Il nous appartient.

DIVERSES FORMES DE REGRET

Nos regrets prennent diverses formes et, suivant la cause sur laquelle ils reposent, se retrouvent sous l'une des sept catégories présentées plus loin. Un regret aux causes multiples peut apparaître sous plus d'une ca-tégorie. Lisez la liste des sept catégories de regrets et tentez, par la même occasion, de découvrir à quelle catégorie appartiennent vos regrets per-sonnels. Nous reprendrons cet exercice par écrit, un peu plus tard. Cet exercice s'inscrit dans un processus plus large d'analyse systématique qui vous permettra de prendre le contrôle de la situation afin d'amenui-ser votre souffrance liée aux regrets et de reprendre votre pouvoir.

Les sept catégories de regrets :

1. Un acte que vous avez commis (vous le déplorez)

2. Un geste que vous avez omis de faire (vous aimeriez l'avoir fait)

3. Un acte fait par autrui (vous le déplorez)

4. Un geste qu'une personne a omis de faire (vous aimeriez qu'elle l'ait fait)

5. Un événement fortuit ou circonstanciel

6. Des pertes inéluctables (vous les déplorez)

7. Une comparaison (elle vous a conduit au regret)

Voyons dans le détail chacune des sept catégories.

1. Un acte que vous avez commis (vous le déplorez)

Dans cette catégorie, le regret repose sur un *acte que vous avez fait, mais que vous aimeriez n'avoir jamais exécuté.* « Je n'aurais pas dû dire cela » est un regret des plus courants. Une expression malhabile n'aura pas de répercussions fâcheuses à long terme dans la plupart des cas, sauf si elle provient d'un personnage public ou si elle est prononcée au sein d'une famille où les mots blessent profondément les membres de ce groupe. Mais nombre de regrets placés dans cette catégorie sont complexes, ont des conséquences à long terme et sont difficiles à oublier. Par exemple, une femme regrette de s'être fait avorter, alors qu'une autre regrette son enfant illégitime. Un jeune homme dilapide son héritage en cocaïne. Un autre tue accidentellement son ami et un troisième perd une jambe à cause d'une erreur de jugement. Une femme vole la compagnie pour laquelle elle travaille, ment lorsqu'elle se fait prendre sur le fait et subit les conséquences dramatiques de ses actes. Apprenant qu'il est atteint du cancer, un homme cesse de fumer, mais il est trop tard. Toutes ces personnes éprouvent des regrets de « commission » reposant sur des gestes qu'elles ont faits et qu'elles déplorent.

2. Un geste que vous avez omis de faire (vous aimeriez l'avoir fait)

Ce regret provient d'une *action que vous n'avez pas faite, mais que vous aimeriez avoir exécutée.* « J'aurais dû l'appeler pour lui souhaiter un bon anniversaire » se situe au bas de l'échelle de cette catégorie de regrets. D'autres formes d'inaction peuvent avoir de graves conséquences ou dilapider nos rêves. Une femme a négligé son enfant qui, aujourd'hui, lutte contre ses blessures liées à l'abandon. Un homme perd soudainement un parent décédé des suites d'une crise cardiaque, à qui il n'aura jamais dit : « Je t'aime ». Malgré un talent certain pour écrire de la fiction, une femme a plutôt misé sur un emploi stable et étouffé son rêve de devenir une grande romancière.

Dans cette catégorie, les rendez-vous manqués sont légion. Dans les années 80, Bob n'a pas acheté Microsoft alors qu'il prédisait sa montée fulgurante et avait les moyens financiers pour passer à l'action. Il a préféré ne prendre aucun risque et miser sur les sociétés et les actions de premier ordre; après avoir tout investi, il a vu ses pécules donner de piètres résultats sur le marché. Aujourd'hui, il est obsédé par toute cette richesse qui serait sienne « si seulement ». Il ne cesse de se répéter :

« Comment ai-je pu agir de la sorte? Comment ai-je pu être aussi stupide? »

Julie est aux prises avec un travail minable qui lui permet à peine de joindre les deux bouts; elle n'a acquis aucune compétence et n'a pas poursuivi ses études au sortir du secondaire. Sa tante lui a offert de défrayer ses études universitaires, mais Julie a refusé. Elle voulait voir du pays, côtoyer des musiciens, suivre le courant et ne jamais avoir la même petite vie ordinaire que ses parents menaient, à travailler dur dans les usines. Mais les mois ont passé, puis les années. L'homme qui partageait sa vie était de moins en moins fiable, les emplois faciles étaient de moins en moins agréables. Aujourd'hui, Julie regrette l'absence de diplôme. Elle se répète sans cesse que tout serait différent si elle avait accepté l'offre de sa tante. Si seulement elle avait fait ses études universitaires. Si seulement.

Toutes ces personnes éprouvent des regrets d'« omission » reposant sur des gestes qu'elles n'ont pas exécutés et qu'elles déplorent.

3. Un acte fait par autrui (vous le déplorez)

Dans cette catégorie, le regret est lié à un *geste fait par un tiers à votre endroit et que vous déplorez.* Quel que soit le rôle que vous avez joué (important, secondaire ou inexistant) dans les circonstances entourant ce regret, il n'en demeure pas moins que vous en avez subi les conséquences. Par exemple, une personne passe un commentaire fort désobligeant à votre sujet – cette situation tomberait dans cette catégorie, mais vous pourriez sans doute passer outre ce regret. Mais d'autres types d'actions peuvent marquer davantage. Votre meilleur ami vous a fraudé et laissé sans le sou. Votre conjoint vous a trompé avant de vous poursuivre en justice pour demander le divorce, mettre fin à votre mariage et à votre rêve d'offrir à vos enfants un foyer stable. Un étranger vous viole. Votre meilleure amie se suicide. Vous perdez l'emploi de vos rêves en raison d'une lutte de pouvoir que vous n'avez nullement amorcée. Peu importe que le geste fait par l'autre soit délibéré ou non, vous en sortez meurtri. Ce sont des regrets liés au geste commis par autrui.

4. Un geste qu'une personne a omis de faire (vous aimeriez qu'elle l'ait fait)

Dans cette catégorie, le regret provient d'un *geste qu'une personne n'a pas fait à votre égard, alors que, selon vous, elle aurait dû l'exécuter.* Souvent, ce regret est lié à une personne de votre entourage – un membre de la famille, un ami ou un collègue de travail –, mais ce n'est pas toujours le cas. Voici un exemple sans grande conséquence, bien que temporairement souffrant, de ce type de regret : votre conjoint oublie de souligner votre anniversaire. Mais d'autres omissions peuvent avoir des répercussions graves et une longue portée. Enfant, vos parents ne vous ont pas appris l'autodiscipline et vous avez dû faire ce long et pénible apprentissage à l'âge adulte. Lors de votre embauche comme avocat, on vous avait promis un partenariat dans l'entreprise, mais cette promesse n'est pas tenue et vous devez maintenant quitter la firme. Enfant, vos parents ne vous ont jamais révélé que vous étiez adopté et vous découvrez la vérité après leur décès – alors qu'il est trop tard pour en discuter avec eux ou pour obtenir des renseignements sur vos parents biologiques.

Il arrive parfois qu'un acte d'« omission » par autrui entre également dans la catégorie d'acte de « commission ». Par exemple, une femme refuse la demande en mariage de son prétendant. Cet homme peut considérer son geste comme un acte d'omission – elle ne l'a pas épousé – et placerait son regret sous cette catégorie. Mais il peut également le considérer comme un acte de commission – elle l'a rejeté. Quoi qu'il en soit, il en souffre, peu importe qu'il place ce regret dans la catégorie d'acte de « commission » ou d'acte d'« omission ». Au moment de faire cet exercice, choisissez la catégorie qui semble convenir à votre type de regret.

5. Un événement fortuit ou circonstanciel

Nous retrouvons dans cette catégorie des regrets liés au destin ou aux circonstances de la vie et sur lesquels nous n'avons aucun contrôle. Par exemple, une maladie grave ou un handicap physique contre lesquels nous ne pouvons rien, une enfance vécue dans la pauvreté et la mort prématurée d'un parent sont des circonstances de la vie sur lesquelles nous n'avons aucun pouvoir, mais qui nous touchent profondément. Tombent dans cette catégorie les accidents ainsi que la mort subite de notre amoureux victime d'un écrasement d'avion ou d'un tireur fou. Tous ces exemples portent sur des regrets liés à des événements fortuits ou circonstanciels sur lesquels nous n'avons aucun contrôle.

6. Des pertes inéluctables (vous les déplorez)

Les regrets de cette catégorie proviennent des *pertes nécessaires qui jalonnent le cours de toute vie.* Ils diffèrent des regrets issus d'événements fortuits ou circonstanciels à résonnance négative parce qu'ils sont le propre de toute personne avancée en âge. Ce sont les renoncements et les deuils liés au vieillissement et aux grandes transitions de la vie. Ils caractérisent tous les passages de la vie : enfance, adolescence, jeune adulte, adulte mature et vieillesse. Ainsi, pour atteindre sa pleine maturité, l'adolescent doit renoncer à l'illusion de son omnipotence (le pouvoir de devenir tout ce dont il rêve dans la vie) et à son sentiment d'être intouchable, invincible et immortel – c'est payer cher le passage à l'âge adulte! Mais s'il refuse d'en payer le prix, il sera profondément malheureux. La perte de l'omnipotence, de l'invincibilité et de l'immortalité engendre des renoncements inéluctables sur cette terre; mais libre à nous de choisir comment nous vivrons ces passages. Vivre vieux signifie traverser d'inévitables deuils comme celui de la beauté et de la jeunesse, de l'énergie, de la dextérité, des capacités physiques et de la vitalité.

Il arrive que ces pertes inéluctables soient associées à des événements heureux. Il faut souvent renoncer à quelque chose pour obtenir autre chose. Nous avons parfois du mal à nous détacher de ce que nous possédons, même si, au bout du compte, nous y gagnons au change. Nous voudrions posséder les deux. Mais il en va autrement dans la vie. Tout renoncement nécessaire implique que l'ancien et le nouveau ne peuvent cohabiter – nous devons choisir entre l'un ou l'autre. Ce renoncement induit une souffrance propre à toute perte inéluctable – même si ce changement nous est très profitable. Renoncer – pour obtenir autre chose – est tout de même vécu comme une perte, une petite mort qu'il nous faut pleurer, accepter et oublier. Nos grandes percées sont souvent accompagnées de grandes pertes. Que nous le voulions ou non, ce principe gouverne notre vie.

Keith a accepté une promotion après avoir trimé dur pour l'obtenir; mais ce changement l'obligeait à quitter sa ville et ses nombreux amis pour aller s'installer dans une autre ville où il ne connaissait âme qui vive. Il adorait son travail, mais détestait son nouveau milieu de vie. Keith regrettait d'avoir accepté cette promotion et ce déménagement. Ce regret était donc lié à un événement heureux. Il désirait cette promotion, mais le prix payé pour l'obtenir lui laissait un goût amer. En fait, il éprouvait du ressentiment à la seule idée d'avoir eu à marchander. Avec le temps, Keith a perdu de vue les avantages rattachés à sa promotion pour se concentrer sur les pertes inéluctables qui l'accompagnaient; il devint un homme aigri, amer et malheureux.

7. Une comparaison (elle vous a conduit au regret)

La société américaine en est une de compétition. On aime dresser des listes et des palmarès : les 10 femmes les mieux habillées; les 50 célibataires les plus demandés; les 100 meilleures entreprises pour lesquelles travailler; les 500 personnalités en meilleure santé. Toutes ces listes servent à comparer la performance des « meilleurs » de ce monde avec celle de gens ordinaires. Ces listes nous fascinent parce que, dans une société qui carbure à la performance et au succès, nous accordons beaucoup d'importance au « rang » occupé. Êtes-vous d'accord avec ce qu'on dit, à savoir que *Citizen Kane* est le meilleur film de tous les temps (il occupe habituellement le premier rang au palmarès) ou croyez-vous que *Casablanca* le surpasse (il occupe habituellement le second rang au palmarès)? En ce qui concerne les Oscars, êtes-vous d'accord avec la décision de l'Academy of Motion Picture Arts and Sciences lorsque vient le temps d'honorer le meilleur acteur, la meilleure actrice, le meilleur réalisateur et le meilleur film de l'année?

Dans notre vie personnelle, nous dressons également nos propres listes, consciemment ou non. Nous établissons notre rang en nous comparant aux personnes de notre entourage ou à des inconnus dont nous avons entendu parler. Nous établissons même des listes afin de nous comparer à cette personne fictive que nous rêvions de devenir, sans jamais y parvenir (et parfois même sans nous en approcher). Quel rang occupez-vous sur vos listes secrètes? Êtes-vous tout en haut, tout en bas ou au milieu de l'échelle de votre palmarès personnel?

Ces listes secrètes et la position qu'on y occupe sont une source potentielle de regrets. De fait, nous y retrouvons souvent nos regrets les plus souffrants et les plus démoralisants. En comparant notre vie à celle que nous devrions prétendument avoir, en relation avec notre « nous » idéal ou les autres, nous créons les fameux « j'aurais dû » remplis de souffrance. Ils surgissent dès que nous comparons qui nous sommes avec les « j'aurais dû être », « j'aurais dû faire » et « j'aurais dû avoir ». Nous créons ainsi des regrets reposant sur « l'échec » ressenti lors de comparaisons. Qu'en est-il pour vous?

❖ Comparaisons entre vous et des gens de votre entourage ou des inconnus dont vous avez entendu parler.

❖ Comparaisons entre votre vie, vos réalisations et les attentes que nourrissent, à votre égard, les gens ou la société dans laquelle vous vivez.

❖ Comparaisons entre votre vie actuelle et les normes que vous vous étiez fixées, les rêves que vous caressiez ou le potentiel qui fut vôtre par le passé.

Chaque fois que vous faites ce type de comparaisons, vous créez immanquablement des regrets issus d'un sentiment d'échec ou de manque.

S'ACCROCHER AU REGRET

Le regret est notre lot à tous. Il va de soi dans la vie. Toute action peut éventuellement nous apporter des regrets, comme toute inaction, d'ailleurs. Nous ne pouvons échapper aux regrets, mais nous pouvons éviter de tomber entre les griffes du *regret accablant.* Le problème ne vient pas du regret proprement dit, mais de ce que nous en *faisons.* Il est facile d'oublier de petits regrets; nous avons une longue expérience en la matière. « J'aurais dû aller au cinéma, finalement » est un regret qui monte et s'efface.

D'autres regrets ont plus d'importance : ceux dont « on tire une leçon », par exemple. Mais encore une fois, nous savons nous en départir. Ces regrets sont rattachés à des gestes omis ou commis par d'autres ou par nous. En pareilles circonstances, nous pensons : « J'aimerais ne pas avoir agi de la sorte, mais j'ai retenu ma leçon; jamais plus je ne recommencerai. » Ou encore : « Ce fut le pire des patrons, mais j'aurai appris, à ses côtés, toutes les erreurs à ne pas commettre lorsqu'on occupe un poste de direction. » Pour tous les enseignements reçus, nous acceptons cette expérience et passons à autre chose. D'autre part, les regrets liés à nos « échecs » sont formateurs et nous conduisent parfois vers un monde meilleur. Je songe à cette femme qui disait : « J'étais anéantie après ce congédiement, mais en réalité ce fut la meilleure chose qui me soit arrivée. »

Lorsque nous examinons nos erreurs en toute objectivité et que nous évaluons les enseignements reçus, nous acquérons savoir et sagesse. Si nous refusons d'apprendre de nos erreurs, nous sommes condamnés à les répéter sans espoir d'évoluer. Combien de fois entendons-nous : « J'ai autant appris de mes erreurs que de mes bons coups »? Nous apprenons la leçon qui s'offre au passage et poursuivons notre route, vivant en ce moment présent et ouverts aux multiples occasions qui s'offrent à nous.

Mais nous avons du mal à nous libérer de certains regrets. « Pourquoi n'ai-je pas? » devient alors une troublante ritournelle. Toutefois, même en revisitant constamment le même regret, nous finirons par nous en départir et nous accepterons éventuellement la leçon à en tirer avant de nous adapter à la nouvelle réalité qui en découle. Nous laisserons le temps fermer nos blessures et effacer nos regrets. Puis, nous oublierons. Enfin, presque toujours, sauf si le prix de l'oubli nous semble trop élevé. Alors, nous nous rebiffons et refusons de laisser tomber ce regret. Nous en concluons que, peu importe la leçon apprise ou à apprendre, le prix n'en vaut pas la chandelle. Nous détestons la route empruntée, par choix ou par obligation. Elle nous a menés vers les pires difficultés et nous le regrettons encore amèrement. Nous revisitons nos choix ou les circonstances qui nous ont été imposées. Ce faisant, nous ne cherchons pas à en tirer des leçons, nous voulons ressasser les méfaits qui en découlent, modifier le cours des choses et voir la situation tourner en notre faveur telle que nous l'avions espéré. Et nous finissons par crouler sous l'apitoiement et l'inaction. Nous sommes piégés dans cet affreux passé que nous refusons de quitter.

Quand donc un regret devient-il problématique? Lorsque nous le revisitons intensément et de manière compulsive, souhaitant que les choses soient autrement et blâmant les autres ou nous-mêmes de ce fait. Nourrir un regret, c'est continuer à vivre toutes les émotions qu'il engendre et en souffrir longtemps après les événements, alors que cette expérience devrait normalement être assimilée. Nourrir un regret, c'est nous donner un lieu de sépulture où déposer nos fantasmes et nos rêveries. Nous y retournons constamment, dans une rage folle ou une peine profonde. Nous nous rappelons régulièrement les événements et toute la souffrance qui s'y rattache, menaçant par la même occasion notre intégrité, mettant au défi notre dignité personnelle, jetant de l'amertume sur notre bonheur. Alors, ce regret n'en est plus un. Il s'est transformé en un insoutenable fardeau.

Comment nourrir un regret? Par exemple, en ruminant son chagrin. On dit des vaches qu'elles ruminent en « mâchouillant » de l'herbe. Quant aux humains, ils ruminent lorsqu'ils ressassent une idée comme pour y mordre, encore et encore. En psychologie, on utilise le terme *ruminer* pour identifier le schéma d'une pensée répétitive. Mais nous pouvons nourrir un regret sans ruminer. Il suffit de le laisser nous tourmenter chaque fois qu'il refait surface, même si nous n'en faisons pas une obsession.

Entretenu et nourri, ce regret occupe une place particulière dans notre vie et nous plonge dans une souffrance spécifique. Ce type de regret porte le sceau du mensonge, source de notre malheur : il nous prive du succès, nous rend indignes de toute amitié ou coupables sans espoir de pardon. Parfois, il fait de nous un être colérique, défensif et qui réagit outre mesure aux commentaires et aux gestes d'autrui. Nous refusons de pardonner, nous nous consumons dans la haine et les idées de vengeance qui jettent de l'ombre sur des jours, par ailleurs, festifs et lumineux. Un regret accablant est une véritable fontaine de mécontentements et de blâmes qui met un frein à tous nos possibles, jette un voile sur nos plaisirs et emprisonne notre amour.

Nous connaissons tous des gens que nous admirons, qui ont du succès et qui sont d'agréable compagnie; pourtant, ils se sentent diminués par trop de regrets. À nos yeux, ils sont admirables et suscitent même l'envie. Nous aimerions leur ressembler. Comment expliquer alors qu'ils ne puissent réaliser la futilité de leurs prétendues erreurs, lorsqu'on regarde l'ensemble de leur vie? Ils se donnent entièrement dans leurs activités d'aujourd'hui, mais profitent à peine des plaisirs de leur vie et continuent à souffrir pour des événements d'un passé lointain. Nous sommes mystifiés en les observant. Ils n'ont aucune raison de vivre ainsi dans le regret, pensons-nous intérieurement, en examinant leur vie – mais quand vient le temps de justifier *nos* regrets, toutes les raisons sont bonnes!

Nourrir un regret, c'est déserter la réalité des choses et nous concentrer sur les fantaisies de ce qu'aurait pu être notre vie – une comparaison qui nous conduit tout droit dans une peine immense. Si le prix à payer pour s'accrocher à nos regrets n'était pas si élevé, nous resterions coincés dans ce piège. Mais tout regret que nous ne pouvons laisser tomber d'un simple haussement d'épaules doit être pris au sérieux, nous ne pouvons nous permettre de nous y accrocher. Rien ne nous y oblige, d'ailleurs. Libre à nous de les laisser tomber. Mais nous choisissons souvent de nous y accrocher. Pour quelle raison? Si le fardeau d'un regret accablant est si lourd à porter, qu'est-ce qui nous pousse à l'entretenir de la sorte?

Bien souvent, nous continuons à entretenir un regret parce que nous ignorons comment procéder pour nous en libérer. Comment amorcer le processus qui nous libérera de ces souvenirs accablants devenus les fidèles compagnons de notre vie? Nos proches nous exhortent de « dépasser » nos regrets et c'est aussi notre désir. Mais comment procéder? Quelle en est la marche à suivre? Sans aide et sans la connaissance de la méthode, la majorité des gens ne sauraient se libérer de leurs regrets.

Il existe un autre motif qui nous incite à entretenir des regrets. Ils sont fondés sur un schéma de pensées irréalistes que nous n'avons jamais pris la peine d'examiner en profondeur. Croire que nous devons être parfaits est l'une de ces idées qui nous plongent dans une mer de regrets. En voici une autre – prendre sur ses épaules une culpabilité non méritée. Certains regrets servent à « justifier » notre inaction – par exemple, nous affirmons qu'il est trop tard pour amorcer une nouvelle carrière plus agréable... et voilà l'excuse qui justifie que nous ne lèverons pas le petit doigt pour tenter notre chance. Nous devons dépasser ces schémas de pensées irréalistes pour nous libérer de nos regrets et de leurs effets pervers; c'est là une des étapes du processus. Nous nous y attarderons davantage au cours de l'étape 3 (« Modifiez le schéma de vos pensées toxiques ») présentée au chapitre 6.

VOUS LIBÉRER DU REGRET

Alors que je baignais dans un océan de regrets, aux prises avec toutes les difficultés qui en découlaient, il me semblait utopique de pouvoir m'en libérer. Cela m'apparaissait inconcevable. C'est ce que je croyais parce que j'ignorais alors la véritable signification de ce principe : se libérer du regret. Cela ne veut pas dire de nier le regret ou les événements qui s'y rattachent. Il ne s'agit pas non plus de minimiser les effets pervers que ce regret peut avoir sur nous ou sur notre vie, comme la douleur, la blessure ou la peur qui en résultent. Nous libérer d'un regret signifie faire la paix avec les gestes et les circonstances qui l'entourent, relâcher les douloureuses émotions qui y sont associées et mettre fin aux distorsions que ce regret provoque dans notre vie d'aujourd'hui.

J'ai reconnu mon regret et la blessure qui en résultait pour finalement admettre que je n'avais plus à en rester prisonnier. Je pouvais quitter le passé où mon regret resterait à demeure pour embrasser mon présent, qui me donnait le pouvoir de me changer et de modifier les circonstances de ma vie. Pendant ce processus, je me suis libéré de la colère, de la honte, de la culpabilité et de la tristesse qui enveloppaient mes regrets et intoxiquaient ma vie. Voilà ce qu'est la guérison.

Les outils psychologiques et spirituels, combinés avec les dix étapes pour se libérer des regrets, ont été conçus pour vous conduire à la guérison. Et ça fonctionne! Ils vous permettront de mieux comprendre vos regrets, de jeter un nouveau regard sur votre passé et de vous en libérer. Ultimement, les dix étapes vous conduiront au pardon – envers vous-même et envers les autres.

LES MÉRITES DU LÂCHER-PRISE

Si vous entretenez des regrets depuis longtemps, si vous les revisitez fréquemment et les revivez régulièrement, peut-être serez-vous effrayé à la seule idée de les abandonner. Nos regrets sont si bien intégrés à notre vie que nous nous demandons quelle sera notre existence sans eux. Peut-être craignez-vous que cette absence ne vous laisse aux prises avec un grand vide émotionnel, difficile à combler. Mais en procédant par étape, vous réaliserez que votre lâcher-prise vous apporte des bienfaits nettement plus intéressants que tous les prétendus avantages de vos lourds regrets. Voici quelques-uns des mérites qui vous attendent :

❖ Libération de la douleur, de la colère, de la honte et de la culpabilité liées à votre regret.

❖ Disparition de la domination que ce regret exerçait sur votre vie : vous pourrez enfin utiliser vos pensées et vos émotions à des fins plus productives.

❖ Reconnaissance des enseignements et des présents reçus par ce regret : vous les utiliserez pour votre propre bénéfice et celui d'autrui.

❖ Plus grande acceptation de vous et des autres.

❖ Nouveau regard sur l'expérience unique de votre vie et plus grande appréciation de votre existence.

❖ Conscience élargie de votre habileté à être au service d'autrui.

❖ Plus grande compassion pour ceux qui luttent ou ont lutté, empathie envers ceux qui souffrent ou ont souffert, amour pour ceux qui échouent ou ont échoué.

❖ Nouveau sentiment d'évoluer dans ce monde avec aisance et d'en être digne.

❖ Engagement personnel de vivre en ce moment présent et d'embrasser toutes les joies, les peines et les occasions qui *s'offrent à vous.*

Si vous baignez dans la souffrance de vos regrets, tous ces bienfaits peuvent vous sembler inatteignables. Ils sont pourtant bien réels. Ce sont les fruits de votre guérison. Or, vous pouvez guérir, car, contrairement à ce que vous croyez, vous avez une grande capacité d'évolution et vous méritez cette grâce; de plus, vous avez en mains de puissants outils spirituels et psychologiques ainsi que la méthode en dix étapes pour vous soutenir. Votre sentiment d'impuissance à vous libérer de vos regrets disparaîtra pour faire place à la maîtrise de vos regrets; vous serez comblé de joie, de satisfaction et de bonheur au-delà de toute espérance.

Quelque chose d'extraordinaire se produit lorsque nous implorons une force spirituelle tout en utilisant des outils psychologiques éprouvés afin de nous libérer de nos regrets. Si vous avez l'intention de guérir de tous vos regrets et de mener une vie plus productive et satisfaisante, vous serez soutenu de mille et une façons et de manière tout à fait inattendue. Vous rencontrerez des forces supérieures – qui vous transporteront aux frontières de l'impossible et dans un monde miraculeux. Vous aurez l'audace de raviver l'espoir d'une vie meilleure et de réclamer votre droit à poursuivre d'anciens rêves oubliés et mis au rancart sous le poids des regrets. Vous rallumerez la flamme de votre histoire d'amour avec la vie et vous verrez poindre à l'horizon de nouvelles possibilités, à la fois invitantes et excitantes, qui vous sortiront de votre prison du passé et vous propulseront dans tous les brillants possibles du moment présent.

LÂCHER PRISE À VOTRE PROPRE RYTHME

Sans regret est conçu de manière à vous permettre de traverser les dix étapes à votre propre rythme, sans autre échéancier que le vôtre. Prenez l'engagement de vous y consacrer entièrement et régulièrement; dans la mesure du possible, évitez toute procrastination. Cette dernière est parfois inévitable; elle sera acceptable à la seule condition de ne jamais cesser de progresser.

Chaque personne est unique et les regrets de chacun diffèrent. Pour certains, le lâcher-prise se fait rapidement. Ils vivent un moment de « grande inspiration », puis un autre et un autre encore et voilà que toutes les pièces du casse-tête semblent s'ajuster sous leurs yeux. Ils voient avec précision la route pour se libérer de leurs regrets et peuvent accomplir cette tâche avec célérité et aisance, dans une certaine mesure. Pour d'autres, le processus de libération exige plus d'efforts et de temps avant d'arriver à destination. Peu importe le temps que vous mettrez pour y parvenir, sachez sans l'ombre d'un doute que vous atteindrez votre but – celui de vous libérer de vos lourds regrets – si vous prenez l'engagement de suivre la méthode des dix étapes présentée dans cet ouvrage.

Le temps que vous consacrerez à cette tâche dépend essentiellement de l'importance que vous accordez à ce projet, soit vous libérer de vos regrets. S'il s'agit d'une priorité absolue, vous vous attellerez à la tâche sans plus attendre et vous poursuivrez vos efforts jusqu'au jour où vous aurez fait la paix avec ce lourd passé qui vous emprisonne. Nous accordons notre temps à ce qui est important à nos yeux. Dans quelle mesure est-il important de vous libérer de vos regrets? Si votre démarche est sérieuse, voyez combien de temps vous devrez y consacrer. Soyez réaliste et compatissant. Après tout, ces objectifs sont les vôtres!

Que faire si vous ne respectez pas votre échéancier? L'accepter, tout simplement. La souplesse est de mise. Des imprévus peuvent survenir et vous empêcher d'y consacrer tout le temps désiré. Révisez simplement votre emploi du temps et faites les ajustements voulus, tout en vous familiarisant avec les dix étapes. À vous de décider d'accélérer ou de ralentir le processus. Lorsque vous aurez établi votre engagement et votre échéancier, rédigez-le selon les termes proposés plus bas; faites-en un signet qui marquera vos pages, dans cet ouvrage. Libre à vous d'établir votre engagement en termes de minutes par jour ou d'heures par semaine.

« Je m'engage à consacrer _____ minutes par jour (ou _____ heures par semaines) à la lecture du livre *Sans regret* et à entreprendre les dix étapes. Au besoin, je réviserai cet échéancier au fil du temps et de ma démarche. »

_____

Signature   Date

Félicitations! Vous êtes sur la voie pour vous libérer de vos regrets.

Chapitre 2

VOUS LIBÉRER DU REGRET
EN DIX ÉTAPES

C eux qui ont vécu le poids d'un lourd regret savent pertinemment que le processus, pour s'en libérer, n'est pas aussi simple
que certains le prétendent. Nos amis et nos parents nous ont
encouragés à faire la paix avec nos regrets sans réaliser combien cette
démarche nous est pénible. Mais nous savons, dans notre for intérieur,
que leur expérience personnelle est bien différente de la nôtre et qu'ils
ignorent la portée de leur demande. Nous ignorons tout de ce que ces gens
semblent savoir sur le lâcher-prise d'un regret. Ils nous disent : « Oublie
tout ça, tourne la page et vis ta vie » parce qu'ils ont été capables d'en
faire autant des milliers de fois. Ils n'ont pas la moindre idée de ce que
nous traversons dans les dédales de nos regrets. Pour nous, le prix à
payer pour ce lâcher-prise – tout comme le prix payé pour s'accrocher à
nos regrets – est bien plus élevé qu'ils ne sauraient l'imaginer.

Quand une personne croule sous le poids des regrets, elle doit apprendre la marche à suivre pour s'en libérer. Il ne s'agit pas d'un événement d'un jour, mais d'un processus, d'un voyage d'exploration qui nous
conduit dans des mondes intérieurs que nous avons rarement visités.
Nos regrets ne disparaîtront pas comme par miracle, chemin faisant,
mais ils se dissiperont petit à petit si nous appliquons avec soin les dix
étapes et leurs outils spirituels et psychologiques.

Nos regrets ont fait leur nid en nous – dans la profondeur de nos
souvenirs – et c'est précisément là que nous devons nous rendre pour en
prendre soin. Nos regrets n'appartiennent à nul autre que nous. On jure-
rait qu'ils sont la propriété de tous ceux qui y ont joué un rôle, mais c'est
faux. Nos regrets sont nôtres et ce que nous en faisons – s'y accrocher ou

s'en libérer – ne regarde que nous. Les personnes qui nous ont côtoyés lors des événements rattachés à ce passé difficile ont leurs propres regrets, qui ne sont pas nôtres. Ce qu'ils en font les regarde. Ce que nous faisons de nos regrets nous regarde.

Certains ne cherchent pas à s'en défaire, convaincus qu'ils n'y arriveront jamais. Avec pareille attitude, il est vrai qu'ils n'y parviendront pas. Après tout, pourquoi essayer? Mais cette croyance est fausse. Nous *pouvons* nous en libérer. Si nous ne le faisons pas, c'est que nous en avons décidé ainsi. Plutôt que de dire : « Je *ne peux pas* me défaire de ce regret », dites : « Je *ne veux pas* me défaire de ce regret » ou encore « Je *refuse* de me défaire ce regret ». Il n'est pas facile de voir la vérité en face et d'admettre notre complicité à vouloir nous accrocher à ce regret. Mais c'est une bonne nouvelle, car si nous sommes la personne responsable de nous y accrocher, le lâcher-prise est entre nos mains; par conséquent, cette solution est en notre pouvoir.

Il est un aspect de notre vie que nous pouvons toujours changer : nous-mêmes. Dès que nous acceptons la responsabilité de notre décision de rester accrochés à nos regrets, nous changeons de perspective. Nous passons de « je ne peux lâcher prise » à « je refuse de lâcher prise », nous quittons un sentiment d'impuissance pour reprendre notre pouvoir personnel. Ignorer *comment* lâcher prise est une chose, en être *incapable* en est une autre. Nous pouvons apprendre *comment* procéder. Et c'est exactement ce que nous enseigne la méthode en dix étapes. Mais elle fait plus encore, elle nous accompagne étape par étape, tout au long du processus.

Commencez dès maintenant en vous répétant intérieurement : « Je me libère de mes regrets » chaque fois qu'ils refont surface et cessez de vous répéter : « Je ne peux pas lâcher prise ». Vous *pouvez* lâcher prise. Mais pour y parvenir, vous devez à tout prix accepter d'y croire.

Le journal personnel figure parmi les outils mis à votre disposition au cours de votre démarche en dix étapes. Il s'agit d'écrire vos réflexions dans votre journal intime, à la main ou à l'ordinateur. Cet outil revêt une grande importance à chacune des étapes, car les choses deviennent plus réelles et votre concentration s'améliore lorsque vous écrivez sur un sujet donné. Nous reparlerons de cet outil dans le prochain chapitre. Mais vous pourriez dès à présent préparer votre journal personnel, car vous l'utiliserez avant la fin de ce chapitre.

D'abord, prenez un moment afin de décider si vous désirez tenir un journal écrit à la main, un journal écrit au clavier et gardé sur fichier dans votre ordinateur ou un journal imprimé après rédaction à l'ordinateur. Si vous optez pour un journal écrit à la main ou imprimé sur papier, procurez-vous un cartable pour feuilles mobiles à multiples sections. Vous y ajouterez constamment des feuilles et certaines seront insérées entre deux écrits précédents.

D'autre part, trouvez un endroit où le garder loin des yeux indiscrets. Sans quoi vous ne vous sentirez pas libre d'y mettre tous les détails nécessaires à votre lâcher-prise. Si vous optez pour un journal sur fichier gardé dans votre ordinateur, trouvez le moyen de le cacher avec soin et de vous munir d'un mot de passe; vous pouvez aussi le mettre sur disquette que vous rangerez ensuite avec soin, dans un endroit secret. Vous devez avoir la certitude que vous seul avez accès à votre journal afin d'être en confiance.

Lorsque votre journal est fin prêt, voici la toute première phrase à y inscrire : « La vérité n'est pas que je *ne puisse pas* me libérer de mes regrets, c'est que je *ne l'aie pas encore fait*. Maintenant, j'accepte de reconnaître que je *peux* me libérer de mes regrets. Je suis maintenant disposé à apprendre comment faire et je suis disposé à m'en libérer. »

LA MÉTHODE EN DIX ÉTAPES

Faire ce processus en dix étapes et en appliquer les principes à vos regrets est ce qu'on appelle dans cet ouvrage « franchir les étapes ». On parle de « franchir les étapes » – comme on franchit des obstacles – parce que pour y parvenir, vous devrez fournir les efforts nécessaires.

Franchir une étape signifie :

* ❖ Comprendre l'objectif et son rôle dans le lâcher-prise de votre regret.
* ❖ Faire les actions suggérées, en appliquer les principes et modifier votre attitude en conséquence.

C'est en franchissant les dix étapes qu'on parvient à se libérer de ses regrets. Chaque étape franchie devient le fondement de l'étape suivante; il est donc primordial de faire ce processus dans l'ordre, comme il se présente. Chaque étape vous donne le pouvoir nécessaire qui vous permettra de franchir la prochaine étape. Si vous tentez de faire ce processus dans le désordre, vous perdrez le pouvoir inhérent à cette démarche, les tâches seront plus exigeantes et moins gratifiantes. Si vous sautez une étape, la prochaine sera plus difficile. Si vous éliminez une étape, vous risquez d'échouer. Par contre, rien ne vous oblige à suivre à la lettre toutes les étapes avec perfection. Mais votre guérison sera plus profonde si vous suivez toutes les étapes avec diligence. Il ne fait aucun doute, néanmoins, que même un effort modeste, mais soutenu, pour franchir toutes les étapes, donnera des résultats et réduira vos souffrances liées aux regrets. À vous de déterminer dans quelle mesure vous désirez vous libérer de vos regrets et, par extension, de choisir comment suivre – avec plus ou moins de diligence – ce processus en dix étapes. Vous ne tarderez pas à voir les bons résultats de vos efforts; vous y puiserez la motivation nécessaire pour franchir complètement et avec soin chacune des étapes. De plus, une fois l'étape franchie, vous découvrirez que l'étape suivante est beaucoup plus facile que prévu.

On peut aborder cet ouvrage de deux façons. Vous pouvez le lire en entier pour avoir une vue d'ensemble du processus puis en reprendre la lecture afin de franchir les étapes une à une.

Vous pouvez également le lire graduellement, une étape à la fois, jusqu'à avoir franchi une étape avant de passer à la suivante. La première approche vous donne une vue d'ensemble du processus avant de vous y consacrer. La seconde vous permet de vous concentrer entièrement à l'étape en cours sans vous soucier de celle à venir. Les prochaines étapes semblent toujours plus difficiles à franchir, et ce, aussi longtemps qu'on n'aura pas complété la précédente. Choisissez intuitivement l'approche qui semble vous convenir.

Le processus en dix étapes :

1. Dressez la liste de vos regrets

2. Examinez vos regrets

3. Modifiez le schéma de vos pensées toxiques

4. Pleurez vos pertes

5. Faites amende honorable

6. Déterminez vos leçons et vos présents

7. Développez votre compassion

8. Pardonnez aux autres

9. Pardonnez-vous

10. Vivez libre de tout regret

Ce processus peut sembler intimidant lorsqu'on le regarde dans son ensemble. Il peut même nous paraître irréalisable. Si vous sentez tout à coup le besoin urgent d'aller porter les rebuts dans le bac extérieur, ne bougez pas et prenez une grande respiration. Les dix étapes ne doivent pas être perçues comme un tout. Nous les franchissons une à une, graduellement. Il ne serait pas sage de commencer un processus de transformation en sautant « tout de go » à la destination finale, évaluant la distance à parcourir entre le départ et l'arrivée et imaginant les efforts et la sueur qu'il faudra pour franchir les obstacles qui vous attendent. Concentrez-vous plutôt sur l'étape en cours et sur la prochaine tâche à accomplir, peu importe où vous vous trouvez sur le chemin. Chaque étape franchie s'ouvrira sur la prochaine qui vous semblera pertinente. Chaque chose en son temps. Si vous avancez étape par étape, vous serez étonné de les voir s'emboîter les unes dans les autres avec harmonie, et chacune d'elles sera vécue comme une expérience gratifiante. Soyez assuré que page après page, étape par étape, jour après jour, ce processus vous conduira au succès et vous libérera de vos regrets.

Vous n'avez besoin de rien de plus que la volonté d'amorcer ce processus. Or, vous l'avez démontré en choisissant cet ouvrage et en poursuivant votre lecture jusqu'à cette page. Nul besoin de prendre, dès maintenant, l'engagement ferme de vous libérer de vos regrets, ni même de vous y engager à 50,1 %. Cet engagement s'affermira au fil du temps, car vos efforts commenceront à porter des fruits, activant votre désir d'avancer et de plonger davantage dans cette nouvelle aventure pour atteindre votre objectif.

Pour le moment, vous n'avez qu'une seule étape à franchir : la première. Je vous conseille donc de lire les prochaines pages jusqu'à la fin du quatrième chapitre, soit la première étape, « Dressez la liste de vos regrets », afin de vous préparer à l'étape suivante, soit « Examinez vos regrets ». Cette dernière mettra la table pour la troisième étape, « Modifiez le schéma de vos pensées toxiques », et ainsi de suite, chaque chapitre étant consacré à une seule et unique étape jusqu'à la toute dernière, la dixième. La première étape vous permettra de déterminer tous vos regrets à libérer. Toutes les étapes suivantes, de la seconde à la dernière, vous conduiront progressivement vers cette libération. Cet ouvrage est un guide complet qui vous indique la marche à suivre pour franchir une à une ces étapes. D'autres publications traitent de certains aspects de ce processus de libération. Si le sujet vous intéresse, reportez-vous, en fin d'ouvrage, à l'appendice A, « Lectures suggérées », et voyez les quelques titres que je vous recommande.

FINI LES EXCUSES!

« Je voudrais bien laisser tomber mes regrets, mais… » Nous résistons souvent au changement qui éveille nos peurs et nous demande des efforts, et ce, même si nous y gagnerions au bout du compte. Nous avons alors recours à des excuses pour justifier notre désir de demeurer accrochés au regret. Ces excuses ressemblent à des raisons valables, mais il n'en est rien. Une raison valable explique pourquoi nous décidons de ne pas faire une action. Une excuse donne l'impression d'être vraie, mais elle cache le véritable motif d'une décision. Par exemple, nous pouvons refuser une invitation à participer à une fête en prétextant une indigestion quand, en réalité, c'est l'hôtesse que nous ne « digérons » pas. La véritable raison de notre refus, c'est que l'hôtesse de la soirée nous déplaît. L'indigestion est l'excuse utilisée pour justifier notre refus.

Parfois, une personne nous explique pourquoi elle refuse de faire ce que nous lui avons demandé, mais nous mettons en doute la raison invoquée. Nous traitons alors cette « raison » comme une excuse. Mais quand il s'agit de nous et de notre vie, nous prenons nos excuses personnelles pour des raisons valables. Par conséquent, notre grand voyage de libération commence par un examen approfondi des excuses utilisées pour rester accrochés à nos regrets.

Voici les excuses les plus communes qui ne sont, en réalité, que des raisons imaginaires ne tenant pas la route. Pendant votre lecture, voyez si vous reconnaissez certaines de vos excuses justifiant votre insistance à rester accroché à vos regrets :

❖ « Il est maintenant trop tard pour laisser tomber mes regrets. » Cet énoncé laisse entendre que le lâcher-prise est fonction du temps qui passe. Mais le temps n'influence en rien notre habileté à nous libérer de nos regrets. Il s'agit d'un choix, d'une question de volonté – la volonté d'explorer notre monde intérieur et d'agir. Le temps n'y tient aucun rôle. Peu importe qu'il s'agisse d'un regret vieux comme le monde ou tout récent, nous pouvons nous en libérer. Notre méthode en dix étapes s'applique à tous les regrets, jeunes ou vieux, avec la même efficacité.

❖ « Je ne peux retourner en arrière et revivre ces moments douloureux. » Cette excuse semble tout à fait raisonnable, mais elle comporte deux vices cachés. Le premier étant que notre refus de lâcher prise nous replonge constamment dans le regret; donc nous ne fuyons pas la douleur en restant attachés au regret, nous l'étirons sans fin. L'ironie veut que la seule façon de nous libérer de cette douleur récurrente soit de revivre les événements propres au regret, mais en suivant une méthode bien définie, dans un but déterminé et avec tout le soutien nécessaire; alors pouvons-nous laisser tomber ce regret et nous libérer de la souffrance qu'il nous occasionne. Il est vrai que ce retour au passé peut être pénible, mais cette souffrance ne sera que passagère lorsque nous la comparons à celle qui nous assaille inlassablement, depuis longtemps.

Le second vice caché de cette excuse est que, dans cet énoncé, on sous-entend que vous n'avez ni la force ni le courage de faire les efforts nécessaires pour franchir ces étapes. C'est faux. Vous en êtes capable. En franchissant chacune des étapes et en utilisant leurs outils psychologiques et spirituels, vous sentirez monter en vous toute la force et le courage nécessaires. Ils se présenteront *au moment précis où vous en aurez besoin.* En amorçant ce processus, vous n'avez aucune idée de toute l'aide dont vous bénéficierez tout au long du chemin. Une aide provenant de forces inattendues. Nombre de groupes de croissance témoignent de ce phénomène. Il est peut-être attribuable aux actions faites au cours des étapes du processus ou encore à l'usage des outils psychologiques et spirituels; il est peut-être le résultat de la synchronie ou des coïncidences apparemment significatives qui nous amènent à des prises de conscience, un concept amené par Carl Gustav Jung, l'un des fondateurs de la psychanalyse. Il est aussi possible que ce phénomène se produise parce que, en franchissant certaines étapes, vous vous ouvrez davantage à l'aide qui s'offre à vous ou que vous êtes plus disposé à rechercher du soutien. Quelle qu'en soit la cause, vous trouverez sur votre chemin un tout nouveau paysage dans lequel évoluer.

Au moment précis où vous avez besoin d'un conseil, de nouveaux ou d'anciens amis croiseront votre route, vous aurez soudain accès à de nouvelles ressources auxquelles vous n'auriez jamais songé en début de parcours. Ces coïncidences ouvriront la voie à des moments d'inspiration et à des prises de conscience, certaines personnes vous encourageront, à votre plus grand étonnement, certains événements vous offriront un nouveau soutien dans votre démarche et votre croissance. Il arrive que des choses merveilleuses se produisent lorsqu'on s'engage à se libérer de ses regrets en suivant la méthode en dix étapes.

❖ « Jamais je ne pourrai pardonner ce qu'on m'a fait » ou « jamais je ne pourrai me pardonner la faute commise. » Nous retrouvons le même vice caché dans ces deux excuses, à savoir qu'il nous est impossible de pardonner parce que le pardon est au-delà de nos forces ou de notre contrôle. C'est faux, le pardon n'est jamais hors de notre portée. Quand nous refusons de pardonner, à nous ou à l'autre, ce n'est pas faute de ne pas *pouvoir*, mais faute de ne pas *vouloir*. Pardonner n'est pas fonction de notre capacité, mais de notre volonté. Nous pouvons tout pardonner, à nous ou aux autres. Nous avons toujours ce pouvoir : celui de pardonner. Quand la blessure est profonde, il est vrai qu'il est difficile de pardonner. Il faut y mettre le temps et les efforts, mais on peut y arriver.

L'excuse voulant qu'on soit incapable de pardonner peut être plausible, temporairement, lorsqu'on ignore *comment* procéder. On ne l'a peut-être jamais appris, enfant; on n'a peut-être peu d'expérience et de compréhension en la matière. En pareilles circonstances, il est *vrai* qu'il nous *est* difficile de pardonner. Mais la méthode en dix étapes nous enseignera la marche à suivre et nous conduira au pardon. Donc, cette excuse demeure une excuse – un obstacle temporaire au lâcher-prise qui disparaîtra pendant le processus de libération des regrets. Le pardon est de nature spirituelle, là où résident tous les possibles.

❖ « Jamais on ne pourra me pardonner cette faute. » Cette excuse démontre une incompréhension de ce qu'est le pardon. Il faut savoir que le pardon n'est pas un geste que l'autre fait à notre égard. Il s'agit d'un geste qu'on accomplit envers soi-même. De plus, la validité de notre geste ne dépend aucunement des personnes qui ont souffert par notre faute. Peu importe la gravité de nos regrets, nous pouvons toujours obtenir un véritable pardon. Si nous faisons amende honorable auprès de la personne blessée, mais que celle-ci nous refuse son pardon, le problème ne relève plus de nous. Nous pouvons quand même être pardonnés.

❖ « Jamais je n'oublierai ce qu'on m'a fait. » Nous libérer d'un regret ne signifie pas oublier ce regret ou les événements qui s'y rattachent. Après un lâcher-prise, nous nous souvenons de ce regret, parfois jusqu'à la fin de nos jours. Mais il aura cessé de nous faire souffrir malgré nos souvenirs. Littéralement, cette excuse ne tient pas la route puisque nous nous souviendrons des événements.

❖ « Jamais je ne pourrai oublier ma faute. » *Lâcher prise* ne signifie pas « oublier la faute commise ». Il s'agit plutôt de revisiter ce regret selon une méthode définie afin de faire face à notre souffrance et d'en désamorcer le mécanisme pour lui enlever tout pouvoir sur notre vie. Nous n'oublions pas nos regrets, mais nous nous en libérons, et ce, même si nous en sommes la cause. On emploie parfois cette excuse, mais en voulant dire que jamais on ne pourra se *pardonner* cette faute, remplaçant le mot *oublier* par *pardonner*. Le cas échéant, nous avons expliqué plus avant en quoi cette excuse est irrecevable.

❖ « Si je replonge dans mon passé pour mieux le comprendre, j'en serai à jamais prisonnier. » Cette excuse semble plausible, mais il n'en est rien. C'est le contraire qui se produit. Nous restons piégés dans un passé *non résolu*. Assumer notre passé, c'est nous en libérer. En utilisant la méthode en dix étapes, vous pourrez analyser vos regrets de manière structurée et vous en libérer. Ce retour au passé ne vous emprisonnera pas, il vous libérera.

❖ « Ce n'est pas le bon moment. » On retrouve cette excuse chez les gens qui attendent le moment idéal pour passer à l'action, convaincus qu'ils ne peuvent entreprendre un projet avant que les étoiles soient bien alignées et jouent en leur faveur. Or, la majorité des projets voient le jour sous des cieux peu cléments. Quand vient le temps de se lancer, le meilleur moment est toujours le même : maintenant. Sauf en de rares exceptions (par exemple, au sortir des funérailles d'un être cher, il serait malvenu de commencer à examiner nos regrets vis-à-vis de cette personne), il vaut toujours mieux commencer dès maintenant plutôt que de remettre à plus tard, car, trop souvent, plus tard se résume à jamais.

❖ Autres excuses… Dans ce tour d'horizon, nous n'avons peut-être pas fait mention de certaines excuses servant à justifier notre attachement à nos regrets. Si c'est le cas, notez-les dans votre journal. Si certaines excuses vous semblent des raisons valables justifiant

votre choix, ne vous en formalisez pas. Notez-les aussi et poursuivons. Nous y reviendrons le moment venu. .

LA RELATION À SOI

Vous vous apprêtez à entreprendre un parcours pendant lequel l'une
de vos tâches consistera à modifier votre relation à vous-même. Nous
interagissons de différentes façons avec les autres et il va de même dans
la relation à nous-mêmes. Vous pouvez vous comporter de différentes
manières vis-à-vis de vous-même, par exemple en vous offrant haine ou
soutien, encouragement ou découragement, amour ou sarcasme, tolérance ou jugement. Si on devait décrire votre attitude envers vous-même,
on pourrait utiliser certaines analogies. Vous vous comportez comme :
votre meilleur ami, un collègue qu'on respecte, un frère ou une sœur
adorée, un cruel tyran, un patron enragé. Selon la nature de la relation
que vous avez avec vous-même, les pensées que vous nourrissez à votre
endroit seront diamétralement opposées.

Tout au long de votre démarche avec la méthode en dix étapes, faites
l'effort soutenu, conscient et délibéré d'avoir une relation positive avec
vous-même. Plutôt que de vous traiter comme si vous étiez un raté, un
malveillant ou une personne qui ne mérite pas le bonheur, essayez de
vous nourrir l'âme en vous comportant comme vous le feriez avec votre
meilleur ami, votre frère adoré ou votre précieux enfant. Cette nouvelle
attitude morale peut mettre un peu de temps à s'installer, mais elle est
capitale.

Prenez un moment d'arrêt afin de réfléchir sur votre relation à vous-
même lorsqu'il est question de vos regrets. Avez-vous une propension
à vous attaquer ou à vous blâmer plutôt qu'à vous aimer et à vous soutenir? Êtes-vous porté à vous critiquer ou à vous jeter la pierre pour les
gestes commis dans un passé lointain ou il y a quelques secondes à peine?
Êtes-vous impatient, intolérant et refusez-vous de vous pardonner? Si
vous adoptez le comportement de l'intimidateur sarcastique dans votre
relation à vous-même, vous êtes dans de beaux draps, car vivre avec un
intimidateur, c'est à la fois exténuant et stressant. Avez-vous une attitude sévère et méprisante dès qu'il est question de vos regrets, comme
« c'est bientôt fini, oui! »? Ou prenez-vous une autre voie, vous percevant
comme une victime baignant dans les pleurs et le désespoir du passé,
condamnée à souffrir jusqu'à la fin de ses jours? Peut-être alternez-vous
constamment entre ces extrêmes?

Dans votre journal personnel, décrivez brièvement votre attitude envers vous-même quant à vos regrets. Utilisez l'expression « je me comporte avec... » suivie de substantifs (par exemple, *cruauté, amour, mépris*) ou des analogies (*comme un bon ami, un enfant stupide*, un *éternel perdant*) qui décrivent les pensées que vous nourrissez à votre égard lorsque vous songez à vos regrets.

Si votre attitude envers vous-même en est une de violence et d'auto-destruction, êtes-vous prêt et disposé à prendre l'engagement de changer votre relation à vous-même? Si oui, décrivez dans votre journal la façon dont vous serez en relation avec vous-même à partir de maintenant, lorsqu'il sera question de vos regrets. Utilisez d'abord ce début de phrase : « Je me comporterai avec... » (puis des substantifs comme *amour, patience, sympathie, compassion*).

À l'aide d'analogies, décrivez maintenant l'attitude que vous aurez dans votre relation à vous-même. Par exemple, « j'agirai à mon égard à la manière d'un grand frère, d'un grand ami, d'un enseignant patient ».

LE COURAGE

Le courage n'est pas l'absence de peur – c'est le dépassement de la peur. Les gens courageux, comme les lâches, d'ailleurs, ont peur, mais ils ne cèdent pas à la panique. Ils rassemblent leurs forces spirituelles et psychologiques, montent au front et en reviennent victorieux. Ce qui différencie les braves des lâches n'est pas la présence de la peur; c'est la façon d'y faire face.

Les gens courageux comprennent qu'une peur excessive est une invitation à grandir et à toucher au bonheur, qu'elle peut être vaincue grâce aux outils spirituels et au soutien de l'entourage. À l'heure d'entreprendre ce voyage en dix étapes pour vous libérer de vos regrets, souvenez-vous que vous êtes un être courageux, que vous en ayez ou non conscience. Tout au long de ce parcours, sachez que votre courage sera au rendez-vous chaque fois que vous en aurez besoin. Il surgira de diverses sources et vous le puiserez également à même la méthode en dix étapes et les outils spirituels et psychologiques que vous utiliserez, chemin faisant. Dans le prochain chapitre, vous verrez en quoi ces outils pourront vous aider et les façons de les utiliser.

Chapitre 3

RECOURIR AUX OUTILS PSYCHOLOGIQUES ET SPIRITUELS

*J*umelés au programme en dix étapes, les outils psychologiques et spirituels que nous étudierons dans ce chapitre vous soutiendront au cours du processus de libération des regrets. Ils font appel aux trois dimensions de l'être humain : intellectuelles, psychologiques et spirituelles. Nos forces intellectuelles et mentales nous permettent d'analyser les idées et les événements de manière rationnelle afin d'en déterminer les causes et les effets et de donner un sens à la vie. Grâce à nos forces psychologiques, nous pouvons maîtriser notre intellect et nos émotions afin de modifier nos pensées et nos émotions vis-à-vis de nous-mêmes, des autres et des événements. Nos forces spirituelles font appel à des pouvoirs surnaturels – plus grands que nous – pour nous aider à accomplir des choses que nous ne saurions faire seuls.

Tous ces outils psychologiques et spirituels sont efficaces, mais chacun dans un but précis qui lui est propre. Deux de ces pratiques sont obligatoires pendant ce processus, soit le journal personnel et l'analyse des pensées. Les autres outils seront utilisés au besoin seulement afin de vous aider à compléter une étape. Si vous avez du mal à franchir les étapes de ce processus et êtes aux prises avec de la résistance, alors nous ferons appel à ces nombreux outils pour vous aider à dépasser vos obstacles. Voici donc les outils psychologiques et spirituels ainsi que leurs principaux objectifs :

❖ *Analyse des pensées*

Technique visant à analyser la teneur de vos regrets, les événements qui y sont associés, vos sentiments à cet égard et les pensées que vous entretenez par rapport à vos regrets; vise à modifier les pensées et les sentiments qui vous habitent concernant vos regrets.

❖ *Journal personnel*

Outil servant à cataloguer et à analyser vos regrets, à clarifier votre pensée et à exprimer vos sentiments.

❖ *Prière*

Technique pour laisser jaillir vos réponses intuitives, pour vous donner du courage, de la discipline et de la force et puiser dans d'autres ressources dont vous aurez besoin pour franchir les dix étapes.

❖ *Partage*

Outil pour trouver des réponses et le soutien affectif de votre entourage alors que vous franchissez les dix étapes.

❖ *Affirmation*

Outil pour dépasser vos résistances et faciliter votre démarche pendant que vous franchissez les dix étapes.

❖ *Visualisation créative*

Outil pour dépasser vos résistances et faciliter votre démarche pendant que vous franchissez les dix étapes.

ANALYSE DES PENSÉES

Nous entretenons un dialogue intérieur incessant, à tout moment. Nous semblons silencieux, mais, en fait, nous faisons des observations, des commentaires, des critiques, des blagues et des débats avec nous-mêmes. Rien d'étonnant à cela. Après tout, *c'est ainsi que se développe notre pensée.* Un jour, j'ai demandé à une amie psychiatre si le fait de dialoguer avec nous-mêmes, à voix haute, était signe de démence. « Pas le moins du monde, répondit-elle, mais cette conversation avec nous-mêmes est loin d'être privée. » En général, nous nous gardons bien de faire étalage, en public, de nos multiples voix intérieures qui parlementent entre elles; nous préférons garder cela pour nous. Par ailleurs, nous nous arrêtons rarement pour les écouter réellement. Oh, nous les écoutons, mais d'une oreille seulement, sans remettre en question ou critiquer nos propos. Sauf si nous avons à prendre une décision; alors, le débat s'installe et nous pesons le pour et le contre de nos faits et gestes afin d'arrêter notre choix.

L'analyse de nos pensées est un processus qui consiste à étudier notre dialogue intérieur et nos pensées portant sur nous et sur les autres dans le but d'en vérifier la validité. Cette pratique a pour objectif de prendre conscience de nos pensées et de les soumettre à une analyse critique. Si, par exemple, nous avons une pensée récurrente au sujet de nos regrets et que cette pensée est fausse, irréaliste ou non éprouvée, nous la rejetons afin de la remplacer par une autre pensée, plus juste.

Enfant, Patty fut sexuellement agressée par le meilleur ami de son père, et ce, pendant deux ans, avant qu'elle ne trouve le courage de se confier à ses parents. Cette révélation eut pour effet de détruire la relation d'amitié entre son père et cet homme, lequel s'est retrouvé en prison. Patty se sentait coupable. Elle avait une pensée récurrente lui disant qu'elle aurait dû résister aux avances de cet homme en qui elle avait confiance; dorénavant, elle savait comment rejeter cette pensée dès qu'elle surgissait. Patty se rappelait alors qu'elle n'était en rien responsable de ces événements survenus lorsqu'elle était enfant et qu'elle n'était fautive en rien. Par la pratique de l'analyse de nos pensées, nous apprendrons à agir envers nous-mêmes comme le feraient un bon défenseur et un bon ami. Nous avons le pouvoir de nous protéger de nos pensées irréalistes et non éprouvées ainsi que des aspects négatifs de notre personnalité qui, laissés à eux-mêmes, pourraient nous obliger à souffrir en raison d'événements passés.

Si vous prenez le temps de réellement écouter vos propos, par l'analyse des pensées, vous serez étonné de découvrir des échanges fascinants. Vous découvrirez des conversations portant sur vous et vos regrets, des pensées auxquelles vous croyez depuis longtemps, mais qui sont fausses. Ces faux énoncés ne disparaîtront pas comme par magie, ils continueront à faire surface, mais vous pourrez les rejeter en procédant comme suit, en trois étapes :

Ayez une oreille critique pour chaque pensée concernant vos regrets. Analysez la validité de chaque pensée en vous posant des questions comme : « Cet énoncé est-il vrai? Est-il juste? Est-il réaliste? » Après votre analyse, agissez en rejetant toute pensée jugée non valide (injuste, fausse ou irréaliste).

Voici le déroulement d'une analyse des pensées. Par exemple, si vous vous répétez des pensées comme : « Tu fous toujours tout en l'air, tout est de ta faute, tu aurais dû savoir que ça se terminerait ainsi », votre tâche consiste à tendre une oreille attentive et critique à ces mensonges récurrents. Vous devez les mettre au défi en vous posant la question suivante : « Est-ce que ces énoncés sont vrais? » Ils sont faux. La vérité, c'est que ni vous ni personne « ne fout toujours tout en l'air ». Il vous arrive de bien agir. Et comment pouvez-vous dire que « tout est de votre faute », même si vous êtes la principale cause du problème? Et pour finir, comme personne ne peut prédire l'avenir, comment pouviez-vous « savoir » ce qu'il adviendrait, et ce, même si tout pointait dans cette direction – les choses auraient pu se terminer autrement.

Au début, l'analyse des pensées peut sembler étrange, mais avec un peu de pratique, nous intégrons cet outil qui devient notre seconde nature. En fait, on en vient même à se demander comment on a pu s'en passer jusque-là.

JOURNAL PERSONNEL

Le journal personnel consiste à écrire librement, de façon régulière ou non, sur nos pensées, nos réflexions, les événements de notre vie, nos peurs, nos émotions ou tout autre sujet qui nous tient à cœur. Il s'agit d'une pratique millénaire. *Les Confessions* de saint Augustin (396 après J.-C.) est la publication de son journal personnel tenu tout au long de sa vie. Chez les Victoriens (hommes et femmes), le journal personnel était considéré comme un art raffiné; de leur belle main d'écriture, ils couchaient leurs pensées dans de somptueux cahiers artisanaux recouverts de cuir.

Dans le programme, le journal personnel nous permet d'analyser nos regrets, de structurer notre pensée, de clarifier nos émotions et d'avoir un regard plus objectif sur les événements. Dès que nous écrivons sur un sujet, celui-ci perd de son intensité, la situation devient plus malléable et nous reprenons le contrôle. Écrire sur un sujet qui nous préoccupe, c'est mettre un frein à notre imagination débordante; l'effet est thérapeutique puisque les choses sont mises en perspective et que notre imagination n'est plus aux commandes de nos peurs. La tenue du journal personnel est une pratique de guérison. Lors de recherches médicales, on a démontré une diminution notoire des symptômes chez des patients souffrant d'asthme et d'arthrite rhumatoïde qui s'adonnent quotidiennement au journal personnel.

La pratique du journal personnel occupe une place importante tout au long du programme en dix étapes. Comme votre journal sera gardé dans un lieu secret, loin des regards indiscrets, vous serez libre d'y faire l'analyse de vos regrets en toute franchise, d'y révéler vos plus grands secrets, vos plus grandes peurs et vos pensées les plus intimes sans craindre le jugement ou la condamnation d'autrui. Si vous êtes aux prises avec la colère, vous pourrez vous confier à votre journal pour mieux ventiler en toute sécurité. Vous pourrez lui parler de vos résistances, de vos difficultés, y chercher une solution pour vous faciliter la tâche. Votre journal personnel sera toujours là pour vous aider à traverser les aléas de la vie, peu importe que vous écriviez sur votre passé, votre présent ou votre avenir. Il sera votre fidèle compagnon de voyage.

Le journal fait largement appel à l'intuition, mais, si vous commencez, voici quelques suggestions pour faciliter l'usage de cet outil et le rendre plus productif :

❖ *Écrivez librement, entrez dans les détails du sujet sans la moindre censure, le plus honnêtement possible.*

Vous obtiendrez de bons résultats lors du travail sur vos émotions et de l'analyse des pensées, dans la mesure où vous serez honnête envers vous-même. C'est le seul moyen de déterminer si vos pensées sont valides et si l'intensité de vos émotions est appropriée. Pour vous libérer de vos regrets, vous devez prendre la résolution de ne jamais vous leurrer par rapport à vos regrets et à votre vie. Confiez-vous à votre journal en toute franchise, sans réserve. La recherche en psychologie démontre que si vous écrivez librement et sans censure, en laissant courir le crayon sur le papier pour exprimer vos pensées comme elles se présentent sans les juger et sans chercher à corriger le texte dans son contenu ou sa grammaire, vous entrez alors en contact avec vos émotions, vos croyances et vos inspirations les plus profondes. Le journal vous permet de vous exprimer sans crainte, ouvertement, honnêtement. Jamais votre journal ne vous jugera ni ne vous trahira. Vos confidences ne seront jamais divulguées.

❖ *Ne prêtez aucune attention à la qualité de votre écriture.*

Nul besoin de « bien écrire » lorsque vous tenez votre journal. Oubliez les longues phrases compliquées – vous y reviendrez plus tard afin de modifier certains passages, au besoin. Votre journal n'est pas un texte littéraire, il s'agit d'un document de travail qui vous aide à atteindre vos objectifs. Donnez libre cours à vos pensées, jetez-les sur le papier, ne vous limitez en rien, ne craignez ni les détails ni la longueur du texte.

❖ *Soyez patient.*

Avec le temps, cette pratique deviendra plus facile et plus naturelle même pour les personnes ayant peu d'affinité avec l'écriture.

Dans le journal personnel qui s'inscrit dans le programme en dix étapes, nous utilisons surtout l'exposé afin d'écouter nos regrets et de nous en libérer. Mais d'autres formes d'écriture y jouent parfois un rôle important, surtout lorsque vient le temps de noter et d'exprimer nos émotions. Certains préfèrent écrire un poème, les paroles d'une chanson ou un conte pour traduire leurs états d'âme. D'autres aiment coller ou recopier dans leur journal ce genre de textes écrits par des auteurs connus et qui traduisent leurs sentiments. En fait, on peut avoir recours à une foule d'autres formes d'expression que l'écriture. Si vous avez des talents artistiques, libre à vous de dessiner, d'ajouter de la couleur, de la peinture, des collages faits à partir d'images ou de textes tirés de magazines ou de journaux, toujours dans le but d'exprimer vos émotions, vos pertes ou vos rêves déchus.

PRIÈRE

Le concept même de Dieu et celui de la spiritualité remontent à la nuit des temps. Toutes les civilisations connues à ce jour sont empreintes de croyances religieuses. Mais religion et spiritualité ne vont pas nécessairement de pair. Nous pouvons avoir une vie spirituelle active sans pour étant être religieux. Bien que la spiritualité – comme la religion – soit reliée aux pouvoirs transcendants, elle ne fait appel à aucune croyance spécifique, aucune structure organisationnelle, aucun groupe religieux. *Toutefois, la spiritualité repose sur une croyance en quelque chose de plus grand que soi, en quelque chose qui existe au-delà du monde matériel et qui en est indépendant (en d'autres mots, en quelque chose de transcendant).* La plupart du temps, ce quelque chose est Dieu, peu importe comment on le désigne. La dimension spirituelle de cette méthode en dix étapes donnera de meilleurs résultats si vous croyez en quelque chose.

Toutefois, la présente méthode ne définit aucunement la nature de cette croyance ni ce qu'est Dieu. Nos principes fondamentaux stipulent qu'il n'est pas nécessaire de croire en quelque Dieu que ce soit pour faire ce processus et obtenir de bons résultats ou pour utiliser les outils psychologiques et spirituels suggérés dans cet ouvrage. En d'autres mots, nul besoin de croire en Dieu pour franchir toutes les étapes de ce programme. Il est simplement souhaitable que vous ayez une certaine *ouverture* d'esprit quant à l'existence possible d'une force supérieure, d'un principe plus grand que vous. Libre à vous de vous y référer dans les termes qui vous conviennent. La tradition veut qu'on se réfère à Dieu comme étant l'Être suprême, le Créateur, une déité, la divinité, le principe divin, le grand esprit, la force supérieure, l'esprit universel, l'absolu, l'un, la force plus grande que soi... sans parler de douzaines d'autres appellations employées par nombre de civilisations depuis des millénaires. Dans cet ouvrage, nous utiliserons les expressions « force plus grande que nous », « force supérieure » ou « Dieu ». Nous ne fournissons aucune définition si ce n'est « au-delà et indépendant du monde matériel ».

Il est important d'avoir une certaine ouverture par rapport au monde spirituel pour franchir les dix étapes parce que certains outils spirituels, comme la prière, sont extrêmement puissants lorsque vient le temps de laisser aller nos regrets. La prière nous donne accès à une force supérieure qui nous aide à accomplir des gestes et à faire ce que nous sommes incapables d'exécuter seuls. Par la prière, nous pouvons dépasser nos résistances, vaincre nos peurs et trouver nos réponses. Elle nous conduit vers des personnes, des événements et des circonstances qui ont le pouvoir de nous transformer et de nous aider à atteindre notre but, celui de vivre libre de tout regret. Si nous éliminons les outils spirituels pour nous en tenir uniquement aux outils psychologiques, nous réduisons nos chances de guérison. Évidemment, chacun est libre de choisir l'objet de ses prières pendant ce processus.

Pour certains, la prière est un acte simple et naturel. Pour d'autres, ce geste est intimidant et étrange. Les gens peu habitués à prier peuvent trouver cela un peu bizarre et parfois même effrayant. Après tout, prier, c'est tenter de communiquer avec Dieu. Alors, les questions fusent : « Comment commencer une prière? Que dois-je faire? » Heureusement, les réponses à ces questions sont fort simples et la prière n'a rien d'intimidant lorsque vous en saisissez la nature. En fait, la prière est très rassurante. Voici plusieurs définitions de la prière, mais toutes font référence à cette idée centrale, à savoir que la prière se compose de mots, de pensées et d'émotions que nous adressons à une force supérieure, peu importe le nom que nous lui prêtons.

CE QU'EST LA PRIÈRE

On définit la prière de mille et une façons. Voici quelques définitions qui vous aideront à en saisir la signification :

❖ Prier, c'est ouvrir notre cœur et notre esprit à Dieu.

❖ Prier, c'est avoir une conversation avec Dieu pendant laquelle nous avons la chance de lui parler et l'obligation de l'écouter.

❖ Prier, c'est communier avec notre force supérieure.

❖ Prier, c'est demander de connaître la volonté de Dieu et d'avoir la force et le courage de nous y conformer.

❖ Prier, c'est demander l'aide de Dieu et être ensuite disposés à le laisser nous venir en aide.

❖ Prier, c'est reconnaître nos besoins et demander ensuite à Dieu de les combler comme bon lui semble.

❖ Prier, c'est demander à notre force supérieure de nous guérir et être disposés à participer à notre guérison.

❖ Prier, c'est reconnaître notre impuissance et la puissance de Dieu.

❖ Prier, c'est porter une attention aimante à cette force supérieure.

❖ Prier, c'est être disposé à apprendre les enseignements qui nous sont offerts afin de connaître la volonté de Dieu.

Selon les religions traditionnelles, il existerait cinq formes de prière suivant l'objet de l'invocation. Une seule prière peut viser un ou plusieurs de ces objectifs :

❖ *La requête*

Cette prière est la plus courante des prières. Elle consiste à faire une demande pour nous-mêmes. Elle surgit naturellement chez la plupart des gens et fait état d'une demande de guérison, de sécurité ou de toute forme d'assistance. Dans sa forme la plus simple, la requête est : « Mon Dieu, aide-moi. »

❖ *L'intercession*

Dans cette prière, nous intercédons ou parlons au nom de quelqu'un d'autre et demandons qu'il obtienne une faveur. Souvent, elle est faite pour la famille, les amis, les collègues ou d'autres personnes qui nous sont chères, mais elle peut aussi être faite pour de simples connaissances, des étrangers, des personnes que nous avons blessées ou qui nous ont blessés, des gens que nous n'aimons pas ou que nous détestons. Voici une simple prière d'intercession : « Je t'en prie, protège mon bébé. »

❖ *La confession*

Dans cette prière, nous admettons nos torts. Nous y exprimons habituellement notre peine, nous demandons la force et le courage de faire amende honorable comme il se doit, nous demandons le pardon et la force de ne plus recommencer. Une simple confession est : « Je te demande pardon d'avoir agi ainsi. Donne-moi la force et le courage de faire amende honorable et aide-moi à agir correctement à l'avenir. »

❖ *Le remerciement*

Cette prière est l'expression de notre gratitude pour la présence de Dieu dans notre vie, pour les bénédictions reçues, pour les présents obtenus, tant de nature spirituelle que matérielle, pour la protection divine dont nous faisons l'objet. La prière de gratitude nous maintient dans l'humilité, car elle reconnaît que tout ce que nous possédons, c'est à Dieu que nous le devons. Une simple prière de remerciement est : « Merci pour tous tes bienfaits, en particulier pour ma famille si aimante, ma bonne santé et pour la nourriture que je prends. »

❖ *L'adoration*

Des cinq formes de prière, c'est sans doute la plus difficile à décrire. C'est apprécier le pouvoir de Dieu, son amour, sa magnificence et sa grandeur. Le soleil levant ou couchant, la musique, la peinture et d'autres formes d'art éveillent parfois un sentiment d'adoration devant le grand mystère et l'exquise beauté de la vie et de la nature. L'adoration, c'est faire l'expérience de la puissance divine et exprimer notre gratitude et notre émerveillement devant tant de grandeur. Comme la prière d'adoration relève principalement du ressenti, elle s'exprime rarement en paroles.

En offrant une prière qui réunit ces cinq éléments, nous exprimons notre gratitude envers l'amour de Dieu, sa puissance et sa grandeur; nous confessons nos fautes et implorons son pardon; nous prions pour les autres; nous demandons à Dieu de combler nos besoins; et nous remercions Dieu pour tous ses bienfaits. Toutes nos prières ne sont pas aussi complètes et c'est très bien ainsi. Devant des événements qui nous bousculent, nous pouvons formuler une prière spontanée. Nous pouvons implorer l'aide de Dieu en des moments difficiles, le remercier d'être sortis indemnes d'une situation périlleuse, nous réjouir devant le magnifique spectacle de la vie ou le supplier d'aider un ami gravement malade.

Prier, quand nous traversons des difficultés ou que nous sommes dans le besoin, c'est aller vers Dieu dans un moment d'impuissance, lui dire notre peine et notre détresse, lui demander de nous venir en aide. Mais prier, c'est aussi aller vers Dieu lorsque la joie nous étreint. La logique de la prière vient naturellement quand nous sommes désespérés, impuissants ou dans le pétrin. L'énoncé suivant : « Mon Dieu, aide-moi » surgit sans qu'on y pense. Mais si la douleur est moins intense, alors nous résistons à la prière. Pourtant, nous pourrions solliciter l'aide de Dieu pour résoudre nos problèmes de tous les jours quand nous avons besoin de plus sage que nous. La prière quotidienne nous permet d'établir une communication soutenue avec Dieu; il devient plus facile alors de prier en tout temps, dans nos bons comme dans nos mauvais jours, et de recevoir une aide spirituelle qui autrement serait restée dormante.

Dans notre esprit, nous associons naturellement prière et croyance. Quand notre foi est très petite, vacillante, mais que nous désirons tout de même prier, que faire? Prier. Voilà toute la splendeur de la prière. Notre seule volonté de prier est une forme de foi. Quand un cœur brisé s'écrit, au milieu des larmes, « Mon Dieu, aide-moi », il s'agit d'un acte de foi qui obtient toujours réponse. Cette réponse peut correspondre ou non à nos attentes, elle peut survenir au moment voulu ou en d'autres temps. Quoi qu'il en soit, cette réponse correspondra en tous points à vos besoins de l'heure et surgira au moment le plus opportun pour vous. Et nul doute qu'elle viendra.

Kevin est un alcoolique ayant conduit au moins deux fois avec les facultés affaiblies. Après avoir tué le chien du voisin en conduisant en état d'ébriété, il a prié Dieu de l'aider à cesser de consommer. Il croyait que la guérison lui serait octroyée sans effort et sur-le-champ, comme par magie. Dieu a répondu à sa prière sous la forme des Alcooliques anonymes (AA). Il lui a fallu travailler dur pour se transformer. Mais les AA lui ont tant apporté que Kevin était reconnaissant d'être enfin sobre, mais aussi d'avoir eu la chance de faire tout ce processus personnel.

COMMENT PRIER?

Nous venons de voir les cinq formes de prière, mais une question demeure : « Comment fonctionne la prière? Comment prier? » Puisque la prière est une conversation avec Dieu, nous entamons le dialogue avec ce Dieu tel que nous l'imaginons, quel qu'il soit. On peut lui donner le nom qu'on lui connaît ou encore n'utiliser aucun nom. Si on ne croit pas en Dieu tout en étant ouvert à la prière, on peut alors s'adresser « à qui de droit ». On peut même commencer sa prière par : « Je ne crois pas en toi, mais... » Nous avons tous été témoins du pouvoir de l'amour dans notre vie, aussi pouvons-nous adresser notre prière à l'amour. Peu importe le nom qu'on donne à la puissance supérieure à laquelle on s'adresse, la prière fonctionne.

La prière est une conversation avec Dieu, mais il n'y a pas de termes précis à employer, l'important est d'être authentique et sincère. Il suffit d'exprimer notre pensée dans nos propres mots, dans une formule simple et aussi longue que désiré. Nous pouvons même commencer par : « C'est très étrange pour moi de faire cette prière, mais... ». S'il est vrai que nous avons écrit une multitude de magnifiques prières, au fil du temps, il n'en demeure pas moins que ce sont nos mots bien sentis qui sont les plus agréables, à l'oreille de Dieu, lorsque nous lui exprimons nos peines, nos besoins ou notre gratitude. Certains s'agenouillent pour prier parce que ce geste leur rappelle le caractère sacré de ce moment; pour d'autres, cette attitude en est une d'humilité devant Dieu. Certaines personnes restent debout, d'autres s'assoient. Dans tous les cas, la prière est tout aussi efficace. Dans la tradition occidentale, on termine habituellement une prière par *amen*, un mot hébreu qui signifie « faire confiance », et qu'on employait pour signifier qu'on acceptait les paroles qu'une personne venait de prononcer ou qu'on approuvait l'action en cours. Le mot *Amen* signifie aussi que notre prière est terminée.

Confier nos problèmes à Dieu, c'est un peu comme nous présenter devant lui comme un enfant devant un adulte aimant et digne de confiance. Nous savons que Dieu trouvera une solution et que cette dernière relève de lui, non pas de nous. Parfois, nous pensons savoir quelle serait la meilleure solution à notre problème et désirons qu'elle soit la réponse à notre prière, mais c'est faux, nous n'en savons rien. Nous l'ignorons parce que nous ne pouvons voir la totalité de notre vie, jusqu'à la fin et même au-delà. De même, nous ne pouvons deviner quelle est la meilleure chose qu'il puisse arriver aux gens pour qui nous prions, et ce, même si nous sommes persuadés du contraire. C'est pourquoi il est bon de terminer une prière par ceci : « Que ta volonté soit faite, non la mienne » afin de laisser le champ libre à toutes les possibilités pouvant se présenter et nous offrir, à nous ou aux autres, de bien meilleures solutions que toutes celles ayant surgi de notre imagination.

LE RÔLE DE LA PRIÈRE DANS LE LÂCHER-PRISE DU REGRET

Vous pouvez recourir à la prière pour atteindre des objectifs précis dans chacune des étapes du programme. Par exemple, la prière peut nous aider à accomplir une chose qui nous semble impossible ou pour avancer avec plus d'enthousiasme, plus d'aisance et moins de peur. À chacune des étapes, vous serez invité à formuler une prière précise adaptée à l'étape en cours et à vos besoins du moment. Par exemple, au moment d'entamer une étape, vous pouvez prier pour :

❖ Avoir le courage de vaincre votre peur de franchir cette étape.

❖ Avoir la force d'entamer cette étape et la persévérance d'aller jusqu'au bout.

❖ Avoir le soutien et les encouragements nécessaires dans votre démarche grâce aux bons mots, à la présence et à l'amitié de votre entourage.

❖ Avoir l'inspiration et l'énergie nécessaires pour mener à bien les activités de cette étape.

❖ Trouver les solutions aux problèmes éprouvés sur votre route tout au long de cette étape.

Vous aurez des défis à relever au cours de chacune des étapes et pendant les activités qui s'y rattachent. La prière peut vous aider. Et ce sera toujours la prière qui surgit naturellement de votre cœur qui sera la plus efficace.

PRIÈRES EXAUCÉES

Lorsque nous nous plaignons que Dieu n'a pas répondu à nos prières, nous disons en réalité qu'il ne nous a pas fourni la réponse que nous attendions.

Dieu exauce toujours nos prières. Parfois, il répondra : « Oui », parfois il nous dira : « Pas maintenant, mais dès que tu seras prêt » ou il répondra : « Non ». Évidemment, nous ne voulons qu'une seule réponse, la première; mais nous obtenons plus souvent la seconde ou la dernière – et c'est à ce moment que nous déclarons que Dieu n'a pas entendu notre prière et nous nous sentons abandonnés ou en manque. Pourquoi ne pouvons-nous obtenir ce que nous désirons et pourquoi devons-nous parfois en souffrir? Ce sont là deux des grands mystères de la vie. Nous tentons d'y répondre d'une manière ou d'une autre dans les grandes traditions religieuses, mais nous n'aurons jamais réponse à cette question parce que cette information ne nous est pas accessible à nous, les humains. Il arrive que nous expliquions le pourquoi de la deuxième et de la dernière réponse de Dieu en affirmant qu'elles nous sont données parce que nous en avons besoin. Tout comme le parent ne peut satisfaire tous les désirs de son enfant pour sa propre sécurité, il est possible que nous ne puissions obtenir tout ce que nous demandons pour notre propre sécurité. C'est difficile à croire lorsque notre prière consiste à demander qu'on sauve la vie d'un enfant. C'est un fait, nous ignorons la raison de ce refus. Nous savons seulement que nous n'avons pas obtenu ce que nous avions demandé et nous sommes déçus, parfois même profondément tristes qu'il en soit ainsi. Mais cela ne signifie pas que Dieu nous a abandonnés; c'est simplement que notre requête a été refusée; nous ignorons pourquoi et sans doute que nous ne le saurons jamais.

Il arrive aussi que notre prière soit exaucée, mais non selon nos désirs. Parfois, les éléments extérieurs demeurent inchangés à la suite d'une prière, mais c'est nous qui changeons intérieurement. La situation nous apparaît alors sous un jour nouveau. Nous comprenons mieux les événements, nous nous réconcilions avec le passé et des sentiments de gratitude surgissent là où régnait l'amertume. En d'autres temps, nous trouvons une solution au problème qui nous occupe et voyons s'ouvrir devant nous de nouvelles avenues qui nous conduisent en des lieux dont nous rêvons depuis toujours. La réponse à notre prière n'est peut-être pas celle que nous souhaitions, mais celle dont nous avions besoin; le temps se chargera de nous le démontrer.

Il arrive aussi que notre prière débouche sur une solution qui nous semble nébuleuse. S'il est vrai qu'une solution surgit parfois soudainement et clairement comme par intuition, elle peut aussi se déployer très lentement ou indirectement, en passant par des voies inattendues. Grâce à l'intervention de gens ou à une compréhension progressive, nous sommes guidés – pour notre plus grand étonnement – vers de nouveaux choix ou de nouvelles expériences qui nous apportent le soutien recherché.

Mais sans ouverture d'esprit, nous ne saurions saisir la subtilité ou la complexité de cette réponse à notre prière. C'est pourquoi l'ouverture et la réceptivité doivent faire partie intégrante de la prière. Par exemple, lorsque nous adressons une prière afin d'obtenir un meilleur emploi, la réponse peut prendre la forme d'une recommandation, d'une occasion de parfaire nos connaissances – des avenues que nous n'avions jamais envisagées auparavant.

L'EFFICACITÉ ÉPROUVÉE DE LA PRIÈRE

Les anecdotes prouvant l'efficacité de la prière ne laissent planer aucun doute. La prière donne des résultats. En d'autres mots, on ne compte plus le nombre de faits vécus démontrant le pouvoir de la prière et sa capacité à changer les gens et leur vie. Mais qu'en est-il des preuves scientifiques? Existent-elles? Pourrions-nous démontrer scientifique-ment l'efficacité de la prière? Vous serez sans doute étonné d'apprendre que les chercheurs universitaires s'intéressent de plus en plus à cette question, surtout depuis une décennie. Il y a dix ans, aux États-Unis, seulement 3 de leurs 125 écoles de médecine offraient des cours visant à étudier le rôle de la prière, de la dévotion religieuse et de la spiritualité sur la santé des gens. Aujourd'hui, on compte soixante de ces écoles; de plus, une centaine d'autres disent vouloir offrir ces cours dans le futur. En l'an 2000, le National Institutes of Health a lancé une étude quinquen-nale afin de déterminer si la prière méditative faite deux fois par jour pouvait améliorer la santé de patientes atteintes du cancer du sein – on n'aurait pu imaginer mener pareille étude il y a dix ans. La recherche scientifique qui étudie le rapport entre santé et prière ou religion est encore jeune, mais elle progresse rapidement.

Les résultats obtenus à ce jour démontrent que les gens qui prient régulièrement et assistent aux offices religieux sont en meilleure santé, vivent plus longtemps et ont une pression sanguine nettement inférieure aux autres qui n'ont aucune de ces pratiques. Certaines recherches ont prouvé que la prière et la foi contribuent à accélérer le processus de la guérison chez une personne souffrant de dépression, d'alcoolisme, de dépendance aux drogues, d'infarctus, d'arthrite rhumatismale, de crise cardiaque ou ayant subi une chirurgie à la hanche ou un pontage. Chez les médecins de famille, environ 99 % d'entre eux croient que la prière personnelle, la méditation et toutes autres pratiques spirituelles ou re-ligieuses rehaussent l'efficacité des traitements médicaux. Évidemment, il nous faut mener une panoplie de recherches scientifiques pour démontrer avec précision comment la prière agit sur la santé, mais ces premières études donnent des résultats fascinants et prometteurs. Près de 90 % des Américains déclarent s'adonner à la prière.

PARTAGE

Nous ne saurions énumérer tous les bienfaits que nous procure le partage de nos émotions avec autrui. Dans votre processus de libération des regrets, voici ce que le partage vous apportera :

❖ Vous aurez l'occasion de vérifier votre compréhension de vos regrets à la lumière de la réalité, de l'expérience et du point de vue d'une autre personne.

❖ Vous aurez accès à une foule de conseils alors que vous franchissez les dix étapes une à une et que vous devez choisir parmi diverses actions.

❖ Vous pourrez compter sur une nouvelle personne qui vous apportera le soutien émotif et psychologique nécessaire pour faire face à vos regrets et vous en libérer.

❖ Vous briserez ainsi votre isolement. Vous vous sentirez aimé et valorisé; ce sont des expériences porteuses de guérison.

Au cours de la seconde étape, vous serez invité à vous choisir un confident avec qui partager votre voyage vers la libération de vos regrets. Bien sûr, vous aurez la chance de côtoyer une foule de personnes, vous pourrez leur raconter votre histoire et trouver auprès d'elles de l'inspiration, de la sagesse et du soutien émotif. Mais votre confident jouera un rôle spécial, il sera celui qui comprendra mieux que quiconque ce que vous tentez de faire et qui vous soutiendra sans réserve. Il saura tout de vos regrets et participera activement à votre processus en vous aidant à en franchir toutes les étapes.

AFFIRMATION

L'affirmation est un outil fort efficace lorsque vient le moment de modifier votre point de vue et, par conséquent, votre situation. *Une affirmation est un énoncé verbal ou écrit construit avec clarté, de manière positive et concise et stipulant que l'état désiré est déjà manifesté dans le présent.* Le père fondateur de l'affirmation est peut-être Émile Coué, psychothérapeute français. Son affirmation première devint si populaire qu'elle prit l'allure d'un véritable phénomène national qui balaya toute l'Amérique dans les années 20. Encore efficace aujourd'hui, lorsqu'on vise un objectif général, l'affirmation de Coué se lit comme suit : « Chaque jour et en toute chose, je m'améliore toujours davantage. »

Le mécanisme de l'affirmation demeure encore mystérieux à ce jour. En répétant constamment une même affirmation, il semble que notre inconscient la perçoive comme un fait plutôt qu'un souhait, ce qui l'amène à conclure que notre désir est déjà réalisé. Il est possible que cette croyance nous aide à réaliser notre souhait (par exemple, cesser de fumer), mais peut-être que d'autres forces sont également en puissance et agissent en ce sens.

L'affirmation fait obstacle au babillement négatif intérieur, lequel engendre la peur, un sentiment d'incompétence et une piètre estime personnelle. Lorsque nous vivons de la peur, du stress et de la colère vis-à-vis de nos regrets et leurs conséquences, nous pouvons avoir recours aux affirmations afin de retrouver notre calme et de nous donner un soutien intérieur aimant et rassurant. L'affirmation a le mérite d'être courte et rapide. On peut la répéter à voix haute alors qu'on est seul dans une pièce ou dans sa voiture, mais on peut aussi la répéter intérieurement, en silence, au milieu d'une foule ou en faisant son marché.

Voici quelques consignes pour créer des affirmations efficaces :

❖ Formulez votre affirmation avec simplicité et concision et énoncez clairement le futur état recherché. Par exemple, il est préférable de dire : « J'accepte d'être entièrement responsable de mon propre bonheur » que de dire : « J'ai confiance qu'un jour je parviendrai à comprendre que le malheur que je vis en ce moment n'est la faute de personne, si ce n'est de moi-même ».

❖ Employez des énoncés positifs qui affirment quelque chose plutôt que des énoncés négatifs qui nient quelque chose. Par exemple, dites : « J'ai pardonné à mon ex-conjoint » plutôt que : « Je n'ai plus de ressentiment envers mon ex-conjoint ».

❖ Choisissez des mots et des phrases qui vous vont naturellement et avec lesquels vous êtes à l'aise. Nul besoin de choisir des mots recherchés ou des phrases compliquées.

❖ Formulez votre phrase au présent, comme si l'état recherché existait déjà. N'utilisez pas le futur simple. Le but est d'informer votre inconscient que votre désir est déjà réalisé. Par exemple, dites : « J'accepte d'avoir fait de mon mieux à l'époque » plutôt que : « Je vais essayer d'accepter que j'aie fait de mon mieux à l'époque ».

❖ Croyez en votre affirmation, croyez que cela est possible et vrai.

Une affirmation n'est pas seulement un commandement qu'on se donne, c'est aussi une observation sur le déroulement de sa propre vie. Il ne s'agit pas de s'ordonner de devenir ceci ou cela, mais de se donner la confirmation que ce désir est déjà réalisé. On peut répéter une affirmation en tout lieu et à tout moment; cependant, elle sera beaucoup plus efficace si on la répète dans la détente, comme au réveil le matin ou juste avant de s'endormir le soir. L'affirmation peut être verbale ou écrite. Écrivez votre affirmation à la main, vingt ou trente fois, en vous concentrant sur les mots. Croyez que ce que vous écrivez est déjà manifesté, sentez le plaisir que ces mots évoquent et ressentez la joie qui en découle.

VISUALISATION CRÉATIVE

Nous, les humains, sommes constamment en état de visualisation. C'est le cas chaque fois que nous quittons le moment présent pour sauter dans l'arène du futur, faire un bond dans le passé ou songer à un ami. La visualisation est notre fidèle compagnon et fait naturellement partie de la vie. C'est aussi un élément fondamental du regret. Dès que nous plongeons dans le regret et songeons aux conséquences qu'il aura sur notre vie, nous faisons de la visualisation. Nous quittons le présent pour voyager dans le temps. Et lorsque nous terminons ce voyage avec, au cœur, une tristesse quant au passé et une crainte quant à l'avenir, nous venons de vivre une visualisation contre-productive. Cette dernière est constante chez toute personne aux prises avec de lourds regrets. Nous avons grandement besoin de nous créer sans relâche des visualisations productives. Et la bonne nouvelle, c'est que nous avons tous les outils nécessaires pour y parvenir.

La visualisation qui nous plonge dans le passé et nous y attache, de même que celle qui nous projette dans la solitude ou le danger imaginaire d'un avenir peu invitant, peut être détournée et utilisée à d'autres fins. La technique de la visualisation peut servir à guérir notre passé, à

enrichir notre présent et à reformuler notre avenir. La visualisation diri-
gée (*purposeful visualization*) est un outil extraordinaire pour quiconque
veut changer – et guérir – sa vie. Vous apprendrez à maîtriser cet outil
qui vous aidera à vous libérer de vos regrets. On appelle « visualisation
créative » le processus visant à créer intentionnellement une scène imaginaire vivifiante dans le but de provoquer des changements, en soi et
dans sa vie. Faisant appel à notre imagination consciente et créative, ce
processus consiste précisément à imaginer les choses autrement, c'est-
à-dire telles que nous les désirons.

En visualisation créative, nous imaginons une situation fictive en lui
jumelant tous les effets souhaités sur notre vie réelle, comme bon nous
semble – sons, couleurs, goûts, sensations physiques, parfums. Le but
recherché est de rendre cette visualisation aussi réaliste et convaincante
que possible. Il s'agit de construire des scènes riches en détail réalistes
bien que cette visualisation porte sur un événement qui ne s'est pas encore produit. Nous imaginons un futur dans le but de le manifester dans
notre vie actuelle.

On peut concevoir la visualisation créative comme une affirmation
visuelle ou un rêve éveillé portant sur un objet spécifique. Elle n'est pas
un rêve puisqu'elle n'est pas inconsciente, mais consciente. Elle n'est pas
non plus une hallucination parce qu'elle est intentionnelle et, nous le
savons, imaginaire. Elle n'est pas un rêve éveillé parce que la visualisation créative ne cherche pas à amuser, mais à manifester un état précis
et futur que nous voulons réaliser.

On retrouve en diverses disciplines une foule de théories, fort variées,
qui expliquent d'où vient l'efficacité de la visualisation. Les penseurs
issus du monde de la science, de la religion et du « nouvel âge » ont leurs
propres hypothèses. De même que les anciens Grecs et les scientistes
contemporains. Nul ne sait exactement pourquoi et comment, mais tous
savent qu'elle fonctionne. La visualisation créative s'est montrée efficace
en des situations et circonstances extrêmement variées, allant du traitement d'une maladie grave à l'amélioration d'une frappe au bâton sur le
terrain de golf.

Nous savons que la visualisation est efficace, en partie parce que l'esprit est ainsi fait qu'il ne peut distinguer entre une scène imaginaire très
réaliste et une autre scène, bien réelle. En créant des scènes du futur que
nous désirons voir se réaliser, l'esprit les perçoit comme étant réelles.

C'est ce qui explique en partie pourquoi la visualisation parvient à apaiser notre peur du changement et à nous rapprocher de l'objet de notre désir. Comme nous en avons « déjà fait l'expérience » en visualisation, nous ne craignons plus le changement; cette nouvelle réalité nous semble donc moins étrangère et plus accessible.

La visualisation est également utilisée comme outil de formation. Pour améliorer leur jeu, les athlètes se visualisent et s'imaginent sans cesse en train de jouer une joute parfaite. Dans leur esprit, ils ont déjà fait cet exploit de jouer à la perfection; ils savent comment procéder et ont maintes fois refait ces gestes. C'est pourquoi la visualisation occupe une place si importante dans la formation professionnelle de ces sportifs. Nous pouvons employer la même technique pour nous préparer à faire amende honorable, à nous libérer de nos regrets et à accorder notre pardon. Mais le mystère plane toujours, nous ignorons comment fonctionne la visualisation créative surtout lorsqu'elle entraîne de profonds changements qui dépassent largement nos capacités d'intervention.

Je vous recommande deux excellents ouvrages qui expliquent comment utiliser la visualisation créative pour vous guérir. *Se guérir par la visualisation*, de Patrick Fanning, est un guide pratique et détaillé en la matière. *La visualisation créatrice*, de Shakti Gawain, offre une approche différente pour décrire le processus de la visualisation créative. Vous retrouverez ces deux livres à l'appendice Λ, dans la liste des ouvrages suggérés. Le présent chapitre vous offre une vue d'ensemble de la visualisation créative, mais il ne saurait remplacer la lecture de ces deux ouvrages. Libre à vous de les consulter.

LA MARCHE À SUIVRE EN VISUALISATION

La visualisation créative est une technique fort simple. En suivant cette marche à suivre, vous aurez de la facilité à faire de la visualisation et vous en tirerez tous les bénéfices.

1. Déterminez quel est l'objectif de votre visualisation.

Que cherchez-vous précisément à accomplir dans cette visualisation? Vous libérer d'un ressentiment particulier? Pardonner à autrui un acte blessant? Vous donner du courage pour franchir une étape? Vous pardonner d'être aussi attaché à votre regret? Quel qu'il soit, votre but doit être clair et précis, car c'est lui qui définit le contenu de votre visualisation.

2. Définissez le contenu de votre visualisation.

Quelle image désirez-vous projeter, dans votre esprit, et qui saura traduire ce que vous cherchez à manifester dans votre vie? Il existe différentes approches. L'une d'elles consiste à imaginer la scène comme si les événements souhaités se déroulaient sous vos yeux. Par exemple, vous pourriez vous imaginer en train de demander pardon à une personne que vous avez blessée; vous vous voyez ensemble dans la pièce où vous prévoyez la rencontrer et vous prononcez les mots que vous désirez lui adresser. Une autre approche consiste à créer une métaphore ou une analogie représentant le but à atteindre dans cette visualisation.

Une métaphore agit comme un symbole qui représente quelque chose. Par exemple, vous pourriez tenir un petit oiseau dans la paume de votre main en guise de métaphore de votre regret. Dans la visualisation, vous pourriez vous voir déployant vos doigts et ouvrant votre main afin de laisser l'oiseau s'envoler – avec vos regrets. Puis, vous pourriez prendre plaisir à le regarder s'éloigner très haut dans le ciel et disparaître à jamais, vous laissant heureux et sans regret. Nous optons pour la métaphore lorsqu'elle nous semble plus facile à traiter que la situation proprement dite ou lorsqu'une visualisation réaliste est trop complexe et ne peut traduire le but.

3. Fuyez les distractions.

Réfugiez-vous dans un lieu calme, fermez la porte, débranchez le téléphone, prenez soin de dire à vos proches de ne pas vous déranger, utilisez des bouchons pour les oreilles ou prenez toute mesure nécessaire pour ne pas être distrait pendant votre visualisation.

4. Mettez-vous à l'aise.

Installez-vous confortablement pour faire votre visualisation. Étendu sur le sofa, couché sur le dos, assis sur une chaise, vous devez être à l'aise dans la position choisie et elle doit vous permettre de vous détendre.

5. Fermez les yeux.

Fermez les yeux et tournez votre attention vers l'intérieur, loin des distractions de ce monde. Vous êtes sur le point de créer votre propre visualisation sur l'écran blanc de votre esprit; vous devez donc éliminer toute concurrence des images visuelles provenant du monde extérieur.

6. *Détendez-vous.*

Les yeux fermés, entrez dans un état de profonde relaxation. Oubliez vos angoisses, vos difficultés, vos peurs et vos obsessions de la journée. Sentez-les se dissoudre et quitter votre corps. Au besoin, utilisez un exercice de relaxation. L'un d'eux est fort simple, il vous suffit de respirer profondément en comptant lentement à rebours, de dix à un. À chacun des nombres, sentez que vous vous détendez de plus en plus. Une autre technique, plus élaborée, consiste à contracter puis à détendre un à un les principaux muscles du corps, en commençant par ceux des mains et en terminant par ceux des pieds; à chaque contraction puis détente de chaque muscle, sentez que vous glissez dans une profonde détente. Nos meilleurs moments de détente naturelle sont au moment du réveil le matin et juste avant de nous endormir le soir; la visualisation créative est particulièrement propice et efficace à ces moments de la journée.

7. *Créez votre image visuelle.*

Le but de la visualisation créative est de manifester un état futur que vous souhaitez intégrer à votre vie. Plus cette image sera vibrante et vivante, plus votre visualisation portera des fruits, car votre esprit la percevra comme réelle. Voici les étapes à suivre pour créer de puissantes images visuelles :

❖ Imaginez l'état futur que vous désirez et vivez-le comme s'il était déjà manifesté.

❖ Ressentez les émotions propres à cette visualisation afin de rendre la scène encore plus réelle pour l'esprit.

❖ Ayez recours à tous vos sens pendant cette visualisation : la vue, l'ouïe, l'odorat, le goût et le toucher.

❖ Ajoutez le plus possible de détails, y compris les conversations et les actions imaginaires.

❖ Si des pensées ou des images négatives surgissent, imaginez-les glissant sur les vagues de l'océan et disparaissant de votre champ de vision sans leur accorder d'attention. Ou encore, imaginez un grand écriteau sur lequel on lit « Annulées » descendant sur elles. Peu importe l'image que vous utiliserez, elle doit neutraliser, ignorer ou annuler ces pensées et images négatives qui cherchent à s'introduire dans la visualisation.

❖ Maintenez cet état imaginaire aussi longtemps que désiré.

8. *Terminez par une affirmation.*

Terminez toujours une visualisation par une affirmation soulignant que quelque chose de meilleur que ce que vous aviez imaginé est en train de se produire, là, maintenant. Par exemple, vous pourriez dire : « Ceci ou quelque chose de meilleur encore est en train de se produire, maintenant, pour moi et au bénéfice de tout un chacun, conformément à la volonté de Dieu. »

Plus vous désirez l'objet de votre visualisation, plus vous croyez en sa réalisation, plus vous êtes disposé à accepter cette manifestation dans votre vie, plus vous avez de chance de voir votre désir se réaliser. L'ironie veut que, par l'exercice de la visualisation, vous puissiez accroître votre volonté de croire en la réalisation de votre objectif et en votre capacité de l'accepter.

Résumé de la marche à suivre de la visualisation :

1. Déterminez quel est l'objectif de votre visualisation.

2. Définissez le contenu de votre visualisation.

3. Fuyez les distractions.

4. Mettez-vous à l'aise.

5. Fermez les yeux.

6. Détendez-vous.

7. Créez votre image visuelle.

8. Terminez par une affirmation.

LA VISUALISATION CRÉATIVE ET LES DIX ÉTAPES

La visualisation créative peut être utilisée de maintes façons, tout au long des dix étapes, mais elle s'avère particulièrement importante en trois occasions précises. Vous franchirez ainsi avec beaucoup plus de facilité les étapes puisque, d'une certaine manière, vous les aurez déjà « franchies » dans votre esprit. Voici les trois occasions pendant lesquelles la visualisation créative doit occuper une place de choix :

1. Se préparer à franchir l'étape.

2. S'adonner aux différentes activités propres à l'étape.

3. Faciliter l'emploi des autres outils spirituels et psychologiques pendant la traversée de l'étape.

SE PRÉPARER À FRANCHIR L'ÉTAPE

En ayant recours à la visualisation créative au moment d'entreprendre une nouvelle étape, vous éprouverez moins de résistance, moins de peur et plus de confiance. Utilisez la visualisation dès que vous terminez une étape et donc juste avant d'entreprendre la prochaine étape; puis, à nouveau, dès que vous aurez terminé la lecture relative à cette nouvelle étape. Voici les éléments à introduire dans votre visualisation créative faite juste avant d'entreprendre une nouvelle étape.

Visualisez-vous :

❖ Lisant le texte de la nouvelle étape avec un sentiment d'enthousiasme, pendant la lecture.

❖ Passant en revue toutes les activités à faire lors de cette étape et sachant que vous pouvez toutes les accomplir avec succès.

❖ Complétant chacune des activités.

❖ En train de vous complimenter parce que vous avez complété toutes les activités relatives à cette étape.

❖ Écoutant votre confident vous dire que vous avez su relever tous les défis et franchir cette étape.

❖ Rempli de joie et heureux d'avoir complété cette étape.

❖ Enthousiaste à l'idée d'entamer la prochaine étape.

S'ADONNER AUX DIFFÉRENTES ACTIVITÉS PROPRES À L'ÉTAPE

La visualisation créative est un outil puissant qui permettra de dépasser votre résistance quant aux activités à faire pour franchir une étape. Elle peut vous aider à vaincre vos peurs, à stimuler votre mémoire et à trouver des solutions originales aux problèmes éprouvés au cours d'une étape. Supposons que la peur vous assaille devant une activité à accomplir; visualisez-vous en train de commencer cette activité, votre peur s'estompe et vous sentez monter le plaisir et l'excitation à mesure que vous progressez pour finalement compléter l'activité avec un sentiment d'accomplissement et de satisfaction. Tout au long de la visualisation, voyez votre confident et d'autres personnes vous encourager puis vous féliciter devant votre succès, en fin d'activité. Évidemment, le contenu de chaque visualisation sera légèrement différent selon la nature de l'activité en question.

FACILITER L'EMPLOI DES AUTRES OUTILS SPIRITUELS ET PSYCHOLOGIQUES PENDANT LA TRAVERSÉE DE L'ÉTAPE

Vous pouvez utiliser la visualisation créative pour encourager l'emploi des autres outils spirituels et psychologiques ou pour vous inciter à les utiliser plus fréquemment pendant la traversée d'une étape. Par exemple, si vous résistez à la prière, visualisez-vous en train de prier. Visualisez l'acte de prier et les résultats de la prière : le sentiment d'être soutenu, moins angoissé, plus confiant et plus heureux. Si vous résistez à la tenue du journal personnel, visualisez-vous écrivant votre journal. Ressentez les bienfaits que vous en tirez sur le plan émotif – vous éprouvez moins de peur, l'espoir monte et tout vous semble plus clair.

Si vous avez de la résistance par rapport au partage, visualisez-vous en train de partager avec les autres, vous êtes habité d'un sentiment d'appartenance au groupe, vous sentez la chaleur de l'amour qu'on vous porte, ce qui vous donne le courage de poursuivre vos efforts – c'est ce que nous gagnons à nous dévoiler devant une personne qui nous veut du bien. Voyez-vous avec les autres, ils vous embrassent, vous écoutent avec sympathie, vous soutiennent sur le plan émotif. Sentez monter en vous la confiance et l'espoir. Si vous résistez aux affirmations, visualisez-vous faisant régulièrement des affirmations, aimant cette pratique et en tirant des bienfaits que vous préciserez dans votre visualisation.

S'il est vrai que vous pouvez utiliser la visualisation pour vous inciter à prier davantage, vous pouvez également avoir recours à la prière pour vous aider à utiliser davantage la visualisation créative. Une simple prière en ce sens serait : « Je t'en prie, aide-moi à utiliser la visualisation créative pour franchir cette étape, à l'utiliser souvent pour que je complète cette étape avec succès, selon ta volonté. » Pourquoi ne pas avoir recours aux affirmations pour vous inciter à utiliser la visualisation créative, par exemple, dans ces mots : « J'emploie la visualisation créative tout au cours de cette étape. »

Avec la pratique, vous maîtriserez les outils spirituels et psychologiques. Ils deviendront comme une seconde nature et leurs bienfaits seront nombreux et constants. Utilisez fréquemment le plus d'outils possible; vous multiplierez ainsi vos chances de vous libérer de vos regrets, et ce, en moins de temps et plus facilement que vous ne sauriez l'imaginer.

Cette fin de chapitre marque la fin de votre période préparatoire. Vous voici fin prêt à entamer votre première étape et votre premier pas vers la libération de vos regrets.

DEUXIÈME PARTIE

Vous libérer de vos regrets en dix étapes

Chapitre 4

ÉTAPE 1 :
DRESSEZ LA LISTE DE VOS REGRETS

*L*a méthode en dix étapes est un programme structuré visant à vous accompagner tout au long du processus de libération de vos regrets. Grâce aux outils spirituels et psychologiques, vous ferez la paix avec vos regrets, vous évacuerez les douloureuses émotions qu'ils vous causent et vous mettrez fin aux distorsions qui entravent votre vie. Vous marcherez sur la voie de la guérison un jour à la fois, une page à la fois, une étape à la fois, pour parvenir enfin à vous délester de ce poids lourd et vous libérer de vos regrets.

Vous obtiendrez des résultats proportionnels à vos efforts et à votre constance, à chacune des étapes. Toutefois, il est réaliste d'affirmer que le moindre effort à chacune des étapes agira en votre faveur et réduira le fardeau de vos regrets et de votre douleur. Par conséquent, il est préférable de franchir les dix étapes en y mettant un peu d'effort plutôt que d'abandonner en cours de route ou de ne rien faire du tout. Par contre, il serait plus sage de profiter de cette occasion en or pour vous donner entièrement à ce processus dès à présent et jusqu'au bout.

Nous avons vu, au deuxième chapitre, ce que signifie franchir une étape :

❖ Comprendre l'objectif et son rôle dans le lâcher-prise de votre regret.

❖ Faire les actions suggérées, en appliquer les principes et modifier votre attitude en conséquence.

L'objectif de la première étape est de déterminer et de décrire les lourds regrets dont vous voulez vous départir. Ce sont les regrets qui vous obsèdent sans cesse – ils sont douloureux et intenses, volent votre bonheur de l'instant présent et vous condamnent à vivre encore aujourd'hui toute la souffrance occasionnée par un passé douloureux. Ce sont là les regrets qui vous ont mené jusqu'à ce livre. La première étape vers votre libération consiste à dresser la liste de vos regrets.

FRANCHIR LA PREMIÈRE ÉTAPE

Chacune des étapes de ce processus comporte une « liste d'actions » vous servant de guide lors de vos exercices dans votre journal personnel et de toute autre activité liée à cette étape. Il est essentiel de franchir les dix étapes pour chacun des regrets ciblés. Mais libre à vous de procéder comme bon vous semble. Vous pouvez choisir de vous attaquer à un seul regret à la fois et de franchir les dix étapes pour vous en libérer. En d'autres mots, vous devez vous départir de ce premier regret avant de passer au second regret. Mais vous pouvez procéder à l'inverse, c'est-à-dire franchir une même étape à plusieurs reprises – afin de vous attaquer à tous ou à plusieurs de vos regrets jusqu'à ce que vous ayez franchi cette étape pour chacun de vos regrets, simultanément. À vous de choisir entre ces deux approches aussi efficaces l'une que l'autre.

En complétant votre « liste d'actions » de cette première étape, vous pouvez choisir de déterminer dès à présent tous vos regrets (pour en avoir une liste complète) ou un seul regret sur lequel vous désirez vous concentrer tout au long du processus en dix étapes. Sachez toutefois qu'il est préférable de dresser une liste complète de tous vos regrets.

Voici la liste d'actions de cette première étape.

Première liste d'actions

DRESSEZ LA LISTE DE VOS REGRETS

1. *Nom du regret*
2. *Description du regret*
3. *Catégorie du regret*
4. *Sentiment par rapport à ce regret*
5. *« Si seulement »*

Ces cinq activités se feront dans votre journal personnel. Elles vous plongeront dans un processus d'analyse qui vous permettra de décrire chacun de vos regrets. Peu importe que vous les fassiez dans l'ordre ou dans le désordre, l'essentiel est de faire ces cinq actions pour chacun de vos regrets.

Voici une description détaillée de chacune de ces actions.

1. Nom du regret

Choisissez un mot court et simple pour identifier votre regret. Vous utiliserez ce terme tout au long du processus en dix étapes, mais vous pourrez le changer à tout moment, si besoin est.

2. Description du regret

Décrivez chacun de vos regrets, les événements importants qui s'y rattachent, ses causes et ses conséquences. Que s'est-il produit (ou non) et que vous regrettez aujourd'hui? Qu'en découle-t-il? Par exemple, Steve éprouve des regrets par rapport à la mort de ses parents tués dans un accident de voiture alors qu'il n'avait que sept ans. Ce regret en entraîne d'autres, comme celui d'avoir été ballotté d'un parent à un autre jusqu'à l'âge de dix-huit ans. De plus, Steve regrette d'avoir vécu l'insécurité financière, l'insécurité émotive d'un foyer instable et l'obligation de changer constamment d'écoles. Il regrette son enfance; Steve était un enfant « différent » des autres, ignorant où il habiterait l'année suivante et sans personne à qui se confier. Il nourrissait ce désir profond de vivre auprès de parents aimants, dans un foyer stable et entouré d'amis d'enfance et non d'amis toujours nouveaux.

Si ce processus – décrire vos regrets – est douloureux, ayez recours aux outils spirituels et psychologiques pour vous soutenir. Par exemple, vous pouvez écrire dans votre journal sur la douleur qui fait surface lorsque vous analysez en détail vos regrets; combien vous aimeriez ne pas avoir à faire cet exercice; la peur qui vous assaille lorsque vous vous remémorez les faits; la colère qui vous envahit; combien c'est difficile; combien la vie vous semble injuste; ou tout sentiment qui surgit concernant ce processus ou vos regrets. Vous pouvez également parler de vos espoirs quant à votre démarche, des bienfaits qui vous attendent lorsque vous serez libéré de vos regrets, de votre sentiment de pouvoir franchir toutes les étapes et atteindre la libération et le bonheur tant convoités.

Vous pouvez adresser une prière à votre Dieu afin de lui demander de vous donner le courage et la force de franchir cette étape. Pour vous aider à affronter vos peurs et votre douleur, sollicitez l'intervention divine. Si vous avez besoin de pleurer, faites! Allez-y, pleurez. Avoir le courage de vous libérer de vos regrets signifie accepter d'exprimer vos émotions, non de les refouler.

Ayez recours à la visualisation créative pour franchir cette étape et vous faciliter la tâche. Respirez profondément. Imaginez que vous êtes assis devant votre journal personnel, vous vous remémorez le passé, mais sans éprouver de peur ni de douleur. Imaginez que vous en décrivez les causes et les conséquences habité d'un grand sentiment de sécurité. Imaginez que vous écrivez dans votre journal avec confiance, que vous complétez cette étape avec bonheur et que vous passez doucement à la prochaine étape.

3. Catégorie de regrets

Passez en revue chacun de vos regrets et voyez à quelle catégorie il appartient, en vous référant à la liste suivante (décrite dans le premier chapitre). Vous serez à même de mieux comprendre votre regret. Choisissez parmi les sept catégories de regrets :

- ❖ Un acte que vous avez commis (vous le déplorez).
- ❖ Un geste que vous avez omis de faire (vous aimeriez l'avoir fait).
- ❖ Un acte fait par autrui (vous le déplorez).
- ❖ Un geste qu'une personne a omis de faire (vous aimeriez qu'elle l'ait fait).
- ❖ Un événement fortuit ou circonstanciel.
- ❖ Des pertes inéluctables (vous les déplorez).
- ❖ Une comparaison (elle vous a conduit au regret).

Certains regrets tombent dans plus d'une catégorie. Le cas échéant, faites la liste de toutes les catégories concernées.

4. Sentiment par rapport à ce regret

Les émotions nous procurent de la force et donnent un sens à notre vie. Sans elles, nous ne saurions vivre l'intimité ni même raisonner. N'est-ce pas étonnant? Nous pourrions conceptualiser nos différentes options, mais sans pouvoir arrêter un choix. Nous pourrions nous remémorer les événements de notre vie, mais non les émotions qui s'y rattachent. Nous serions incapables de maintenir nos relations, de rester motivés ou de planifier notre avenir. Nous serions moins que des humains. L'émotion est source d'espoir et d'attente, de compréhension et d'objectif à atteindre, d'empathie et de sagesse. C'est l'émotion qui parle à notre âme lorsque nous franchissons les portes de l'éternité, c'est elle qui nous pousse à vouloir aimer, qui nous amène à vivre la transcendance. L'émotion complète le raisonnement, ce qui nous permet de vivre l'expérience humaine et d'exprimer avec authenticité ce que signifie *être vivant*.

S'il est vrai que nos émotions enrichissent notre vie, elles ont aussi le mérite de la compliquer. Nos émotions nous incitent à faire de mauvais choix, nous plongent dans le malheur ou un profond désespoir, nous font vivre dans le passé et négliger le présent. À la manière de dirigeants cruels ou d'implacables superviseurs, nos émotions se comportent comme des tyrans incapables de pardonner; elles nous contraignent et nous handicapent, nous privent de nos plus chers désirs. Certains d'entre nous ont appris à bien gérer leurs émotions. D'autres, par contre, en sont esclaves et n'en tirent aucun bienfait; ils sont victimes de leurs émotions.

Nos émotions jouent un rôle de premier plan quand vient le temps de nous concentrer sur nos regrets pour mieux nous en libérer. Pour sortir de cette prison qui nous étouffe, nous devons faire la paix avec nos regrets, sur le plan intellectuel, mais aussi émotif. Imaginer que nos regrets se sont dissipés ne suffit pas. Nous devons sentir qu'ils nous ont quittés en nous laissant toucher par ces émotions sans nous laisser envahir. Si nous voulons que nos émotions cessent de nous dominer pour finalement les mettre à notre service, nous devons apprendre à les gérer efficacement.

C'est pour cette raison que la méthode en dix étapes vous apprend, entre autres, à prendre conscience de vos émotions et à les mettre au service de votre libération des regrets. Vous pouvez changer une émotion sentie, mais non une émotion refoulée, laquelle exerce un pouvoir sur votre vie. Lorsque vous prenez conscience d'une émotion, vous pouvez la relier à une pensée ou à un événement qui s'y rattache. En faisant le lien entre l'émotion et sa source, vous pouvez utiliser votre pensée pour limiter cette émotion, l'amplifier ou la modifier. C'est ce qu'on appelle une « analyse de la pensée ». Supposons que vous éprouviez de la peur à l'idée d'écrire sur vos regrets dans votre journal personnel; vous pouvez utiliser le pouvoir de votre pensée pour vous rassurer et vaincre votre peur. Dites-vous intérieurement que le geste est d'écrire dans votre journal, que tout ira pour le mieux, que vous avez le courage et la force nécessaires pour vaincre cette peur. Vous pouvez vous répéter que la pratique du journal personnel est essentielle pour franchir chacune des étapes et vous libérer de vos regrets. Vous pouvez vous rappeler tous les bienfaits qui vous attendent, lorsque vous aurez apprivoisé le journal personnel et complété toutes les étapes – ce qui devrait nourrir votre motivation; vous pouvez apprendre à vous réconforter afin de vous faciliter la tâche. Dès que vous décelez une émotion susceptible de vous mettre des bâtons dans les roues, faites-lui face de façon rationnelle par la pensée analytique.

Plus nous aurons de la facilité à reconnaître et à gérer nos émotions, plus nous serons capables de reconnaître les émotions de l'autre. C'est ce qu'on appelle avoir de l'« empathie ». Or, il faut de l'empathie pour établir des relations significatives et productives. Elle facilite également le pardon parce que l'empathie nous permet de nous identifier aux émotions de l'autre, à ses limites, à ses imperfections qui sont à l'origine de nos blessures et, en bout de piste, d'éprouver de la sympathie pour autrui. Notre relation à l'autre est intimement reliée à notre relation à nous. Plus nous éprouvons de la compassion, de l'accueil et de l'empathie envers autrui, plus nous éprouvons ces sentiments envers nous-mêmes. L'empathie est une force émotionnelle qui nous sera fort utile pour nous libérer de nos regrets.

LES ÉMOTIONS LIÉES AU REGRET

Le regret n'a rien d'une simple émotion, il est en réalité fort complexe. Il s'agit d'une constellation d'émotions, ce qui rend le regret si lourd à porter. Dans notre analyse, nous nous concentrerons sur les six émotions fondamentales qui accompagnent le regret :

- ❖ La colère
- ❖ La peur
- ❖ La culpabilité
- ❖ La honte
- ❖ La douleur (incluant la blessure, la tristesse, le remords et le chagrin)
- ❖ Le désir ardent

D'autres émotions peuvent surgir, comme le dégoût ou même la joie, lorsque nous éprouvons une douceur inattendue lors du déploiement d'un regret. Mais, dans la majorité des cas, les autres émotions qui émergent, comme la rage ou la vengeance, ne sont que des variantes de ces six émotions fondamentales. La *peur* et la *colère*, nous connaissons. Nul besoin de vous les présenter. Mais il en va autrement des autres émotions.

Par exemple, la *culpabilité* est une émotion ressentie lorsque nous brisons notre éthique personnelle. Le fait de pouvoir éprouver de la culpabilité nous incite à nous comporter correctement et à faire amende honorable si nous faisons un faux pas. La culpabilité est une émotion positive lorsqu'elle est méritée et proportionnelle à l'acte commis. Mais elle est problématique quand elle est démesurée ou ressentie sans raison valable. Cho se sent coupable même lorsqu'elle n'a rien fait pour justifier ce sentiment. Sa famille et ses collègues de travail le savent bien et profitent de cette faiblesse pour la manipuler constamment. Cho est aux prises avec une foule de regrets liés à cette culpabilité exacerbée.

Souvent, la *honte* accompagne la culpabilité, mais il est préférable de dissocier ces deux émotions. Nous nous sentons coupables lorsque nous avons mal *agi*, comme voler ou mentir. Mais ce n'est pas un geste indigne qui provoque la honte, c'est plutôt le sentiment d'être indigne. La culpabilité vient d'une action, alors que la honte vient de l'image de nous-mêmes et de qui nous sommes comme êtres humains. La honte est plus troublante que la culpabilité parce qu'elle nous accuse d'être une personne indigne – plutôt qu'une bonne personne ayant fait un geste répréhensible.

La honte profonde est un amalgame de différents regrets. En pareil cas, nous ne pouvons nous dissocier du geste que nous avons fait, nous avons le sentiment d'être fondamentalement mauvais, profondément inférieur et terriblement indigne. Nous mélangeons honte et culpabilité dans un cocktail toxique, prenant sur nous une culpabilité non méritée. Songeant à nos regrets, nous disons : « Jamais on ne me pardonnera » ou « Je ne mérite pas d'être heureux ». Nous en sommes venus à nous définir à partir de nos regrets, non pour *ce que nous avons fait*, mais pour *qui nous sommes*.

Vous et moi, nous sommes des créatures du pouvoir divin et nous avons une valeur inestimable. Nous avons tous la même valeur aux yeux de Dieu ou de la force transcendantale, quel que soit le nom que vous lui donnez. C'est le lot de tout être humain, nul n'est sans valeur. Que nous soyons admirés et louangés par la foule ou non, les biens matériels ne touchent en rien notre valeur personnelle dans le seul monde qui compte réellement : le monde de l'esprit. À ce propos, l'expression que je préfère est : « Dieu n'a rien d'un artisan de pacotille ». C'est un fait.

La *douleur* est une émotion très importante pour toute personne voulant se libérer de ses regrets; elle fait partie de tout regret et l'ironie veut qu'elle soit également une voie menant à la guérison. Elle peut s'exprimer sur le plan physique, spirituel ou émotionnel. La douleur émotionnelle passe par le chagrin, la tristesse, la solitude, le désir ardent ou le malheur. Nous la ressentons de diverses manières comme une anxiété ou une colère, un malheur ou une angoisse, une souffrance ou un tourment. Nous cherchons tous à éviter les affres de la douleur. Pourtant, elle nous réserve un précieux cadeau lorsque nous acceptons de la vivre. Curieux, mais la joie nous apporte le même cadeau. Et ce cadeau est celui de la guérison.

Qui n'a pas goûté aux bienfaits thérapeutiques d'une bonne crise de larmes? L'expression de notre douleur nous permet de faire l'expérience d'un grand relâchement physique et émotif et d'entamer un processus de guérison. Si nous refusons d'exprimer notre douleur, elle nous emprisonne et la guérison est impossible. On ne peut s'en défaire aussi longtemps qu'on ne choisira pas volontairement et consciemment de l'exprimer. Le seul moyen de nous en libérer est de plonger au cœur de notre douleur. Nous ne pouvons la contourner, car en refusant de la ressentir, la guérison nous « échappe ». Nous devons affronter, ressentir et plonger au cœur de notre douleur pour nous en libérer définitivement.

Le *désir ardent* est souvent présent dans le monde des regrets. Il s'agit de ce désir persistant à vouloir obtenir quelque chose qui s'avère souvent inaccessible. Avoir un profond regret, c'est éprouver une envie terrible, celle de vivre la vie que nous aurions pu avoir. Ce désir s'exprime souvent par ce début de phrase : « Si seulement ». Le sentiment profond d'une grande perte après une promesse brisée, des attentes déçues, des espoirs déchus sont des expressions d'une intense douleur et tristesse. Cherchant à fuir cette trop grande douleur, nous restons accrochés à ce désir ardent d'obtenir ce qui aurait pu advenir, et nous nous réfugions dans nos fantasmes commençant par « si seulement ».

Nos émotions définissent notre expérience comme êtres humains; fort heureusement, nous pouvons souvent les contrôler. De concert avec notre esprit rationnel, nos émotions déterminent notre expérience de vie et notre capacité à gérer nos regrets. À un moment ou à un autre, tout sentiment est une réponse valable dans la vie, mais seules les émotions ressenties peuvent être gérées par la pensée puis résolues. Si nous faisons le choix de nier ou de refouler nos émotions sans en faire l'expérience ou si nous nous laissons envahir par nos émotions, nous en devenons les victimes et n'en tirons aucun bénéfice.

En vous attaquant à votre liste d'actions, reconnaissez les émotions qui vous habitent pour chacun de vos regrets : la peur, la douleur, la colère, la peine, la culpabilité et la honte. Soyez honnête et entier. En les couchant sur le papier, vous enlevez du pouvoir à ces émotions qui vous blessent. Vous les apprivoisez pour mieux apprendre ce qu'elles ont à vous enseigner avant de les laisser aller. Si la tenue de votre journal personnel s'avère trop douloureuse, trouvez du soutien dans la prière, la visualisation, l'analyse de la pensée, l'affirmation et l'amour de vos proches, mais continuez à écrire dans votre journal.

5. « Si seulement »

Ces mots de départ, dans votre journal, ne serviront pas à faire l'historique de votre regret, mais à décrire le fantasme qui en découle. Il ne s'agit pas de faire la description de votre regret, mais de décrire son contraire : ce qui aurait « dû » se produire ou ce qui aurait « pu » se produire « si seulement ». En rédigeant votre texte, vous décrivez ce que vous auriez souhaité voir arriver et non ce qui s'est produit en réalité. On parle ici des fantasmes ou des rêveries que vous entretenez, en pensée, lorsque cette dernière commence par « si seulement j'avais » ou « si seulement je n'avais pas », « si seulement ils avaient » ou « si seulement ils n'avaient pas ».

Le jour où son fiancé brisa ses vœux de fiançailles, Isabelle a regretté la fin de leur union, la gêne d'une telle situation et le temps investi dans cette relation amoureuse. Plus tard, elle regretta la vie qu'ils auraient pu avoir : les enfants, la maison, les joies partagées. Les fantasmes d'Isabelle reposaient sur des prédictions voulant que sa vie d'aujourd'hui soit bien meilleure *si seulement les choses avaient été différentes à cette époque.* Selon elle, ses regrets étaient coupables, ils étaient responsables de son malheur actuel et de toutes ces belles expériences qui lui échappaient et qu'elle aurait connues « si seulement ».

Décrivez vos propres fantasmes et les prédictions que vous aimez faire autour de vos regrets. Quels sont vos « si seulement »? Selon vous, en quoi les choses auraient-elles été différentes si le regret qui vous accable aujourd'hui n'avait jamais existé?

Vous venez de compléter la première étape; vous avez en mains une bonne description de tous vos regrets. Quoi qu'il en soit, vous avez sous les yeux le portrait de tous vos regrets – soit l'ensemble de la tâche à accomplir tout au long de ce processus. Et oui, vous pouvez y arriver!

La seconde étape est un plongeon en profondeur dans le processus analytique de chacun de vos regrets et un début de lâcher-prise. Mais, auparavant, faites une pause et amusez-vous. Vous le méritez bien!

Chapitre 5

ÉTAPE 2 :
EXAMINEZ VOS REGRETS

« $\mathcal{U}$ ne vie à laquelle l'examen fait défaut, dit Platon, ne mérite pas qu'on la vive. » Et un regret auquel l'examen fait défaut ne mérite pas qu'on s'y attache. Souvent, nous nous accrochons à nos regrets faute de les avoir examinés. Alors, ils font de nous leurs esclaves. Mais dès que nous déterminons nos regrets, nous arrivons à les comprendre et, de ce fait, à nous en libérer. Cette seconde étape consiste donc à examiner vos regrets un à un, le rôle que vous avez joué dans la construction de ce regret et dans quelles circonstances. Vous choisirez également une personne de confiance (votre confident) avec laquelle vous partagerez ce voyage vers la libération de vos regrets.

PHASE PRÉPARATOIRE

En général, ce processus de libération des regrets donne de meilleurs résultats lorsqu'on l'entreprend en bonne compagnie pour mieux le partager. Plus vous aurez de personnes de confiance disposées à vous aider, plus vous obtiendrez de soutien dans l'accomplissement des tâches qui vous attendent. Que vous comptiez sur l'appui d'une personne ou d'un petit groupe, vous serez motivé et rassuré par leur soutien affectif et psychologique. Les humains sont nés pour vivre en communauté. Recevoir une aide amicale peut faire toute la différence, car elle renforce votre détermination, soutient vos efforts de changement et vous apporte tout l'amour dont vous avez besoin pour continuer à cheminer.

Si vous êtes de ceux qui n'ont presque jamais partagé leur vie et leur intimité avec d'autres, vous devrez trouver le courage d'établir le contact. Mais vous pouvez prier pour avoir ce courage, vous pouvez le visualiser, faire des affirmations, écrire dans votre journal sur le sujet.

Des choses étonnantes se produisent lorsqu'on utilise ces outils spirituels et psychologiques... Des portes s'ouvriront afin de répondre à vos besoins et de vous donner le courage voulu. Vous serez étonné de vous voir accomplir des choses que vous pensiez impossibles – sans trop savoir comment cela a pu se produire. Des forces spirituelles se rallieront pour vous épauler et des gens surgiront de nulle part pour vous venir en aide. Vous recevrez des encouragements, du soutien et de précieux conseils par des voies inattendues – un ancien copain, une nouvelle amie, un article de magazine qui vous tombe entre les mains. Sachez que vous n'êtes jamais seul lorsque vous cherchez à évoluer sur le plan spirituel – vous n'êtes jamais seul parce que des forces supérieures s'allient pour vous venir en aide. Ce qui ne veut pas dire que votre voyage sera de tout repos, sans peur et sans douleur. Cela signifie que vous aurez le courage nécessaire pour vaincre vos peurs, la force voulue pour traverser les affres de la douleur et pour surmonter les difficultés éprouvées sur votre chemin.

TROUVER UN CONFIDENT

Que vous optiez ou non de partager ce voyage avec des amis ou les membres d'un petit groupe, vous devrez tout de même identifier une personne de confiance qui deviendra votre confident et qui vous accompagnera tout au long de votre parcours, étape par étape. Nous l'appellerons votre « confident personnel ». Vous devez faire confiance à cette personne et être disposé à lui partager les éléments les plus intimes de votre démarche; elle doit accepter de vous soutenir sans réserve pour vous aider à franchir les dix étapes de ce programme. Votre confident pourra soutenir ou mettre en doute vos décisions, au besoin, et vous aider à clarifier vos choix tout au long des étapes à venir. Son rôle est déterminant et d'une telle importance que vous devez choisir ce confident avec le plus grand soin.

Votre confident doit :

❖ Savoir écouter.

❖ Avoir votre confiance (vous devez avoir envie de vous confier et vous devez vous sentir en toute sécurité en sa présence).

❖ Avoir un bon jugement qui vous met en confiance.

❖ Avoir à cœur de vous voir réussir.

❖ Savoir respecter la confidentialité de vos échanges.

❖ Ne jamais tourner contre vous les confidences que vous lui faites.

❖ Savoir honorer et respecter vos émotions, pouvoir vous laisser les exprimer librement sans en éprouver de la gêne ou du découragement.

À la lumière du rôle que jouera votre confident, qui, selon vous, pourrait remplir cette fonction? Dressez une liste de candidats potentiels dans votre journal personnel.

De plus, voyez qui dans votre entourage pourrait à l'occasion vous écouter partager votre expérience de libération de vos regrets, non à titre de confident, mais plutôt une personne en démarche spirituelle ou des membres d'un petit groupe de personnes vouées à faire le programme en dix étapes et à se libérer de leurs regrets. Dressez une liste de noms dans votre journal personnel.

UTILISER LES OUTILS SPIRITUELS ET PSYCHOLOGIQUES

Cette seconde étape pourrait s'avérer douloureuse et décourageante si vous n'utilisez pas les outils spirituels et psychologiques mis à votre disposition. Ayez recours à ces outils tout au long de cette deuxième étape, pendant la phase préparatoire et chaque fois que vous vous apprêtez à mettre en œuvre la liste d'actions. Priez et demandez d'avoir le courage d'examiner votre regret avec droiture et honnêteté, de vous souvenir avec précision des faits et des événements du passé ayant contribué à ce regret et de voir toutes les souffrances découlant de votre attachement à ce regret. Priez et demandez qu'on vous donne tout le soutien affectif nécessaire alors que vous plongez au cœur de votre regret pour en refaire l'historique, avant de pouvoir vous en libérer. Priez et demandez d'être réconforté, aimé et d'avoir la conviction profonde que tout ira pour le mieux et que le bonheur vous attend en bout de piste.

Faites une visualisation, voyez-vous entreprendre cette seconde étape, la franchir avec courage et détermination, la compléter et la réussir avec soulagement et un sentiment d'accomplissement. Imaginez-vous commençant et complétant toutes les actions qui figurent sur la liste suggérée plus loin, voyez votre confident vous louanger d'avoir si bien accompli votre tâche, voyez-vous en train de vous féliciter pour vos efforts et votre réussite. Imaginez-vous rempli de confiance après avoir su reconstruire la liste de tous les aspects de votre regret – y compris l'expression claire et franche des conséquences, des blâmes et de la colère qui s'y rattachent. Imaginez votre joie d'avoir examiné votre passé avec loyauté, sachant que toutes les étapes – comme celle-ci – vous mèneront à votre libération.

Quand la peur et la colère surgissent, écrivez dans votre journal personnel. Décrivez votre tristesse, dites combien ces souvenirs sont douloureux et à quel point vous désirez vous libérer de toute cette souffrance. Ayez recours à l'analyse de la pensée et faites la liste, dans votre journal, de tous les bienfaits qui vous attendent en bout de piste, grâce à votre courage tout au long de cette seconde étape. Parlez de vos espoirs, de votre avenir prometteur et de votre détermination à compléter cette étape.

Confiez-vous à votre confident, dites-lui votre peur et votre douleur, partagez-lui vos secrets afin de recevoir l'aide et l'encouragement dont vous avez besoin. Demandez à vos amis de vous apporter leur soutien et leur amitié tout au long de votre processus. Trouvez en votre confident une assise solide sur laquelle vous appuyer pour explorer les effets néfastes de votre attachement à ce regret.

Ayez recours aux affirmations afin de vous soutenir alors que vous franchissez graduellement les marches de cette étape. Par exemple, dites : « Je franchis la deuxième étape avec succès. J'examine mes regrets. Je me donne entièrement. Je fais tout le nécessaire pour me libérer de mes regrets et je suis aimé, soutenu et en sécurité. »

FRANCHIR LA DEUXIÈME ÉTAPE

Au cours de la première étape, vous avez décrit vos regrets et les émotions qui s'y rattachent. La seconde étape consiste à analyser vos regrets dans le moindre détail. Voici la liste d'actions à mener en ce qui concerne votre journal personnel.

Deuxième liste d'actions

EXAMINEZ VOS REGRETS

1. *Rôle que vous avez joué dans la création de ce regret.*
2. *Liste des gens que vous avez blessés en raison de ce regret.*
3. *Liste des gens que vous blâmez pour ce regret.*
4. *Conséquences de rester accroché à ce regret.*

1. Rôle que vous avez joué dans la création de ce regret

Quel rôle avez-vous joué dans la construction de ce regret? Dans certains cas, il s'agit d'un rôle de premier plan. Prenez Louis, par exemple. Dans sa relation amoureuse, il était extrêmement possessif de sa fiancée. Plus ils devenaient intimes, plus il se montrait jaloux vis-à-vis des copains de cette femme et plus il était soupçonneux chaque fois qu'elle avait une activité sans lui. Il en vint à vivre du ressentiment lorsqu'elle passait du temps avec ses copines – il aurait préféré qu'elle reste avec lui, « car, disait-il, je l'aime tant ». Le jour où sa fiancée lui annonça qu'elle le quittait définitivement parce qu'elle « étouffait » à ses côtés, Louis sombra dans le désespoir. C'était le plus grand regret de sa vie. Avec le recul, il finit par admettre qu'il était en grande partie responsable de cette séparation. Il ne parvenait pas à contrôler sa jalousie maladive.

Mais les choses ne sont pas toujours aussi évidentes. Le rôle que nous avons joué pour en arriver à regretter une situation n'est pas toujours aussi limpide et clairement départagé. Nous avons effectivement notre part de responsabilité et nous devons la reconnaître et l'accepter, mais nous ne sommes jamais seuls en cause. Il est plus difficile de faire la part des choses quand notre rôle fut surtout en réaction ou moins significatif que celui de l'autre personne concernée. Cindy est demeurée auprès de son conjoint abusif et violent parce qu'elle était sans soutien et parce qu'elle craignait au plus haut point la réaction de celui-ci, le mal qu'il pourrait faire à elle et à ses enfants si elle partait. Le jour où elle le quitta, elle regretta amèrement de ne pas l'avoir fait plus tôt et se blâma pour toute la souffrance que cet homme infligea à la famille. Cindy aurait pu justifier à coup d'arguments le rôle qu'elle avait joué et nier toute responsabilité, mais elle choisit de faire l'inverse et de tout prendre sur ses épaules. La vérité se trouve dans le juste milieu. Lors de cette deuxième étape, la tâche de Cindy consiste à reconnaître sa part de responsabilité dans cette situation et de laisser à son conjoint la part qui lui revient.

Dans certains cas, vous n'aurez joué aucun rôle. Supposons que vous ayez été frappé de plein fouet par un automobiliste en état d'ébriété qui a subitement changé de voie – vous n'avez joué aucun rôle dans cet accident que vous regrettez. Vous ne pouvez, en toute logique, affirmer que vous auriez pu éviter cet accident « si seulement » vous étiez resté plus longtemps à ce rendez-vous, si vous aviez lavé cette vaisselle laissée sur le comptoir ou mis fin à cette conversation téléphonique quelques minutes plus tôt avant de monter en voiture… peut-être que cet accident n'aurait pas eu lieu. Allons donc. Vous conduisiez prudemment et ne pouviez prédire cet accident. Vous n'êtes aucunement responsable en ce qui concerne un tel regret.

Toutefois, nous contribuons habituellement à créer ou, à tout le moins, à maintenir un regret. Même lorsque l'autre est en grande partie responsable de ce regret, nous devons déterminer notre rôle, quel qu'il soit, et reconnaître qu'il a contribué à créer ou à envenimer la situation. Lorsque nous sommes persuadés que c'est l'autre, par son comportement, qui est entièrement responsable de notre regret et que nous n'y sommes pour rien ou presque, nous devons alors examiner ce regret avec le plus grand soin. On cherche naturellement à jeter le blâme sur autrui, non sur soi. Faire l'effort de reconnaître la part que nous avons jouée dans la création de ce regret n'est pas une chasse aux sorcières, il ne s'agit pas de nous jeter la pierre pour le plaisir de nous blâmer. C'est plutôt une quête de vérité pour une plus grande liberté. Quel que soit notre rôle, nous devons d'abord l'admettre pour ensuite nous en libérer.

Soyez parfaitement honnête et entier en procédant à cette analyse; ayez recours aux outils spirituels et psychologiques de votre choix pour vous aider à aller jusqu'au bout de cette analyse. Il est douloureux de faire un compte rendu détaillé de votre regret, mais nous savons que c'est la voie de la guérison.

2. Liste des gens que vous avez blessés en raison de ce regret

Pour chacun de vos regrets, dressez la liste des gens que vous avez blessés d'une manière ou d'une autre. Certains étaient peut-être parfaitement innocents comme les enfants du divorce. D'autres ont eu droit à votre vengeance pour les gestes commis à votre égard; peut-être avez-vous blessé des gens accidentellement ou indirectement pendant que s'installait votre regret. Posez-vous cette question : « Comment ai-je contribué à envenimer la situation, failli à la tâche d'améliorer les choses, agi de manière blessante envers l'autre? » Ignorez pour l'instant les fautes de cette personne envers vous.

Il est possible que vous n'ayez blessé personne en ce qui concerne ce regret. Ce dernier dépend peut-être d'événements ou de circonstances hors de votre contrôle : un parent violent et abusif, les difficultés financières de votre famille, un handicap physique de naissance. En pareil cas, nul besoin de chercher à admettre une faute, à confesser un blâme, à assumer une responsabilité. Votre regret vient simplement de circonstances incontrôlables.

3. Liste des gens que vous blâmez pour ce regret

Voici un exercice conçu pour déterminer les gens, les événements et les circonstances sur lesquels vous jetez le blâme, d'une certaine façon, et rendez responsables de votre regret. Il est important de dresser cette liste puisque vous libérer de vos regrets signifie faire la paix avec ces gens, ces événements et ces circonstances. Vous ne blâmez pas toutes les personnes en cause – ni maintenant ni par le passé. Par exemple, vos enfants sont impliqués dans votre divorce, mais ils n'ont sans doute joué aucun rôle dans la création de votre regret. Le divorce est une décision prise entre les parents qui doivent en assumer l'entière responsabilité.

Parfois, certaines personnes ont participé à la création de votre regret, mais elles ont été pardonnées depuis longtemps. Ne tenez pas compte de ces gens pour l'instant.

Parmi les personnes que vous blâmez, certaines ne sont peut-être que des boucs émissaires n'ayant aucune responsabilité dans la situation qui vous occupe. Toutefois, si vous avez le sentiment qu'elles y ont tenu un rôle, ajoutez leurs noms à votre liste. Nous examinerons les faits plus tard.

Votre liste comportera le nom de ces gens que vous blâmez, mais également des éléments comme la chance, le destin, la malchance ou Dieu. Peu importe sur qui ou sur quoi vous jetez le blâme, notez-le sur votre liste, y compris vous-même, le cas échéant.

Les gens dont le nom apparaît sur cette liste sont les personnes envers qui vous éprouvez du ressentiment. Il s'agit d'une émotion soutenue faite de colère, de mauvaise foi, de dégoût ou de haine envers une personne ou une chose qui vous a blessé en faisant un geste répréhensible réel ou imaginaire. Gail regrette cette aventure extraconjugale qui brisa son mariage, la plongea dans un divorce amer et une vie plus modeste. Elle éprouvait du ressentiment envers son conjoint qui refusa de lui donner une seconde chance; envers son amant qui l'a séduite puis abandonnée pour une autre femme; envers ses beaux-parents qui refusèrent de lui adresser la parole après cet adultère; envers ses parents qui ne l'ont pas appuyée lorsqu'ils ont affirmé que son conjoint avait le droit de décider de sa propre vie; envers le destin qui l'avait poussée dans les bras d'un séducteur; envers une amie qui, disait-elle, l'avait trahie au moment même où elle avait besoin de son soutien. Elle ajouta à sa liste le nom de l'avocat de son conjoint qui s'était montré particulièrement pervers, selon elle; le nom du juge qui ne lui avait pas accordé une pension alimentaire raisonnable; et le nom de la nouvelle conjointe de son ex-mari qui n'avait rien à voir avec sa rupture, mais qu'elle détestait de toute manière.

En terminant cet exercice d'écriture dans votre journal personnel, décrivez votre ressentiment et dites pourquoi vous y êtes attaché. En d'autres mots, que reprochez-vous à l'autre et pourquoi? Soyez honnête et entier dans votre propos, mais ne baignez pas dans le ressentiment après avoir fait cet exercice dans votre journal, évitez également d'y penser et de nourrir votre colère. Contentez-vous de déterminer votre ressentiment puis de le laisser derrière vous afin de passer au prochain sujet à traiter dans votre journal. N'ayez crainte, nous nous occuperons de votre ressentiment un peu plus tard.

4. Conséquences de rester accroché à ce regret

En restant accroché à votre regret, vous en subissez les conséquences encore aujourd'hui, vous souffrez, faute d'avoir lâché prise. C'est sans doute ce qui vous a poussé à lire ce livre et à entamer cette seconde étape.

Lola avait plus de soixante ans, tout comme sa sœur aînée à qui elle refusait de parler depuis plus de quinze ans. Lors du décès de son seul cousin qu'elle chérissait comme son propre fils, Lola se souvint combien sa sœur et elle étaient près enfants et réalisa à quel point elle regrettait de ne plus la voir. La peur de mourir sans avoir parlé à sa sœur lui pesait terriblement. Lola se rappelait leurs rires et leurs escapades, de même que cette époque pendant laquelle sa sœur l'avait soutenue, alors qu'il n'y avait plus personne sur qui pouvoir compter dans sa vie. Elle ne voulait pas que les mots durs prononcés envers elle, au moment de leur séparation, soient les dernières paroles adressées à sa sœur qui avait été, en d'autres temps, sa meilleure amie et qui avait joué un rôle important dans sa vie. Plus elle songeait à sa sœur, plus cet état de fait l'attristait. Soudain, elle prit conscience des conséquences – devenues insoutenables – de son attachement à un vieux regret bourré de ressentiment.

Pour calculer le coût de votre attachement à votre regret, vous devez prendre en considération le temps passé à y songer, l'énergie émotive que vous y investissez, la tristesse que vous portez, la colère qui vous habite, le bonheur usurpé, les récentes pertes dont il est la cause et, dans certains cas, la culpabilité et la honte qu'il engendre. Quelles que soient les conséquences, inscrivez-les dans votre journal. Lorsque vous aurez terminé cet exercice, vous aurez sous les yeux toutes les raisons du monde de vouloir vous libérer de vos regrets.

Vous avez examiné dans le détail vos regrets et venez de compléter la seconde étape. Vous voici fin prêt à entreprendre la troisième étape qui consiste à explorer des schémas de pensée qui, lorsque poussés à l'extrême, contribuent à créer, à creuser en profondeur et à maintenir nos regrets. Vous devez d'abord déterminer ces schémas de pensée pour ensuite contrer leur action; ainsi, vous cesserez de nourrir vos vieux regrets et d'en créer de nouveaux.

Chapitre 6

ÉTAPE 3 :
MODIFIEZ LE SCHÉMA
DE VOS PENSÉES TOXIQUES

A u cours de cette troisième étape, nous explorerons des schémas de pensée fort répandus qui, lorsque poussés à leur extrême limite, contribuent à la création de regrets et à la difficulté de s'en libérer. Ces schémas, tel le perfectionnisme, sont à l'origine de maints petits regrets au quotidien; quand ce dernier devient un mode d'interaction privilégié avec notre monde extérieur, il nous incite à créer et à maintenir de lourds regrets. C'est le moment de découvrir quel rôle ces schémas de pensée ont joué dans la construction de vos regrets. Cette prise de conscience vous donnera le pouvoir de les contrer en ayant recours à l'analyse des pensées ainsi qu'aux outils spirituels et psychologiques à votre disposition.

FRANCHIR LA TROISIÈME ÉTAPE

Voici la liste des principaux schémas de pensée étant à l'origine de nos lourds regrets lorsqu'ils deviennent notre premier mode d'interaction avec le monde extérieur.

* ❖ Perfectionnisme

* ❖ Contrôle exagéré

* ❖ Prédiction de l'avenir

* ❖ Divination (savoir ce que l'autre pense)

* ❖ Personnalisation des événements

* ❖ Comparaison incomplète

- ❖ Culpabilité non méritée
- ❖ Réinvention du passé
- ❖ Rationalisation extrême
- ❖ Utilisation du regret comme prétexte à l'inaction

Pendant l'enfance et l'adolescence, nous développons certains de ces schémas de pensées toxiques. Le sentiment d'invincibilité, à l'adolescence, est une croyance universelle. Mais si nous n'y renonçons jamais, elle deviendra un handicap et une menace pour notre vie. Certains de ces schémas prennent forme dans une famille dysfonctionnelle où nous avons grandi. Elle constituait alors notre seule et unique défense contre les difficultés éprouvées dans ce contexte. Notre vie a changé et s'est améliorée, mais nous n'avons jamais abandonné ces fausses croyances et ces schémas de pensée. Ils ne nous protègent plus aujourd'hui. Bien au contraire, ils nous punissent, mais nous nous y accrochons malgré tout.

Troisième liste d'actions

MODIFIEZ LE SCHÉMA DE VOS PENSÉES TOXIQUES

1. *Analyse du schéma de pensées toxiques qui alimentent chaque regret*
2. *Pensée rationnelle pour contrer vos pensées toxiques qui alimentent ce regret*

1. Analyse du schéma de pensées toxiques qui alimentent chaque regret

Nous passerons en revue les différents schémas de pensée afin de les décrire avec précision. Pendant votre lecture, demandez-vous lesquels s'appliquent à votre cas. Quels sont les schémas qui, poussés à leur extrême limite, ont contribué à bâtir vos regrets? Parmi ces schémas de pensée, lesquels utilisez-vous pour demeurer accroché à vos regrets?

Le perfectionnisme

On cite souvent le perfectionnisme lorsqu'on veut parler d'un schéma de pensée fort répandu à divers degrés, surtout chez les gens qui nourrissent de grandes attentes, envers eux et les autres. Mais quand le perfectionnisme devient notre principal mode de fonctionnement, les problèmes nous guettent. Sur le plan intellectuel, ces personnes admettent que la perfection n'est pas de ce monde; mais quand vient le temps de passer à l'action, elles font le contraire. À leurs yeux, la perfection est la seule solution acceptable et tout ce qui se situe en deçà est perçu comme un échec. Mais nul n'est parfait.

Quand nous sommes tenaillés par ce désir de perfection, nos fautes et nos erreurs de jugement nous torturent. Nous revisitons sans cesse les circonstances entourant nos regrets, cherchant à « corriger » la situation dans notre esprit ou à nous blâmer pour toutes nos fautes et imperfections. « Si seulement », pensons-nous tout en imaginant une conclusion plus heureuse. Nous nous demandons : « Pourquoi, mais pourquoi donc? », songeant combien nous avons été stupides, négligents ou étourdis. Nous sommes incapables d'accepter notre erreur et de lâcher prise, car reconnaître notre imperfection est inadmissible et trop souffrant. Les perfectionnistes à outrance sont extrêmement exigeants envers eux-mêmes, ce sont les plus handicapés et les plus souffrants d'entre nous.

Le perfectionnisme nous empêche d'atteindre notre plein potentiel, parfois même de reconnaître nos talents et nos forces. L'ironie veut que, souvent, les perfectionnistes n'atteignent pas leur objectif dans la vie faute d'avoir essayé. Ils ne tentent rien de peur d'échouer. À leurs yeux, mieux vaut ne rien tenter pour ne pas échouer que d'essayer et d'essuyer un échec par incompétence. Le perfectionnisme nous vole nos leçons tirées de l'échec, mais non l'échec proprement dit. Il nous conduit inévitablement au regret.

Éric, jeune étudiant universitaire, ne commence jamais une dissertation avant la veille de la remise. Quand il obtient la note *C*, il explique qu'il aurait eu un *A* « si seulement » on lui avait accordé plus de temps. La note *C* n'est pas un échec à ses yeux – c'est ainsi qu'il évalue sa compétence – puisqu'il n'a jamais eu l'occasion de démontrer son savoir-faire. Il aurait pu obtenir un *A*, voyez-vous, mais il a manqué de temps. Et s'il a la chance d'obtenir un *A*? Eh bien, c'est la preuve de sa grande intelligence, nettement supérieure à celle de ses camarades qui ont consacré des heures à rédiger leur dissertation. Le problème, c'est qu'Éric n'aura pas souvent cette chance. Il réussira rarement. S'il avait consacré plus de temps à ce devoir universitaire, il aurait peut-être obtenu la note *A*. Mais il n'en saura rien. Il ne pouvait courir le risque d'obtenir un *A*, car il ne pouvait risquer d'échouer.

Souffrant de perfectionnisme, nous portons de lourds regrets, nous n'arrivons pas à nous pardonner et nous sabotons nos chances de réussir. Nos normes sont trop élevées et nous jugeons nos fautes avec une sévérité peu commune. Dans ce contexte, il nous est impossible de nous pardonner et de reconnaître que nous avons offert le meilleur de nous-mêmes. Le perfectionnisme fait obstacle à ce processus naturel qu'est la recherche, l'apprentissage et le lâcher-prise.

Selon vous, le perfectionnisme est-il à l'origine de vos regrets?

Un contrôle exagéré

Le sentiment d'exercer un grand contrôle sur les gens et les événements est un autre schéma de pensée fort répandu. Nous pouvons sans doute les influencer un peu, mais nous ne pouvons les contrôler. À peine pouvons-nous influer sur le résultat. Adopter ce schéma à outrance, c'est assumer la responsabilité d'une foule d'événements que nous ne contrôlons pas et qui ne relèvent pas de nous. Mais nous nous en croyons responsables, pour notre plus grand regret. En voici un exemple. Quand son équipe favorite fit chou blanc au match de football du Super Bowl, Yvan a déclaré : « Ils ont perdu et je sais pourquoi. Je ne portais pas ma chemise rouge. Ils gagnent toujours lorsque je porte ma chemise rouge, mais voilà, elle était chez le teinturier et je n'ai pas réussi à la récupérer à temps pour le match du Super Bowl – et voilà, voyez le résultat! »

Évidemment, c'était de la rigolade. Yvan ne croit pas posséder ces pouvoirs extraordinaires. Il disait cela pour amuser les copains. Mais Yvan regrette amèrement de ne pas avoir su « sauver » son mariage. Sa conjointe souffrait de maladie mentale et c'est pour cette raison qu'elle décida de le quitter. Cette union était vouée à l'échec et Yvan n'y pouvait *rien*. Mais il se disait responsable de cet échec parce qu'il « aurait dû savoir s'y prendre pour que leur couple fonctionne ». À l'instar d'Yvan, nous devenons des victimes en croyant avoir un contrôle exagéré sur les choses, nous nous blâmons pour des événements sur lesquels nous n'avions aucun pouvoir. Finalement, nous acceptons de porter de lourdes responsabilités qui ne nous appartiennent pas, d'éprouver une culpabilité exagérée et de profonds regrets.

Vos regrets sont-ils bâtis sur le sentiment d'exercer un contrôle exagéré sur les gens et les événements de votre vie?

La prédiction de l'avenir

Nous sommes tous fascinés par ce que l'avenir nous réserve; voyez la prolifération de devins de tout acabit, astrologues, diseuses de bonne aventure, médiums, économistes, personnes qui lisent le tarot, analystes de Wall Street. Et pourquoi en serait-il autrement? Si nous pouvions connaître notre avenir, nous serions à même d'éviter de coûteuses erreurs ou de douloureuses pertes, nous saurions prendre les mesures pour vivre de brillants succès. Mais nous ne pouvons prédire l'avenir. Il ne fait aucun doute qu'un petit nombre d'individus parvient à prévoir les événements à venir, sans qu'on sache trop comment. Pourtant, même ces personnes ne sont pas infaillibles et doivent faire face aux imprévus dans leur propre vie.

En examinant nos regrets, nous sommes souvent portés à nous blâmer de n'avoir pas su prévoir les événements, de ne pas avoir agi pour en arrêter le cours ou, à tout le moins, de ne pas en tirer un certain avantage. Alors, nous nous reprochons nos « erreurs » qui se résument, en réalité, à notre incapacité à prédire l'avenir. Un regret est non fondé lorsqu'il repose sur pareille allégation. Par exemple, Alfredo se blâmait de n'avoir pas su vendre ses actions à temps pour éviter de lourdes pertes lorsque le marché s'est effondré. « J'aurais dû savoir que le marché était à la baisse et vendre », ne cessait-il de se répéter en déposant dans un compte bancaire les maigres avoirs qu'il avait réussi à sauver de la débandade. Plus tard, lorsque le marché reprit son cours normal et qu'Alfredo refusa d'investir à nouveau, il se blâma ensuite de n'avoir pas vu cette remontée. « J'aurais dû sentir le vent tourner en notre faveur », se disait-il avec amertume. Mais pour quelle raison? Pourquoi Alfredo aurait-il dû savoir ce qu'il adviendrait des fluctuations du marché boursier?

Les plus grands économistes et analystes de Wall Street sont incapables de prédire, avec constance, les hauts et les bas de la Bourse. Le marché prend du tonus quand les gens achètent plus d'actions qu'ils n'en vendent, il perd de sa vigueur quand les gens vendent plus d'actions qu'ils n'en achètent. C'est la seule explication valable de cette fluctuation des marchés boursiers. Au lendemain de l'effondrement de la Bourse, ses dirigeants ont tenté d'expliquer *pourquoi* les gens vendaient ou achetaient des actions; mais à la veille du krach, nul ne pouvait prédire ces réactions populaires *parce que personne ne s'en doutait*. La majorité des gestionnaires financiers sont incapables de prédire les fluctuations du marché boursier (ce qui explique pourquoi la plupart des sociétés d'investissement à capital variable ne dépassent jamais l'indice Dow Jones. Nul ne peut.

Betty était victime de plusieurs schémas de pensée non réaliste ayant pour thème la prédiction. « J'aurais dû savoir que si Bobby prenait la voiture, quelque chose de terrible l'attendait », se disait-elle après l'accident de son fils adolescent. « Je n'aurais jamais dû lui prêter la voiture. » Mais comment aurait-elle pu deviner? Son fils avait pris le volant des centaines de fois avant ce jour, sans le moindre accrochage. Comment pouvait-elle savoir ce qui se produirait ce jour-là? Elle ne le pouvait pas. Mais elle se jetait le blâme. *Nous ne pouvons, en toute logique, nous tenir responsables de gestes ordinaires ayant des conséquences dramatiques et impossibles à prévoir.* Nous ne pouvons nous tenir responsables de n'avoir su prédire l'avenir.

Une autre manifestation de notre prétendu pouvoir de prédire l'avenir est de croire que nous savons quelle serait notre vie, aujourd'hui, si certains événements n'avaient pas eu lieu par le passé. John disait : « Si j'avais épousé Sue, je serais heureux aujourd'hui. » À l'instar de Betty, John se reproche de n'avoir pas su prédire l'avenir (c'est-à-dire qu'il aurait dû épouser Sue). Cette fois, la prédiction ne porte pas sur des événements réels comme la fluctuation du marché, mais sur des choses qui ne se sont jamais produites. John n'a jamais épousé Sue. Prétendre savoir comment les choses se seraient passées n'est que pure prédiction, en particulier cette « fin heureuse » qui serait, selon John, la seule conclusion possible. En réalité, bien des choses auraient pu briser cette union ou ce bonheur inventé, des milliers d'événements qu'il n'aurait pu prévoir.

Cette femme, qui est l'objet de ses rêves et qui tournerait son malheur en un bonheur permanent, aurait pu être la source de tous ses malheurs. Elle aurait pu le priver d'affection. Elle aurait pu le conduire à la faillite. Elle aurait pu lui être infidèle. Ou John aurait pu la tromper. Il aurait pu cesser de l'aimer. Le malheur de John aurait pu intoxiquer leur union et les mener au divorce. Mais John s'obstine à n'imaginer qu'une seule conclusion possible : ils auraient été heureux et sa vie aurait été complètement différente. Ces pensées non réalistes alimentent son regret fondé uniquement sur sa capacité à prédire l'avenir qu'il aurait eu « si seulement ».

Nous ne pouvons, en toute logique, prédire le dénouement d'un événement sorti de notre imagination. L'heureux mariage qu'on se plaît à inventer aurait pu devenir un véritable cauchemar se résumant à des années de lutte, des enfants misérables et, au bout du compte, un divorce amer. Comment savoir si la personne qu'on aurait épousée dix ans plus tôt ferait aujourd'hui encore notre bonheur? Impossible. Comme nous ne pouvons prédire que nous filerions des jours heureux, aujourd'hui, si nous n'avions pas dilapidé notre fortune, si nous n'avions pas quitté notre petit village ou si nous avions choisi une autre carrière. Nous ne pouvons prédire ce qu'il adviendra demain; une toute petite bifurcation dans notre parcours peut tout changer. Nous ne pouvons deviner ce qu'il serait advenu si, à un carrefour de notre vie, nous avions emprunté une autre route que celle que nous avons choisie. Tous les chemins non empruntés et leurs expériences possibles nous sont à jamais inconnus. Nous ignorons tout de l'avenir et de nos passés imaginaires.

Vos regrets sont-ils fondés sur votre prétendue habileté à prédire l'avenir?

La divination (savoir ce que l'autre pense)

Si quelqu'un déclarait pouvoir lire dans vos pensées, sans doute le croiriez-vous un peu cinglé. Personne ne peut lire dans vos pensées ou celles de votre voisin. Pourtant, nombre de nos regrets reposent sur cette fausse croyance que *nous* pouvons lire dans la pensée des gens – ou du moins que nous devrions pouvoir y parvenir. Ce sont nos conclusions basées sur cette croyance qui nous mènent au regret. Nous nous blâmons de « n'avoir pas su » deviner quelque chose à propos d'une personne, mais, en fait, comment aurions-nous pu le deviner? Inversement, nous blâmons parfois l'autre de ne pas « avoir su deviner » quelque chose à notre sujet.

Earl se plaignait. « J'aurais dû savoir que Joyce s'apprêtait à me quitter. » Peut-être, mais peut-être pas. Si Joyce n'a jamais exprimé ses attentes, ses besoins et ses insatisfactions, Earl pouvait difficilement savoir qu'elle n'était pas heureuse avec lui. Par ailleurs, si Earl n'a jamais cherché à connaître les besoins et les attentes de Joyce, il ne pouvait tenter d'y répondre. Ni Earl ni Joyce ne pouvaient lire dans les pensées de l'autre – mais ils agissaient comme si c'était le cas.

Se croire capable de lire dans la pensée de l'autre est une idée fort romantique, mais parfaitement irréaliste. Bien sûr, on peut à l'occasion deviner son humeur, ce qui est bien différent de savoir lire dans ses pensées. Ce fantasme est souvent jumelé à un autre schéma de pensée non réaliste : savoir prédire l'avenir. Alexandra croulait sous le poids de la culpabilité lorsque sa sœur Lana, étudiante au collège, se suicida. « J'aurais dû savoir qu'elle projetait de s'enlever la vie », répétait sans cesse Alexandra, ce qui laisse entendre qu'elle aurait dû pouvoir lire dans ses pensées et prédire cet acte malheureux. Mais Alexandra ne pouvait deviner que Lana songeait au suicide et c'était tout simplement impossible – sauf avec le recul – de savoir qu'elle passerait à l'acte. Lana n'en avait jamais soufflé mot, avait gardé pour elle ses idées de suicide et n'y avait même jamais fait allusion.

Vos regrets sont-ils fondés sur cette fausse croyance selon laquelle vous auriez dû pouvoir lire dans les pensées de l'autre ou que l'autre aurait dû deviner vos pensées?

La personnalisation des événements

« C'était à cause de moi. » C'est ce que nous déclarons quand nous prenons tout personnellement. Ce schéma de pensée irréaliste nous place au centre des événements, car tout ce qui se produit autour de nous semble dirigé vers nous. Ça ne concerne personne d'autre, ce n'est ni le destin ni les circonstances. C'est à cause de *nous*. Les actions des gens qui nous entourent sont perçues comme des réponses qui *nous* sont adressées, pour ce que nous sommes et ce que nous faisons et non comme une simple expression de leur propre individualité. Évidemment, cette personnalisation des événements nourrit l'ego, mais entraîne sur son sillage nombre de malaises et de regrets.

Personnaliser les événements, c'est croire que nous sommes la cause des actions que les gens font, en réalité, pour répondre à leurs propres besoins, désirs et sentiments. Leurs actions nous concernent peu ou pas, mais nous sommes convaincus du contraire. Par conséquent, nous en assumons la responsabilité. Et c'est de cette fausse responsabilité que se créent nos regrets – alors qu'il n'y a rien à regretter. Nous sommes convaincus que les choses se seraient terminées autrement si nous avions été plus rapides ou plus adroits, mais, en réalité, nous n'avons joué aucun rôle dans cette histoire.

Il arrive souvent, par exemple, qu'un éditeur refuse un excellent manuscrit parce qu'il a déjà un ouvrage similaire en production et qu'il ne veut surtout pas se damer le pion avec ce nouveau titre. Naomi, auteure d'un magnifique manuscrit de non-fiction, a essuyé quantité de refus de plusieurs éditeurs faisant l'éloge de son manuscrit, mais lui expliquaient qu'ils avaient déjà publié ou étaient sur le point de publier un ouvrage similaire et donc concurrent. Toutefois, Naomi était persuadée que la véritable raison de tous ces refus était la piètre qualité de son manuscrit. En d'autres termes, elle croyait que ces refus la concernaient, *elle et sa qualité d'écriture*, plutôt que de s'attarder aux facteurs extérieurs mentionnés. Elle personnalisait ces refus, même si son talent n'était nullement mis en cause. Naomi regrettait amèrement sa décision de soumettre son manuscrit aux éditeurs. « J'aurais dû peaufiner mon texte », se disait-elle. « Je ne suis peut-être qu'une mauvaise écrivaine, après tout. »

Vos regrets sont-ils fondés sur la personnalisation des événements?

Une comparaison incomplète

Certains de nos regrets reposent sur des comparaisons entre les autres et nous, entre ce que nous possédons (ou ne possédons pas) et ce que les autres ont. Quand nous comparons notre vie à la leur, nous éprouvons un sentiment de manque et nous nous demandons quelle fut notre erreur. Nous examinons notre vie, cherchant à trouver la faille qui nous aura empêchés d'obtenir ce qu'*ils* possèdent ou menés vers un destin si différent du *leur*. Pareilles comparaisons ne peuvent conduire qu'au regret – et sont irrecevables. *En réalité, nous ne savons pas quelle vie les gens mènent.*

Nous *pensons* savoir, mais il n'en est rien, car nous n'avons pas accès à l'information nécessaire pour en juger. Nous ignorons tout de leurs échecs inavoués, de leurs peurs secrètes, de leurs drames personnels ou de leurs amers regrets. On peut bien *paraître* sans pour autant *se sentir* bien dans sa peau. On peut *paraître* riche *sans l'être* pour autant. On peut donner *l'impression* de nager dans le bonheur *sans être* vraiment heureux. Notre démarche est irrationnelle, illogique : notre comparaison est incomplète et fondée sur une preuve insuffisante. En d'autres mots, nous cherchons à comparer « des pommes et des raisins ». Ça ne tient pas la route.

Puisque nous ne pouvons lire dans la pensée des gens, nous ne sommes pas en mesure de comparer nos défis aux leurs, bien que certains semblent devoir surmonter des difficultés particulièrement éprouvantes. Il ne fait aucun doute que certaines personnes semblent devoir faire face à un destin plus tragique. Extrême pauvreté, problèmes émotifs sévères, inceste, maladie chronique débilitante, décès prématuré d'êtres chers, dépression, tragédies successives, handicaps physiques sévères – ceux qui ont traversé ces épreuves peuvent déclarer : « La vie qu'il m'est donné de vivre est plus difficile que la vie d'un tel ou d'une telle. » C'est peut-être vrai. Ils ont peut-être raison. Mais ils ne peuvent en avoir la certitude.

Nous n'aimons pas devoir surmonter nos défis, quels qu'ils soient, mais parions que leurs défis ne nous plairaient pas davantage. Mais nous savons une chose – peu importe la richesse, la célébrité ou la puissance d'une personne – nul n'échappe aux défis propres à toute vie humaine. Mieux vaut être prudent et ne pas faire de comparaisons fondées sur nos impressions et les apparences. Ceux que nous envions sont souvent ceux qui nous envient!

Ce genre de comparaison ne nous est jamais utile, même quand notre vie *est* particulièrement difficile. Elle ne fait qu'aggraver nos regrets, notre sentiment d'impuissance et notre désespoir. Nos expériences de vie nous appartiennent, c'est ce que nous devions vivre pour apprendre à changer ce que nous pouvons changer et accepter ce que nous ne pouvons changer. Nous ne pouvons modifier les événements de notre vie, mais nous pouvons choisir la façon d'y réagir. Ce qui fut arriva. Pleurer sur son destin est une perte de temps et d'énergie – que nous pourrions utiliser à bon escient en améliorant ou en acceptant les choses. Notre compréhension partielle de la nature humaine ne nous permet pas de savoir tout ce que nous désirons ou avons besoin de connaître pour être en mesure de faire des comparaisons et de juger de la vie d'autrui.

Vos regrets reposent-ils sur des comparaisons incomplètes?

Une culpabilité non méritée

Nous avons tous fait des gestes pour lesquels nous nous sommes sentis coupables. Avec raison d'ailleurs. Et nous avons tous éprouvé un sentiment de culpabilité sans raison valable. La culpabilité est un outil fort efficace de maîtrise de soi, mais également de contrôle sur autrui. Elle peut servir à manipuler l'autre et même à détruire sa vie. Certains parents ont eu recours au pouvoir de la culpabilité pour maintenir leurs enfants captifs pendant des années. Des conjoints ont contrôlé leurs conjointes, et vice-versa. Mais la culpabilité nous pousse également à faire amende honorable afin de corriger nos fautes; elle nous incite à adopter et à respecter certaines valeurs. Elle occupe une place importante dans la construction de soi.

Toutefois, certaines personnes ont tendance à se sentir coupables à tout propos, sans raison. Elles semblent chercher des motifs pour se culpabiliser. Ce comportement est souvent source de regrets fondés sur une culpabilité jamais examinée avec soin et issue d'un schéma de pensée non réaliste. Le perfectionnisme est de ceux-là. Plus nous sommes perfectionnistes, plus nous nous sentons coupables d'échouer chaque fois que nous ne parvenons pas à satisfaire nos propres exigences ou celles des autres.

Le désir de plaire nous incite également à endosser une culpabilité non méritée. Nous n'avons aucune raison de nous sentir coupables devant une demande que nous ne pouvons satisfaire. Plutôt que de dire « non », de décevoir l'autre puis de lâcher prise, nous nous sentons coupables de n'avoir pas su lui plaire. Cette culpabilité n'est nullement méritée.

Tout schéma de pensée non réaliste peut avoir un même but, celui d'éviter d'assumer pleinement notre vie. C'est ce que nous faisons lorsque nous refusons d'améliorer notre sort parce que « nous ne le méritons pas ».

Quand nous sommes aux prises avec un perfectionnisme irréaliste, un grand besoin de plaire et le refus d'assumer pleinement la responsabilité de notre vie, nous devenons malléables aux mains de ceux qui voudraient profiter de notre sentiment de culpabilité pour mieux nous manipuler. Il nous faut distinguer une critique d'une analyse légitime de nos actes et une autre, fausse et motivée par des motifs cachés. Chaque fois que nous acceptons les critiques sans en examiner la véritable valeur, nous abandonnons à l'autre notre pouvoir d'évaluer et d'analyser notre vie. Toute critique n'est pas justifiée, toute source de critique n'est pas nécessairement fiable. Nous n'avons pas à endosser une culpabilité qu'on cherche à nous imposer. Nous ne devons jamais accepter un sentiment de culpabilité sans l'avoir d'abord analysé avec soin et soumis à l'œil averti de notre confident et de nos meilleurs conseillers.

Nous pouvons nous défendre contre une culpabilité non méritée; puisque ce sont nos actions qui sont en cause, nous pouvons les identifier et les analyser. En effet, l'analyse est un outil qui nous permet de rejeter toute culpabilité inventée ou exagérée et provenant de nous ou de l'autre. L'analyse des pensées validera ou invalidera tout sentiment de culpabilité. Mais attention à cet outil à double tranchant. Nous pouvons l'utiliser pour nous persuader, à tort, que nous n'avons rien fait de répréhensible ou pour endosser, sans y regarder de plus près, une culpabilité méritée qu'on cherche à nous imposer.

Avec l'aide de votre confident, vous pouvez examiner votre sentiment de culpabilité et voir s'il est mérité ou non. Voyez s'il provient de vos parents, vivants ou décédés, de concepts démodés ou d'un schéma de pensée non réaliste. Outre l'analyse des pensées, songez à écrire dans votre journal, à méditer sur l'incident qui est source de culpabilité et sur le rôle que vous y avez joué. Nous ne devons jamais refuser nos responsabilités morales; mais il est également vrai que nous ne devons jamais endosser celles qui ne nous appartiennent pas. Vous pouvez reconnaître et rejeter toute culpabilité inventée et non méritée. Vous découvrirez comment vous libérer d'une véritable culpabilité en franchissant la dixième étape.

Vos regrets sont-ils fondés sur une culpabilité non méritée?

Une réinvention du passé

Réinventer notre passé est un schéma de pensée que nous utilisons pour créer des regrets lorsque nous nous rappelons avec grande émotion de rendez-vous manqués et que nous comparons cette vie imaginaire à notre vie d'aujourd'hui. Dans ce retour au passé, nous exagérons l'importance des bons moments et reléguons aux oubliettes les difficultés d'alors. Nous sélectionnons nos souvenirs de manière à oublier certains événements et à en surdimensionner d'autres. Nous réinventons notre passé pour en conclure que nous menions une vie bien plus agréable qu'aujourd'hui. Ricardo compare son emploi actuel avec le poste « idéal » qu'il occupait jadis, oubliant combien il détestait son patron, à quel point la communication était difficile et combien il était heureux de quitter ce travail. Aujourd'hui, il regrette son départ. Mais ce regret est inventé. Ricardo n'en pouvait plus d'attendre le moment béni de ce départ tant désiré.

Régina relate ses souvenirs édulcorés d'un échec amoureux comme s'il s'agissait d'un roman à l'eau de rose. Elle oublie les guerres, les trahisons et les après-midi en pleurs. Elle regrette de ne pas avoir épousé cet amant qu'elle a pourtant rejeté: « Une fois marié, dit-elle, cet homme aurait pris de la maturité et ses qualités exceptionnelles auraient fait oublier ses faiblesses notoires. » En se remémorant les bons souvenirs et en oubliant les mauvais moments, en établissant une fausse comparaison entre cet hier et aujourd'hui, Régina réinvente le passé.

Or, un passé réinventé nous conduit inévitablement à formuler des conclusions erronées et à créer ou à intensifier nos regrets. Il faut parfois rejeter ce passé réinventé pour être en mesure de nous libérer de ces regrets. Fort heureusement, l'analyse des pensées et les outils spirituels et psychologiques sont des outils efficaces qui nous permettent de revisiter les événements du passé tels qu'ils étaient réellement et d'abandonner cette mémoire sélective qui nourrissait notre passé réinventé.

Certaines personnes réinventent leur passé en choisissant de le revivre – pour modifier les choix faits alors. Elles retournent en arrière et imaginent, par exemple, avoir mené une autre carrière, avoir passé le temps différemment, avoir poursuivi d'autres objectifs. Ces gens peuvent imaginer avoir été enseignants plutôt qu'avocats, avoir passé moins de temps au bureau et plus en famille, avoir consacré leur vie à améliorer le sort des gens plutôt qu'à faire du « fric » et à surconsommer. Ils modifient les choix faits au cours de leur vie et imaginent quelle vie merveilleuse ils mèneraient aujourd'hui, « si seulement » ils avaient fait d'autres choix.

Parfois, leur passé réinventé est un scénario parfaitement irréaliste, mais ils le regrettent tout de même. Voyons le cas de Paul. Il menait une carrière époustouflante, habitait un véritable palace dans le plus prestigieux quartier de la ville, avait des enfants hautement compétents, menait une vie sociale enviable, comptait nombre d'amis sillonnant les couloirs du pouvoir où il circulait avec élégance et autorité. Mais Paul était tourmenté par un profond regret. Il n'avait jamais fréquenté une université de prestige. La majorité de ses amis avaient eu cette chance. Oh, il était diplômé d'une excellente université d'État, mais ça ne se valait pas, à ses yeux. On ne pouvait comparer ses études à celles d'un gars sorti de Harvard, la cible de ses regrets. À l'âge de dix-huit ans, il n'a pas sollicité une admission à Harvard parce que cette idée ne l'a même pas effleuré. Aujourd'hui, il se rend compte de sa bévue, il a laissé passer sa chance – du moins voulait-il s'en convaincre. Paul a inscrit deux de ses enfants à Harvard, mais *lui* n'a jamais fréquenté cet établissement. C'est trop tard maintenant. Jamais il n'aura l'éducation des grands de Harvard, jamais il ne sera *l'un d'eux*. Paul souffre d'un passé réinventé, un passé qu'il n'a même pas eu l'occasion de vivre. Mais ce passé lui « empoisonne » l'existence. Plutôt que de goûter aux plaisirs que la vie lui offre, y compris ceux produits par ses études universitaires dans un établissement d'État, Paul se cramponne à la seule et unique chose qu'il n'a pas – et qui le maintient dans l'imperfection.

Parmi les bonnes choses de la vie, plusieurs s'excluent mutuellement, mais sont aussi attirantes l'une que l'autre, à certains égards – le choix est difficile à faire. La vie nous place constamment à des croisées de chemin qui nous mènent à différents ports. Nous avons parfois une solution, mais nous devons choisir. Par exemple, on ne peut passer des heures interminables au bureau et être très présent à sa famille. On ne peut vivre en célibataire tout en étant marié. On ne peut dépenser et épargner tout à la fois. On doit faire un choix. Et c'est dans ce choix que résident nos regrets potentiels… et nos réussites possibles.

Nous disposons de bien peu de temps et devons décider quelles seront nos priorités dans la vie. Un choix en faveur de ceci est inévitablement un rejet de cela. Choisir une carrière signifie habituellement en abandonner une autre, du moins temporairement. L'ironie veut que plus grande est notre réussite, plus nous serons appelés à faire des choix qui en excluent d'autres en nature et en nombre et plus nous aurons à refuser des offres alléchantes. En résumé, plus notre vie est riche et réussie, plus nous courons le risque de cumuler des regrets. Car faire un choix qui en exclut un autre crée des regrets. Mais vivre dans le regret est également un choix.

Vos regrets reposent-ils sur un passé réinventé?

Une rationalisation extrême

Rationaliser à outrance, c'est voir les choses en noir et blanc, c'est choisir entre tout ou rien. Dans ce schéma de pensée, il n'y pas de deuxième, troisième ou quatrième chance, ni de seconde, troisième et quatrième place – seule existe la première place. Sinon, c'est l'échec cuisant. La rationalisation extrême nous éloigne d'une réalité complexe et nuancée pour nous transporter dans un monde simpliste fait de contradictions, de paradoxes et d'ambiguïtés. C'est à coup sûr un billet gagnant menant droit à la création et au maintien de nos regrets.

Alejandro est aux prises avec un profond regret qui alimente tous les autres : il n'a jamais fréquenté l'université. « J'aurais dû faire mes études, il y a dix ans, quand l'occasion s'est présentée. Mais je ne l'ai pas fait. C'est trop tard maintenant. Jamais je n'irai. Cette occasion ne se représentera pas. » Alejandro a 35 ans. Ce ne serait pas trop tard même s'il était âgé de 75 ans. Mais c'est trop tard à ses yeux parce qu'il est incapable de se donner une seconde chance. La rationalisation à outrance lui laisse bien peu de choix. De plus, elle alimente son regret et empêche

Alejandro d'agir et de résoudre son problème – l'absence de diplôme universitaire. La rationalisation extrême est le prétexte justifiant son inaction.

Pour l'adepte de ce schéma de pensée, commettre une erreur ou laisser passer une occasion est perçu comme un échec cuisant. Comme il ne peut avoir une deuxième chance, il ne peut corriger ses erreurs ni résoudre ses problèmes. Il est piégé. Quand la fiancée de Chen le quitta, il s'est dit à lui-même, comme à ses copains : « Je ne me marierai jamais. » En tranchant ainsi entre tout ou rien, nous creusons et nous prolongeons dans nos regrets. Ce schéma de pensée non réaliste a envenimé la situation, rendant la séparation de Chen plus pénible encore – puisque son cas est maintenant désespéré. Il alourdit son regret et se crée de nouveaux regrets – d'omission cette fois – en évitant de tenter à nouveau sa chance.

Quand on perçoit la vie en noir et blanc, en tout ou rien, il n'existe que bien peu d'espace pour le pardon et la compassion. Bien des choses nous « échappent » : des choix nuancés, des invitations subtiles de la vie, des décisions complexes qui justifient nos erreurs ou nous offrent une seconde chance. C'est triste, mais en croyant ne pouvoir changer d'idée ou ne pouvoir réaliser notre vœu, nous nous « court-circuitons ».

Vos regrets reposent-ils sur une rationalisation extrême ?

Le regret comme prétexte à l'inaction

Certains schémas de pensée, poussés à l'extrême, sont des prétextes à l'inaction et au refus d'améliorer notre sort. Nous nous répétons : « Si seulement ceci ou cela s'était produit, je n'aurais pas eu besoin de retourner aux études, rencontrer de nouveaux prétendants, trouver un nouvel emploi, cesser de fumer, limiter mes dépenses » ou une foule d'autres choses que nous ne désirions pas entreprendre. Nous préférons nous plaindre plutôt que de passer à l'action. Nous nous disons que, peu importe le geste à accomplir, nous ne pouvons agir maintenant – c'est *lors des événements* qu'il aurait fallu agir. Nous prétendons être trop âgés pour retourner sur les bancs d'école, que la famille et le travail prennent tout notre temps ou que notre situation financière ne nous le permet pas. Plutôt que de nous dégoter un second emploi afin de payer nos dettes, nous prétendons être surqualifiés pour les postes à temps partiel offerts sur le marché, que cet emploi ne nous convient pas et que nous n'aurions pas eu à passer par là « si seulement ».

Nous justifions ainsi notre inaction et excusons notre manque d'efforts, de discipline et de courage pour affronter nos peurs et tenter d'atteindre nos objectifs. Ces prétextes alimentent notre fantasme, « si seulement » les choses avaient été différentes, nul doute qu'aujourd'hui nous serions plus heureux et plus accomplis. Nous sommes persuadés, par exemple, que « si j'avais vu le jour dans une famille aussi bien nantie que celle de mon cousin, j'aurais réussi ma vie ». Peut-être, mais peut-être pas. Il est difficile d'admettre qu'on n'aurait peut-être pas réussi, *même si* on avait profité d'une telle fortune. Ou qu'on ne détiendrait peut-être pas un meilleur emploi, *même si* on avait obtenu un diplôme universitaire. Ou que l'échec de notre couple n'est pas l'entière responsabilité de notre conjointe, mais la nôtre, à tous deux. Ou qu'en dépit des événements du passé, nous avons tout de même la responsabilité de gérer le présent et les défis qui en découlent.

Nous demeurons accrochés à nos regrets et la souffrance issue de notre inaction est bien plus intense que celle ressentie lors du lâcher-prise ou au moment de faire face à la réalité du présent, avec tous ses défis, ses ouvertures et ses possibilités. Mais nous sommes séduits par « l'inaction », pensant qu'il est plus facile de rester dans le passé et ses échecs que de sauter dans le présent et ses promesses. Dans l'univers nébuleux de l'inaction et du regret, nous sommes persuadés que tout aurait fonctionné à merveille « si seulement ».

Pour justifier notre inaction, nous avons souvent recours à deux pensées toxiques, soit la *perpétuelle complainte* et *l'éternelle victimisation*.

La perpétuelle complainte

Certaines personnes maîtrisent l'art de se plaindre. La complainte est le pivot de leur vie et de leurs conversations. Elles dénoncent leurs regrets et l'injustice de la vie, les actes répréhensibles dont elles furent victimes, les privations qu'elles ont endurées – tout est prétexte à se plaindre intérieurement ou à leur entourage. Ces gens nourrissent peut-être l'espoir infantile qu'en se plaignant suffisamment, leurs « parents » (ou tout ce qui les représente) finiront par les soulager de leur peine et leur apporteront le bonheur. Ou peut-être aiment-ils exercer leur pouvoir en rendant les gens malheureux; diriger toute l'attention sur eux et sur leurs regrets, dans toute conversation, flatte peut-être leur ego. Renoncer à leurs regrets signifie renoncer à se plaindre et, à leur façon, de communiquer avec le monde. Quand la complainte est devenue un mode de vie, il est difficile de s'en défaire. Mais c'est possible.

Jenny en est l'exemple classique. Elle se plaint intérieurement, devant ses amis et ses enfants, pour tout et rien. Mais son sujet de prédilection est son ex-conjoint, qu'elle rend responsable de son malheur et de sa situation financière catastrophique. Si seulement il n'avait pas demandé le divorce, se plaint-elle à qui veut l'entendre, si seulement il lui avait donné un confort financier, si seulement il lui avait permis de bien gagner sa vie. Son divorce et les regrets qui y sont rattachés sont le pivot de sa vie. Elle en tire certains avantages, un peu de sympathie de son entourage, de l'énergie quand la colère la gagne et une raison d'exprimer son amertume devant l'injustice de la vie et le comportement pervers de son ex-conjoint. Ce concert de plaintes se substitue à l'action qu'elle pourrait entreprendre – pour améliorer sa situation en gagnant un second revenu par exemple, ou en cessant de se plaindre pour ne plus faire fuir les gens. Par ses perpétuelles plaintes et son inaction, Jenny demeure accrochée à ses regrets. Elle est tournée vers le passé qu'elle ne peut changer et néglige le présent qu'elle peut pourtant modifier.

L'éternelle victimisation

Les véritables victimes frappées par la tragédie et plongées dans de grandes souffrances méritent toute notre sympathie. Mais certaines personnes sont dépendantes de la sympathie et de l'attention qu'on leur accorde, méritées ou non. Elles deviennent les victimes de leur passé, sont plongées dans leurs regrets, passent à côté du présent. Elles ont pitié d'elles-mêmes. Leurs regrets sont émouvants et il arrive que ces victimes se vautrent dans la sympathie et l'attention qu'on leur accorde, justifiant leur irresponsabilité par leur souffrance. Dans ce rôle, elles se perçoivent comme des personnes formidables qui auraient accompli de grandes choses et vécu heureuses si seulement elles n'avaient pas subi tels sévices – ou si elles avaient eu telle ou telle chance.

Elles se présentent parfois comme de véritables martyres ayant souffert entre les mains de pervers, du sort du destin ou de terribles circonstances de la vie, racontant avec subtilité ou agressivité les détails de leurs tourments à qui veut les entendre, y compris elles-mêmes. D'autres affichent une auréole de sainteté, ayant enduré avec élégance une série d'horreurs qu'ils prennent plaisir à raconter. D'autres encore préfèrent être de braves survivants de ces terribles événements qu'ils revisitent sans cesse – sans jamais lâcher prise. Tous ces rôles de victime reposent sur des regrets et visent à ancrer leur statut de victime. Dans ce contexte, se libérer de leurs regrets signifie renoncer au rôle de victime, apprendre un nouveau rôle et devenir quelqu'un d'autre. Cela signifie assumer l'entière responsabilité de leur vie, prendre les choses en main et agir sur leur vie présente.

2. Pensée rationnelle pour contrer vos pensées toxiques qui alimentent ce regret

Même si vous fonctionnez depuis des années sur un mode de pensées toxiques, rien ne vous oblige à continuer ainsi et à en souffrir. Vous pouvez contrecarrer vos pensées toxiques et les limiter en les mettant au défi; il suffit d'avoir recours à l'analyse des pensées dès qu'elles surgissent. Pour ce faire, vous devez suivre les quatre étapes qui suivent :

i.   Portez attention aux pensées qui montent, concernant votre regret. Quel est votre dialogue intérieur? Que vous dites-vous à ce sujet?

ii. Identifiez les pensées reliées à votre regret et relevez celles qui sont associées à un mode de pensées toxiques comme le perfectionnisme, le contrôle exagéré ou la justification de l'inaction.

iii. Analysez la validité de vos pensées en vous posant des questions comme : « Cet énoncé est-il vrai? Est-ce juste? Est-ce réaliste? » Demandez-vous s'il est logique d'exiger la perfection, la capacité de prédire l'avenir ou de lire dans les pensées des gens.

iv. Après analyse, si votre pensée n'est pas validée (elle est injuste, fausse ou non réaliste), agissez en la rejetant. Dites-vous que cette pensée toxique est fausse et que vous la rejetez. Vous ne devez pas vous laisser impressionner, influencer ou ébranler par une pensée qui ne tient pas la route et qui échoue au test de l'analyse des pensées. Dites-vous que cette pensée toxique est un vieux concept dont vous ne voulez plus et qui n'a plus de pouvoir sur votre vie. Imaginez-la sous forme d'un ballon que vous laissez aller et qui s'envole dans le ciel et disparaît au firmament.

En général, une pensée toxique commence par « j'aurais dû » ou « si seulement j'avais ». Quand ces pensées surgissent, demandez-vous si elles sont réelles. Auriez-vous pu ou auriez-vous dû *réellement* faire telle ou telle action, à l'époque? Voyez si les « j'aurais dû » et les « j'aurais pu » avec lesquels vous vous blâmez sont attribuables à des modes de pensée comme le perfectionnisme, un contrôle exagéré ou la prédiction de l'avenir. Ou sont-ils liés à des comparaisons incomplètes, à la réinvention du passé, à la personnalisation des événements ou à toute autre pensée toxique?

L'analyse des pensées pour contrecarrer les pensées toxiques est un processus qui demande une pratique constante. Il faut beaucoup de temps pour modifier nos habitudes et notre mode de pensée; mais si nous y travaillons avec assiduité, nous pouvons contrer ces pensées, les neutraliser et les modifier avec le temps. Dans cette troisième étape, nous visons le progrès, non la perfection.

Vous aurez franchi la troisième étape lorsque vous aurez déterminé vos modes de pensées toxiques qui sous-tendent vos regrets et que vous aurez pris l'engagement de combattre au quotidien.

ÉTAPE 4 :
PLEUREZ VOS PERTES

out regret s'accompagne de chagrin. En fait, le terme *regret* prend sa source d'abord dans le mot du moyen anglais *regrete,* qui signifie « se lamenter ou être chagriné » – ainsi que dans un mot anglais plus ancien encore *regreter* qui signifie « pleurer ». Le terme *regret* vient également du vieux français *regreter* qui signifie « se languir, gémir ou pleurer la mort de quelqu'un » – et de l'ancien mot norvégien *grata* qui veut dire « pleurer ou gémir ». En fait, la peine, la tristesse, la nostalgie et le chagrin sont si intimement liés au regret que ce terme signifie « éprouver un profond chagrin ».

Cette quatrième étape vous offre l'occasion de reconnaître la souffrance, toute légitime, que vous éprouvez en raison de votre lourd regret et de vivre pleinement votre douleur, quelle qu'elle soit, en toute sécurité. Si vous avez perdu un être cher – sur le plan physique parce qu'il est décédé ou sur le plan émotif en raison de la maladie ou d'une incapacité –, vous sentirez combien cette perte vous touche. Si vous avez été à l'origine d'un scandale, vous ressentirez toute l'angoisse vécue ainsi que celle de vos proches. Si vous avez volontairement infligé une grande souffrance à votre conjointe pendant un divorce pervers, vous éprouverez la douleur d'avoir fait souffrir l'autre en agissant avec cruauté.

Mais la quatrième étape est conçue de manière à limiter la période de votre souffrance. Bien que votre tristesse doive atteindre une certaine intensité pour que vous puissiez véritablement la ressentir, il ne faut pas oublier que votre chagrin est une voie – temporaire – vers la guérison et qu'il ne doit surtout pas se transformer en une douleur permanente. Au cours de cette étape, vous reconnaîtrez et pleurerez cette perte pour vous en départir.

Dans les temps anciens, on pleurait les morts pendant une période donnée, habituellement une année entière. Tout au long de cette période de deuil, on s'attendait à voir l'« endeuillé » être aux prises avec une grande douleur, recevoir l'amour et le soutien des parents et amis et accepter de vivre les changements que ce décès provoquait dans sa vie. Mais une fois cette période écoulée, l'endeuillé devait mettre de côté sa peine, tourner la page et mener une vie active, engagée et ultimement heureuse.

NATURE DE VOS PERTES

Dans la vie, les pertes sont inévitables. Elles sont la trame de toute vie et font partie intégrante de nos échecs et de nos réussites. Certaines pertes surgissent brutalement et laissent leur empreinte : la perte d'un emploi qu'on adorait, l'incendie de notre maison, le décès d'un parent. D'autres sont plus subtiles et s'installent lentement : notre jeunesse et notre vitalité s'étiolent, un plan de carrière dans un domaine qui perd en popularité. Parfois, nos pertes se cachent derrière un gain et sont imperceptibles au début : quitter le foyer familial, obtenir son diplôme universitaire, accepter une promotion qui exige qu'on s'installe dans une autre ville. Tous ces gains s'accompagnent d'une perte acceptée volontiers pour tirer avantage de la situation. Mais il s'agit néanmoins d'une perte. Certaines sont de nature intellectuelle – découvrir que nous avons nourri une croyance pendant des années pour finalement prendre conscience que nous avions tort. D'autres sont de nature spirituelle – perdre foi en un Dieu aimant et compatissant et en souffrir.

Par ailleurs, certaines « pertes » n'en sont pas réellement. C'est le cas lorsque l'objet de notre peine ne nous a jamais appartenu, mais cette absence est vécue comme une véritable perte. Par exemple, une vie dont on avait rêvé et qui n'est plus qu'un espoir déchu; des besoins fondamentaux jamais comblés; des attentes importantes demeurées insatisfaites. Comment ne pas regretter de n'avoir jamais eu une famille solide et nourrissante, ce qu'il faut de nourriture sur la table, un lieu de vie sécuritaire, nos parents à nos côtés pendant notre petite enfance? Ces pertes – liées à ce que nous n'avons pas eu – sont tout aussi réelles et présentes dans nos regrets que la perte d'un être cher ou d'une chose que nous avons possédée.

PLEURER SES PERTES

Un regret est toujours une expérience douloureuse. Une grande perte s'accompagne d'une grande douleur et, en pareilles circonstances, trois options s'offrent à nous, mais une seule conduit à la guérison. Notre première option : refuser de revisiter notre perte et de revivre la tristesse qui s'y rattache – mais cela signifie sacrifier notre seule chance de guérir de cette douleur qui nous assiège. Notre seconde option : accepter de ressentir la douleur liée à notre regret, mais sans jamais y mettre fin, restant ainsi emprisonné dans une peine permanente ou intermittente. Notre troisième option : replonger au cœur de notre regret et de notre souffrance, mais de manière planifiée et structurée afin de ressentir notre peine, de l'exprimer, de l'accepter, de faire la paix avec notre souffrance et de nous en libérer. Cette dernière option est celle que nous privilégions et c'est le but que nous poursuivons en franchissant cette quatrième étape.

Vivre notre chagrin nous conduit à la guérison et c'est la seule et unique voie. Nous ne pouvons contourner notre peine, nous devons nous y plonger entièrement. Si nous refusons de le faire ou si nous ignorons comment procéder, nous sommes condamnés à souffrir tout au long de notre vie. Tout regret s'accompagne de pertes, toute perte s'accompagne de souffrance; nous devons traverser cette douleur de la perte et lâcher prise, sans quoi nous ne pourrons nous libérer de nos regrets.

Dans son remarquable ouvrage *La mort est une question vitale*, le docteur Elisabeth Kubler-Ross décrit les cinq phases que toute personne mourante doit traverser pour faire la paix et accepter sa propre mort : choc et déni, colère, marchandage, tristesse et acceptation. Il est important de connaître ces cinq phases lorsqu'on fait face à une perte significative, qu'elle soit de nature émotionnelle, spirituelle ou physique. Après tout, qu'il s'agisse de perdre un emploi ou un rêve, toute perte est en quelque sorte une mort. Une perte de nature physique ou psychologique peut signifier la fin de nos relations, de nos échanges ou de nos expériences. À l'instar de la mort d'un être cher, nous devons pleurer et accepter la mort des choses importantes à nos yeux (notre jeunesse, notre carrière, un avenir prometteur). Bien que ces pertes soient ressenties sur le plan émotionnel, elles sont tout aussi réelles que nos douleurs physiques. Pour vraiment en guérir, nous devons en prendre soin avec patience comme nous le ferions pour une fracture au tibia.

Passons en revue maintenant les cinq phases que traverse une personne mourante pour faire la paix et accepter sa perte. Mais nul n'est tenu de franchir le stade de l'acceptation. Libre à nous de demeurer dans l'une de ces cinq phases ou de traverser plusieurs de ces phases simultanément.

Phase 1 : le choc et le déni

Devant une perte, notre première réaction est temporaire; nous entrons dans un état de choc qui s'estompera graduellement. Dès que cet engourdissement protecteur nous quitte, nous le remplaçons par le déni. L'évidence crève les yeux, mais nous refusons d'accepter la réalité de cette perte douloureuse et la nions. « Non, c'est faux. C'est impossible. Ils se sont trompés. » Le choc et le déni sont nos premières réactions, elles nous donnent le temps de rassembler nos ressources intellectuelles, psychologiques et spirituelles qui nous permettront de faire face à une perte importante.

Phase 2 : la colère

Après le choc et le déni surgissent la colère ou la rage. « Pourquoi moi? » Nous dirigeons alors notre colère contre tout un chacun, sans réserve. Parfois, la personne qui vient de mourir en sera la cible. Parfois, ce seront les médecins qui l'ont soignée ou son conjoint qui n'a pas su la sauver. Nous tirerons à boulets perdus sur Dieu, sur le destin ou sur l'injustice de la vie. Notre colère peut prendre le visage de la rage, de l'envie de ces gens qui jouissent encore du bien que nous venons de perdre ou du ressentiment envers ceux qui n'ont jamais eu à vivre une telle perte.

Mais la colère n'apaise pas notre douleur. Si nous négligeons de prendre soin de notre chagrin en toute conscience, nous emprunterons une autre voie pour tenter d'effacer jusqu'au souvenir de notre perte et de faire comme si elle n'existait pas. À l'instar d'un petit enfant n'ayant pas réussi à obtenir ce qu'il désire après une crise de larmes, nous avons recours à une autre tactique : le marchandage.

Phase 3 : le marchandage

Cette phase est importante, mais brève. Nous avons recours au « si seulement » afin de marchander avec Dieu, le destin ou tout ce qui, à nos yeux, pourrait changer le cours des choses ou nous protéger contre cette perte. Comme des enfants apeurés, nous promettons de bien nous comporter pour le reste de nos jours, de changer, de faire tout ce qu'on nous demandera à la condition que cette force que nous implorons annule ce mauvais sort ou nous évite les pénibles conséquences d'une telle perte. Parfois, nous cherchons à revivre sans fin notre regret pour effacer ou adoucir notre perte – et lui donner cette fin heureuse tant désirée – nous demandant sans cesse pour quelles raisons les choses ne se sont pas déroulées de cette façon. Nous ruminons en vain. C'est notre ultime effort pour tenter de refuser l'inévitable réalité de notre perte et la profonde douleur qui nous attend.

Phase 4 : la tristesse

Quand l'engourdissement s'estompe, que le déni échoue, que la rage s'étiole et que le marchandage s'avère futile, alors un profond sentiment de perte nous envahit. Nous éprouvons une tristesse infinie, nous plongeons dans la dépression et le désespoir. Nous vivons alors notre grand chagrin et nous pleurons notre perte, nous ressentons une douleur insoutenable et nous exprimons ouvertement notre peine. Pendant cette phase de guérison, nous sommes au cœur de notre douleur, nous ne retenons plus nos larmes et refusons toute invitation à retrouver nos esprits. La souffrance nous entraîne dans un gouffre. Alors, nous pleurons à chaudes larmes et ces pleurs nous libèrent de notre douleur et de notre peine. En revisitant notre regret pour enfin vivre notre chagrin même après des années, nous replongeons dans la même tristesse éprouvée au moment des événements et depuis cette époque. C'est notre traversée du désert, le moment le plus sombre, la noirceur de la nuit avant la levée du jour.

Phase 5 : l'acceptation

Campés au cœur de notre peine, nous sommes en voie de guérison. Notre tristesse finit par s'essouffler. Nous en sommes enfin libérés. Alors, seulement, commençons-nous à accepter de n'avoir pu changer le cours des choses. Notre regret et ses conséquences ne sont plus source de colère ou de tristesse. Notre lourd chagrin nous a quittés. Nous pouvons accepter notre perte. Cela ne veut pas dire que nous ne serons plus tristes en y resongeant, mais dorénavant nous saurons gérer notre tristesse de manière à ne plus vivre de tels tourments. Nous avons franchi un nouvel obstacle. Nous pouvons accepter notre regret, le considérer comme faisant partie intégrante de notre vie et lâcher prise.

Accepter signifie ne plus offrir de résistance, accepter la réalité telle qu'elle est. C'est reconnaître que nous ne pouvons lutter contre l'inévitable. C'est accepter de vivre notre vie comme elle se présente plutôt que d'exiger qu'elle se manifeste selon nos désirs. C'est admettre que la véritable guérison consiste à accepter ce qu'on ne peut changer. C'est reconnaître que nous sommes appelés à tirer le meilleur parti de toutes choses même lorsqu'elles ne nous conviennent pas. C'est agir avec sagesse et pouvoir – non par défaite et faiblesse –, car notre action repose sur l'humilité et le courage qui nous habitent. Accepter, c'est reconnaître que nous ne détenons pas le pouvoir suprême dans cet univers et que la vie ne peut toujours se dérouler selon nos désirs, et ce, peu importe l'intensité de notre douleur.

FRANCHIR LA QUATRIÈME ÉTAPE

En cette quatrième étape, votre liste d'actions comporte deux éléments. Votre première action en est une d'écriture dans votre journal personnel : vous devez identifier et décrire vos pertes non assumées que vous devez pleurer. Votre seconde action consiste à replonger dans la douleur de ces pertes afin de les pleurer, de les assumer et peut-être de les accepter. Si vous avez déjà pleuré et assumé vos pertes, vous n'avez pas à franchir cette étape.

Quatrième liste d'actions

PLEUREZ VOS PERTES

1. *Pertes encourues en raison de ce regret*
2. *Deuil de vos pertes*

1. Pertes encourues en raison de ce regret

Pour chacun de vos regrets, décrivez les pertes encourues que vous devez pleurer. Elles découlent de vos propres actions ou de celles d'autrui, d'événements hors de votre contrôle ou de coups du destin. Elles peuvent être imputables aux comparaisons que vous faites entre votre vie actuelle et celle que vous auriez souhaitée. Dans la plupart des cas, vous avez eu l'occasion de décrire ces pertes au cours des étapes précédentes. Frank regrettait ses dépenses extravagantes et les problèmes émotifs auxquels il faisait face. Il a pleuré sa douleur d'avoir privé sa famille d'une vie confortable, surtout lorsqu'il se comparaît à ses amis qui étaient au volant d'une voiture de l'année, s'offraient de longues vacances, portaient de beaux vêtements, envoyaient leurs enfants dans les meilleures écoles et se préparaient à prendre une retraite anticipée.

Vos regrets peuvent provenir d'une situation dont vous avez été privé malgré vous, sans que vous en soyez responsable, comme l'absence de parents aimants. Enfant, peut-être avez-vous souffert de violence physique ou psychologique, de l'abandon de vos parents en bas âge ou de la cruauté et du rejet parental. Vos parents avaient peut-être un problème de consommation de drogues ou d'alcool, vivaient dans une extrême pauvreté ou vous ont empêché d'entreprendre des études pour mener la carrière dont vous rêviez tant. Peut-être que vos parents ne vous ont jamais soutenu, vous ont refusé le collège ou l'éducation rêvée. Enfant, vous avez peut-être souffert d'une santé précaire, d'un handicap physique ou d'un problème émotif que vous avez chèrement payés en vous plaçant dans la catégorie « différent » des autres ou en vous limitant dans votre épanouissement personnel.

Quels que soient vos regrets et vos douloureuses pertes, faites-en la description dans votre journal personnel. Vous devrez pleurer et faire le deuil de ces pertes.

2. Deuil de vos pertes.

Si vous n'avez jamais pleuré les pertes issues de votre regret, repérez la phase du deuil dans laquelle vous vous trouvez en ce moment. Quand vous aurez identifié cette phase, passez à l'action. Voici comment. Supposons que vous êtes coincé dans la colère – attaquez-vous au lâcher-prise de la colère pour vous ouvrir à la douleur qui se cache sous cette émotion. Si vous êtes en phase de marchandage – franchissez les prochaines étapes afin d'accepter que vous ne puissiez changer les faits entourant votre regret. Si vous ressentez votre douleur – ouvrez-vous davantage à votre souffrance, demeurez en contact avec la douleur liée à votre perte.

N'oubliez pas d'utiliser les outils spirituels et psychologiques afin de vous aider à traverser les différentes phases de ce processus. Priez et demandez d'avoir le courage de reconnaître qu'on ne peut changer les événements du passé liés à ce regret, le courage de ressentir la souffrance qui en découle et la force d'accepter le passé. Confiez à votre journal votre douleur, vos peurs et votre profonde tristesse. Dites-lui combien vous avez souffert de ce regret, comme il fut lourd à porter, comme vous auriez souhaité qu'il en soit autrement. Écrivez sur votre désir et votre besoin d'accepter les choses que vous ne pouvez changer. En visualisation, voyez-vous pleurant votre chagrin jusqu'à la toute fin, trouvant ensuite la force d'accepter et de laisser aller votre souffrance. Faites l'affirmation : « Je sens la douleur de mon regret, j'accepte les pertes que j'ai vécues, je suis disposé à pleurer mes pertes et je vis ma peine jusqu'au bout. »

Vos pleurs et votre chagrin ne doivent pas s'éterniser. Même si votre douleur est toujours présente, vous devrez admettre un jour qu'il est temps d'y mettre fin. Grâce à vos larmes et à l'expression de votre tristesse, vous sentirez votre âme s'alléger. Cette fois, vos larmes ne vous prennent pas par surprise, elles ne surgissent pas de nulle part; elles sont puissantes et vous guérissent. Cette douleur est revécue consciemment et dans un but précis. Jamais plus vous n'aurez à la revivre avec une telle intensité. Après avoir franchi cette quatrième étape, il est possible que vous éprouviez encore de la tristesse en raison de ce regret. Le décès d'un être cher est une douleur qui, dans une certaine mesure, ne nous quitte jamais. Mais le lâcher-prise vous soulagera d'une grande partie de votre peine et vous trouverez la force d'accepter votre perte. En franchissant les dix étapes de ce programme, il arrive qu'on pleure une perte à maintes et maintes reprises. Mais nous avons à tout le moins mis en lumière notre douleur et appris à la gérer.

Vous avez franchi cette quatrième étape et pouvez maintenant entamer l'étape suivante. Le moment est venu de quitter la douleur de votre regret pour entrer dans le processus de la guérison en faisant amende honorable.

Chapitre 8

ÉTAPE 5 :
FAITES AMENDE HONORABLE

C ertains regrets nous plongent dans un océan de culpabilité en raison d'actes que nous avons commis ou omis vis-à-vis de nous ou des autres. La cinquième étape de notre démarche traite de cette oppression qui accompagne souvent le regret : une lourde culpabilité, intense et débilitante. Elle sape notre estime propre et notre joie. À l'instar du ressentiment, la culpabilité nous rend esclaves de notre passé et de nos regrets. Nous en départir fait partie intégrante de notre démarche vers la libération de nos regrets.

La culpabilité ne fait pas toujours partie du regret. Ainsi, lorsque ce dernier relève entièrement de circonstances hors de notre contrôle (un handicap physique, par exemple) ou de gestes faits par d'autres (l'inceste, par exemple), nous ne devrions pas vivre de culpabilité. Et pourtant, cela se produit. Les enfants qui sont victimes d'inceste parental éprouvent souvent de la culpabilité, car ils croient, à tort, mériter ces abus. Et même lorsque nous n'avons rien à voir avec les événements qui entourent notre regret, nous luttons parfois avec un vague sentiment de culpabilité – une petite voix insidieuse affirmant que nous aurions pu faire mieux.

Songez à votre regret; si vous n'éprouvez aucune culpabilité et n'avez fait souffrir personne dans les circonstances, vous n'avez nullement besoin de franchir cette cinquième étape. Cette dernière consiste à faire amende honorable auprès des gens que nous avons blessés lors des événements liés à notre regret. Si vous n'avez heurté personne, vous n'avez pas à vous amender.

Mais dans la majorité des cas, un regret est empreint de culpabilité. Même si vous n'avez joué aucun rôle dans le cours des événements, peut-être avez-vous blessé quelqu'un en alimentant ce regret. À commencer par vous-même. Vous devez faire amende honorable envers vous et, le cas échéant, envers toute personne que vous aurez blessée en cours de route. Larry, par exemple, n'a jamais pardonné à son père violent les coups reçus alors qu'il était enfant et jeune ado. La colère de Larry a empoisonné ses relations avec ses frères et sœurs, car à chacune des rencontres, Larry insistait pour dénoncer à nouveau la violence de leur père, et ce, même lorsqu'ils ne voulaient plus en entendre parler. L'entêtement de Larry et son incapacité à lâcher prise a heurté ses frères et sœurs.

La cinquième étape met en action un principe spirituel et psychologique visant à nous libérer de la culpabilité : accepter la responsabilité de nos actes et faire amende honorable. Lorsque vous aurez assumé vos responsabilités et présenté vos excuses aux personnes que vous avez blessées, vous serez libéré de votre culpabilité. L'ironie veut que le seul moyen de vous départir de cette souffrance, ce soit de reconnaître votre responsabilité. Vous serez appelé à examiner vos erreurs pendant cette étape, mais le but n'est certainement pas de vous jeter le blâme. Ni de vous plonger dans de plus grandes souffrances que celles qui vous accablent aujourd'hui. C'est au contraire pour vous apporter un mieux-être. Identifier vos erreurs et faire amende honorable, voilà l'unique chemin vers la libération de toute culpabilité liée au passé.

Toute personne qui assume ses responsabilités fait preuve de courage. Peut-être serez-vous tenté d'esquiver l'introspection qui vous permet d'examiner vos agissements, d'admettre votre culpabilité et de faire amende honorable. Mais résistez à cette tentation et franchissez cette cinquième étape; vous trouverez alors ce que vous désirez si ardemment – la disparition de tout sentiment de culpabilité. Et vous aurez franchi un pas de plus vers votre but, la libération de vos regrets.

FRANCHIR LA CINQUIÈME ÉTAPE

Voici votre liste d'actions pour franchir cette cinquième étape.

Cinquième liste d'actions

FAITES AMENDE HONORABLE

1. *Amendes convenant à votre regret*
2. *Excuses et réparation de vos erreurs*
3. *Modification du comportement qui blesse*

Pour mener à bien ces actions, nous prenons pour acquis que vous avez déterminé le rôle que vous avez joué dans votre regret, que vous pouvez décrire les actes commis ou omis et qui ont blessé des gens autour de vous. Cette conclusion va de soi puisque dans la seconde étape, vous avez examiné vos regrets dans le détail, décrit votre rôle et dressé la liste des personnes que vous avez offensées. Avant de poursuivre, n'hésitez pas à relire vos notes prises dans votre journal au cours de la deuxième étape.

Votre liste comporte trois actions. Lorsque vous aurez complété les deux premières actions, vous serez prêt à passer à l'étape suivante, soit la sixième. La troisième action figurant sur votre liste est un changement de comportement, donc une action continue que vous peaufinerez au fil du temps, tout au long de votre vie. Mais ne laissez pas cette perspective vous abattre. Après tout, ne sommes-nous pas sur terre pour avancer pas à pas tout au long du processus de la vie?

Voyons maintenant dans le détail chacune de ces actions.

1. Amendes convenant à votre regret

S'amender signifie modifier les choses. Habituellement, ce changement corrige une situation problématique ou un manque. Au cours de cette étape, nous chercherons à nous amender dans le but de corriger le problème qui est cause de regrets. Nous ferons des actes dans le but de réparer, du mieux que nous le pouvons, les blessures et les torts que nous avons causés. S'amender est une action complexe en trois phases et toutes trois doivent être présentes, sans quoi l'amende reste incomplète. Les trois phases de l'amende sont : présenter ses excuses, réparer ses torts, changer de comportement. Pour éviter toute confusion ou fausse interprétation, voici une explication détaillée (et parfois surprenante) de chacune d'elles.

Présenter ses excuses

Nous excuser est le premier geste à faire pour nous amender. Ce faisant :

❖ nous reconnaissons nous être mal comportés;

❖ nous assumons la responsabilité de notre comportement répréhensible;

❖ nous assumons la responsabilité pour toutes les conséquences néfastes qui en découlent;

- ❖ nous nous excusons de nos fautes;

- ❖ nous promettons aux personnes concernées de ne pas recommencer;

- ❖ nous demandons aux personnes blessées de nous pardonner (ce que nous n'obtenons pas à tout coup, évidemment. Même devant un refus, tout est bien ainsi. Nous le verrons au chapitre 12).

Présenter ses excuses semble compliqué et exigeant, mais il n'en est rien. En fait, les choses viennent naturellement. Par exemple, voici comment un ado peut s'excuser auprès de son père : « Papa, je suis désolé (s'excuse de ses fautes) d'avoir causé (assume ses responsabilités) des dommages (les conséquences) en reculant en direction du garage (comportement répréhensible) et en défonçant le mur (conséquence). J'espère que tu me pardonneras (demande pardon) et que tu ne m'en tiendras pas rigueur pour le reste de mes jours (demande un plus grand pardon). Je promets d'être plus attentif à l'avenir et je ne recommencerai pas (promet de ne pas recommencer et de changer d'attitude). »

Présenter ses excuses est le premier geste afin de s'amender, car c'est reconnaître s'être mal comporté. Mais ce n'est qu'un premier pas. Il faut aussi réparer ses torts.

Réparer ses torts

Vouloir s'amender, c'est chercher à réparer ses torts autant que faire se peut. L'idéal serait de réparer tous les dommages causés afin de rétablir la situation telle qu'elle était avant les événements liés au regret. Mais il est rare que nous puissions y parvenir, surtout si nos relations interpersonnelles sont en cause. Nous faisons donc du mieux que nous pouvons pour réparer nos fautes dans les circonstances.

Reprenons l'exemple de l'ado ayant abîmé les murs du garage. On pourrait croire que la façon de réparer est des plus simples. Mais est-ce vraiment le cas? Idéalement, le jeune ado offrirait de débourser les frais pour remettre les murs dans leur état original. Il aurait parfaitement réparé ses torts. Mais voilà, ce jeune n'a peut-être pas la somme nécessaire; si les frais sont élevés, il pourrait être incapable de réunir cette somme même en travaillant. Par ailleurs, ses parents pourraient être d'avis qu'il n'est pas dans son intérêt de devoir travailler pour amasser cette somme, ce qui empiéterait sur le temps consacré à ses études. Ils pourraient lui demander de défrayer une partie des coûts. Mais combien au juste? Et en combien de temps devrait-il avoir payé sa part? Il est possible aussi que ses parents soient d'avis qu'il s'agit là d'un simple accident et que des excuses et une promesse d'être plus attentif dorénavant (changement d'attitude) suffisent amplement. Le cas échéant, le jeune ado n'aurait pas à réparer ses torts pour s'amender.

On pourrait croire qu'il est facile d'évaluer comment réparer les torts lorsqu'il s'agit de dommages matériels, d'argent volé ou de toute forme aisément quantifiable. Pourtant, les choses peuvent se compliquer même en pareil cas. Tony a détourné des fonds au sein de la compagnie sans jamais être pris en flagrant délit. Mais, rongé par la culpabilité, il finit par regretter son geste au point de vouloir réparer ses torts pour se libérer la conscience. Quelle somme rendre et de quelle manière? Avec son confident, Tony en vint à décider que pour le bien de tous, il devrait rembourser la somme volée plus les intérêts. Mais comment faire ce paiement? Doit-il admettre avoir détourné des fonds et risquer un séjour en prison pour réparer sa faute? Ou remettre cette somme en gardant l'anonymat? S'il ne possède pas toute la somme, doit-il rembourser par versements? Doit-il se trouver un deuxième emploi pour accélérer sa capacité de rembourser? Si la compagnie n'existait plus, à qui rembourserait-il la somme volée? La réponse à toutes ces questions dépend de Tony et des circonstances entourant son regret.

Et qu'en est-il des réparations destinées à des personnes décédées ou introuvables? Il existe des solutions. Ramon a négligé de rembourser les cinq mille dollars prêtés par un bon ami avec lequel il s'est disputé; les choses se sont envenimées et ils ont cessé de se voir. Quand cet homme est décédé, Ramon regretta amèrement cette dispute et la fin d'une amitié qui lui était précieuse. De même que le non-remboursement de sa dette. Il répara sa faute en payant sa dette à la veuve de son ami. Mais qu'aurait fait Ramon s'il n'y avait pas eu de veuve ou s'il n'avait pu la joindre? Il aurait pu donner le fameux cinq mille dollars (plus les intérêts) aux héritiers de l'état ou à un organisme de charité.

Quand des relations interpersonnelles sont au cœur d'une réparation, les choses se compliquent – et deviennent encore plus intéressantes. Le choix d'une réparation est une décision complexe qui demande réflexion, contemplation et prière. En voulant agir prématurément ou trop rapidement, on peut faire plus de tort que de bien en voulant réparer ses fautes. C'est pourquoi il est plus sage de prendre conseil auprès de votre confident *avant* de passer à l'action. Ce dernier doit jouer un rôle déterminant et vous aider à choisir une réparation appropriée. Il aura à cœur de s'assurer que votre choix protège les intérêts de toutes les parties concernées, y compris les vôtres. Il sera votre garde-fou contre toute action non pertinente pouvant causer préjudices à vous, aux personnes concernées ou à des personnes innocentes.

Votre confident est là pour vous protéger et vous guider. Contrairement à vous, il jettera un regard objectif et posé sur la situation et pourra même trouver une solution créative en guise de réparation. Votre confident s'assurera que vous n'êtes ni trop complaisant ni trop dur envers vous-même au moment de ce choix. Il vous soutiendra en établissant des lignes directrices qui vous conduiront à passer à l'action en toute sécurité et dans un temps donné.

Lorsque vous mettrez au point la façon de vous amender (présenter vos excuses, réparer vos torts et changer de comportement), prenez soin d'y joindre deux critères importants : *visez l'efficacité* et *ne blessez personne*.

Visez l'efficacité

Au moment de choisir comment vous amender, le premier critère à respecter est l'*efficacité*. En d'autres mots, votre action doit corriger l'erreur commise autant que faire se peut et, en général, sans vous préoccuper des inconvénients que cela pourrait vous occasionner. Si vous désirez vous libérer de vos regrets, il n'y pas de place pour la demi-mesure. Vous devez donner le meilleur de vous-même, dans les circonstances, pour présenter vos excuses, réparer vos fautes et changer d'attitude. C'est à cette seule condition que vous trouverez pleine satisfaction, en bout de piste. Vous serez alors vraiment libéré de toute culpabilité et vous retrouverez votre dignité et votre bien-être personnel. Vous n'êtes pas tenu de réparer complètement vos erreurs au point de rétablir la situation telle qu'elle était avant les événements, l'important est de vous investir suffisamment pour retrouver un sentiment de liberté personnelle.

Dans certains cas, nul besoin de réparer quoi que ce soit. Quand une relation est en cause, par exemple, il arrive souvent qu'on ne puisse réparer le lien brisé et que la seule solution soit de présenter vos excuses et de changer d'attitude. Ce sont là les seules actions à entreprendre au cours de la cinquième étape, si c'est votre cas. Mais avant d'en venir à cette conclusion, vous devez réfléchir sérieusement aux moyens de réparer vos torts et voir si certaines actions sont possibles ou pertinentes.

Ne blessez personne

Le second critère dont il faut tenir compte pour juger de la pertinence d'une amende est de nous assurer que notre action ne causera pas plus de tort aux gens concernés ou à d'innocentes personnes. Vous n'avez pas le droit de vous soulager la conscience en optant pour une amende qui risque de heurter quelqu'un. Ce ne serait pas s'amender, mais faire preuve de complaisance. Pour juger de la pertinence de l'action choisie, posez-vous simplement cette question : cette personne se sentira-t-elle mieux après avoir reçu vos excuses? Vous devez pouvoir répondre « oui » à cette question. Prenez l'exemple de Colin – doit-il révéler à son conjointe une aventure d'un soir qu'il regrette amèrement et dont elle ne sait encore rien? Difficile de répondre à cette question, sauf, bien sûr, s'il a eu des pratiques sexuelles non protégées; Colin serait tenu de lui révéler toute la vérité pour que tous deux puissent prendre les mesures nécessaires afin d'éviter d'éventuels problèmes de santé. Mais dans le cas contraire, Colin doit réfléchir sérieusement à la manière de s'amender et se demander s'il est pertinent de présenter ses excuses et donc de révéler cette escapade amoureuse à sa conjointe.

Bien des couples se séparent après la découverte d'une relation extra-conjugale. Alors, quelle est la meilleure solution pour toutes les personnes en cause, dans le cas de Colin? Il faut d'abord tenir compte de sa situation. Par exemple, ont-ils des enfants? Leur union est-elle assez solide pour survivre à une infidélité passagère ou est-ce le divorce assuré? S'il garde son secret, Colin développera-t-il une culpabilité grandissante pouvant creuser un vide émotionnel entre lui et sa femme? Il est possible que faire des excuses (assumer ses responsabilités et exprimer ses regrets) ne soit pas un choix pertinent, pour Colin, si ce geste met en péril son mariage et l'avenir de ses enfants. Peu importe l'ampleur de sa culpabilité et son désir de s'en libérer, Colin n'a pas le droit de choisir de s'amender en blessant sa femme et ses enfants.

Tony et son détournement de fonds est un cas qui illustre bien la prudence dont on doit faire preuve en choisissant de s'amender. Si Tony décidait de rembourser directement la compagnie pour finalement se retrouver en prison, il priverait ses jeunes enfants du seul et unique gagne-pain de la petite famille – un choix malheureux, on s'entend. Tony doit rembourser la somme volée en gardant l'anonymat. Peu importe de quelle manière il procédera, Tony doit respecter le second critère d'une amende honorable : ne blesser personne.

2. Excuses et réparation de vos erreurs

Maintenant que vous avez décidé de la façon de vous amender, il vous faut franchir le pas suivant : présenter vos excuses et réparer vos erreurs. Sur le plan émotif ou autre, il est parfois très pénible de s'amender. La personne qui mérite vos excuses est peut-être décédée; comment faire alors? Par ailleurs, certaines personnes accepteront de vous parler, mais d'autres refuseront; que ferez-vous pour vous excuser? S'il est vrai qu'il est bon de présenter vos excuses en personne, il est parfois préférable de le faire par téléphone ou par écrit. Il est particulièrement difficile de présenter vos excuses à une personne que vous détestez ou qui vous a blessé plus sévèrement que vous ne l'avez heurtée.

Surmontez votre résistance à de pénibles excuses

Dans certains cas, nous avons le sentiment que les excuses sont incontournables et nous les présentons naturellement. Nous *voulons* nous excuser. Nous nous sentons coupables, nous avons heurté une personne que nous aimons, nous en sommes désolés et voulons faire tout en notre pouvoir pour réparer les pots cassés. C'est le cas, par exemple, du conjoint qui vient d'emboutir la voiture de sa conjointe. Il voudra spontanément s'excuser de sa maladresse, on en convient. Mais songeons aux excuses que nous ne voulons ni ne pouvons faire par les voies de communication habituelles – par exemple lorsque la personne est décédée ou irrationnelle. Aussi pénible que cela puisse être, nous devons nous amender. Nous ne pouvons nous esquiver ou contourner la question. Il faut résister à la tentation naturelle de ne pas nous excuser auprès de ceux que nous avons blessés ou d'attendre que l'autre se soit d'abord excusé avant d'en faire autant. Qui sait? L'autre ne fera peut-être jamais le premier pas. Pourquoi risquer votre bonheur sur une devinette?

Nous pouvons surmonter notre résistance aux excuses en comprenant bien pour quelle raison nous faisons amende honorable. Nous le faisons pour nous libérer de toute culpabilité et de tout regret. Nous nous amendons envers l'autre, *peu importe le tort qu'il nous aura causé*, parce que *nous faisons ce geste pour notre propre bien-être* et non le sien. Dans ce contexte, *nous ne nous préoccupons nullement des torts que cette personne a pu nous causer puisque nous devons nous amender auprès d'elle.* Cette approche est tout à fait contraire à l'idée qu'on se fait habituellement de ce que signifie s'amender. On pense généralement qu'il s'agit de s'excuser *pour le mieux-être de l'autre.* Oui, c'est parfois le cas, par exemple lorsqu'on s'excuse auprès d'un enfant ou de son conjoint, d'une personne qu'on aime et qu'on a heurtée bien involontairement, et avec laquelle on veut maintenir une bonne relation. Mais s'amender *en raison d'un lourd regret* est une démarche bien différente faite dans le but précis de se libérer de ce regret.

À première vue, il peut sembler égoïste de vouloir s'amender pour soi et non pour l'autre. Nous avons le droit et la responsabilité de prendre soin de nous et d'évoluer sur le plan psychologique et spirituel, c'est pour cette raison que nous nous amendons *pour notre mieux-être,* si nécessaire. Nous le faisons pour être en harmonie avec nous-mêmes, avec nos forces supérieures et ceux qui ont souffert par notre faute. Nous pouvons également nous amender par conviction morale; il n'en demeure pas moins que ce geste a le mérite de nous libérer de notre culpabilité et de nos regrets.

L'autre nous a blessés plus sévèrement que nous l'avons fait? Il refuse d'admettre ses fautes? Peu importe, nous devons nous amender pour le tort que nous lui avons causé. Nous le faisons parce que nous avons joué un rôle dans les événements entourant ce regret et que c'est notre seul moyen de lâcher prise. Ce que l'autre en fait lui appartient. Cela ne nous concerne pas. Il ou elle doit trouver le chemin de sa propre paix intérieure.

Surmontez votre résistance à l'aide d'outils spirituels et psychologiques

Ayez recours aux outils spirituels et psychologiques pour vous aider à surmonter votre résistance au cours de cette étape difficile. Utilisez-les avant d'entreprendre cette étape ou tout au long du parcours et pour chacune de vos actions. Priez et demandez qu'on vous accorde la force et le courage de surmonter votre résistance devant la tâche à accomplir, l'honnêteté d'admettre intérieurement vos torts et l'inspiration nécessaire afin de vous amender autant que vous sachiez. Priez et demandez d'avoir la discipline et la patience voulues afin de présenter vos excuses, demandez d'être bien reçu et entendu par les personnes visées et d'avoir la force de vivre cette expérience dans la compassion et la retenue. Ayez recours à l'Être suprême pour vous aider à réparer vos fautes, changer de comportement et vous libérer de tout sentiment de honte et de culpabilité.

La visualisation créative peut vous aider à affronter vos peurs et à franchir cette étape. Visualisez-vous présentant vos excuses à chacune des personnes que vous désirez approcher; imaginez que vous êtes bien reçu par chacune d'elles; vous la quittez, heureux d'avoir eu le courage de lui parler. Si la personne visée est décédée ou inaccessible, utilisez la visualisation créative pour alimenter la lettre que vous vous apprêtez à lui écrire. Imaginez cette personne qui reçoit votre lettre, elle en fait la lecture avec reconnaissance et vous pardonne vos erreurs.

Si vous êtes envahi par la peur et la douleur à l'idée de formuler une façon de vous amender et de présenter vos excuses, confiez-vous à votre journal. Dites votre besoin de vous amender, la peur qui vous paralyse; racontez la réaction que vous craignez le plus, chez l'autre, et qui pourrait vous blesser davantage; faites le bilan des ressources dont vous disposez pour vous soutenir et vous encourager à poursuivre votre démarche de libération. Parlez de votre résistance, de votre tristesse, de votre peur. Utilisez votre journal pour vous encourager à tenir bon en vous rappelant que vous pouvez le faire, vous avez la force de traverser cette épreuve.

Formulez des affirmations qui sauront vous soutenir et vous aider à aller de l'avant. Écrivez-les dans votre journal et répétez-les régulièrement. Utilisez les affirmations suivantes : « Je fais amende honorable auprès des personnes que j'ai blessées, je suis une tout autre personne, aujourd'hui, j'assume la responsabilité de mes erreurs du passé, je me libère de la honte et de la culpabilité. »

Demandez le soutien de votre confident, cherchez son réconfort et puisez dans cette solide amitié la force de vous amender et de réparer vos erreurs. Avant de faire quelque geste que ce soit en vue de vous excuser ou de réparer vos torts, demandez-lui conseil.

Choisir un mode de communication approprié

Il existe mille et une façons de présenter nos excuses, mais nous devons procéder en choisissant parmi quatre modes de communication. Chacun présente des avantages et des inconvénients variables, selon les circonstances.

Nos quatre modes de communication :

1. En personne
2. Par téléphone
3. Par courrier
4. Par courriel

Voyons quels sont leurs avantages spécifiques. S'excuser en personne offre un climat empreint d'intimité et nous donne accès à une foule d'informations personnelles (expression faciale, ton de voix, langage corporel et un lien particulier présent uniquement dans ce contact en personne). De plus, ce face-à-face permet un rapport affectif plus intense et une meilleure compréhension puisque les deux personnes ont la possibilité de répondre, de réagir aux propos de l'autre et, au besoin, de clarifier ou de modifier leurs commentaires. Un appel téléphonique offre des avantages similaires à une rencontre en personne sans apporter, toutefois, le même degré d'intimité et de compréhension mutuelle. Mais l'appel téléphonique est une solution intéressante lorsqu'on ne peut se rencontrer.

Le courrier est un mode de communication à sens unique. La lettre risque d'être mal interprétée, exige un certain talent en rédaction et ne peut être modifiée à la lumière d'un commentaire. Il est souvent plus difficile d'écrire que de discuter de vive voix quand vient le temps d'exprimer nos pensées et nos émotions qui s'entremêlent. Un courriel a toutes les caractéristiques d'une lettre, quoique moins personnel; mais la réponse – si elle nous parvient – sera plus rapide. Il arrive que la lettre ou le courriel soit parfois préférable et même indispensable, surtout si la personne que nous cherchons à joindre refuse de nous voir ou de prendre nos appels.

La lettre est le mode de communication tout indiqué lorsque vous désirez présenter vos excuses à une personne dangereuse, menaçante ou irrationnelle, souffrant d'un problème mental ou d'une crise émotionnelle non contrôlée. En pareil cas, ou si vous craignez de rencontrer une grande résistance pouvant s'exprimer par des actes de violence ou des injures de la part de votre vis-à-vis, choisissez votre mode de communication avec soin. Rappelez-vous que votre tâche consiste à présenter vos excuses pour les erreurs commises et, si vous devez réparer vos torts, à expliquer de quelle façon vous comptez vous racheter. Point à la ligne. C'est tout ce que vous devez faire pour franchir cette cinquième étape. Vous ne devez en aucun cas subir les abus ou la violence de qui que ce soit en présentant vos excuses.

Présenter des excuses particulièrement difficiles

Vous serez souvent étonné et même ravi de constater qu'on accepte chaleureusement vos excuses. Certaines personnes iront même jusqu'à vous pardonner. Bien sûr, vous désirez et espérez qu'on reçoive vos excuses avec reconnaissance, mais vous ignorez comment ces personnes réagiront. Si vous êtes accueilli à bras ouverts et pardonné, cette expérience peut se terminer dans la joie. Mais la conclusion n'est pas toujours aussi heureuse. Dans certains cas, vous serez reçu avec hostilité – si on accepte de vous rencontrer – et on vous refusera tout pardon. On vous écoutera froidement, on vous fera la leçon sur votre comportement déplorable avant de vous inviter à quitter les lieux.

Si vous méritez ce discours, écoutez-le attentivement et voyez les erreurs commises et les plaintes qu'on émet à votre sujet. Si la critique est justifiée, acceptez d'entendre la vérité et reconnaissez vos torts. Votre douleur fait partie du prix à payer pour vos erreurs et s'inscrit dans le processus de libération. Mais si ce qu'on vous dit est faux, ignorez ces propos et laissez tomber. Vous n'êtes pas venu vous défendre, mais vous excuser. Pour tout dire, la réponse qu'on vous donne importe peu. Évidemment, il serait plus agréable d'être entendu et pardonné, mais, si ce n'est pas le cas, cela n'altère en rien la réussite de votre démarche, celle de faire amende honorable et de vous libérer de vos regrets. Le seul pardon qui compte véritablement est celui que vous accorde l'Être suprême et le vôtre (nous y reviendrons au cours de la neuvième étape). Cette cinquième étape consiste uniquement à vous amender, si nécessaire. Qu'on accepte ou non vos excuses ne change rien au fait que vous avez accompli votre tâche pour compléter cette étape et vous affranchir de vos regrets.

Voici un petit guide pratique qui saura vous être utile si vous devez présenter de pénibles excuses pour faire amende honorable :

- ❖ Préparez-vous à présenter vos excuses par la prière, la visualisation créative ou l'écriture dans votre journal et des discussions en compagnie de votre confident.

- ❖ Au moment de présenter vos excuses, gardez votre calme, soyez honnête et ouvert dans la mesure du possible et demeurez centré sur votre objectif : présentez vos excuses puis quittez les lieux.

- ❖ Faites vos excuses, mais demeurez digne, ne rampez pas devant l'autre. Vous n'êtes pas venu quémander son pardon, mais lui faire vos excuses, lui expliquer de quelle manière vous comptez réparer vos fautes (s'il y a lieu). Et puis partez sans plus attendre.

- ❖ Prenez soin de faire des excuses complètes, avec tous les éléments nécessaires : reconnaître votre comportement répréhensible et, à cet égard, assumer vos responsabilités et les conséquences encourues, exprimer votre regret, demander pardon, lui assurer que vous ne recommencerez pas et que vous changerez d'attitude à l'avenir.

❖ Ne parlez que de *vos* fautes. Nettoyez le côté de votre jardin sans regarder dans la cour du voisin. Ignorez le rôle que l'autre a joué dans cette malheureuse situation, même s'il a commis de graves erreurs et qu'il est principalement responsable des événements liés à ce regret. Laissez de côté pour l'instant tout le mal qu'il vous a fait. Reconnaissez vos responsabilités et vos erreurs, les actes que vous avez commis et qui ont contribué à créer ce regret, à envenimer les choses ou à blesser l'autre, qui sont source de votre sentiment de culpabilité pour lesquels vous désirez vous excuser.

❖ Refusez toute polémique portant sur vos rôles respectifs dans cette affaire. Évitez de réagir de manière défensive, de le condamner, de lui faire la leçon, de relever ses fautes ou de le blâmer de quelque façon. Vous êtes venu le voir pour vous excuser de vos fautes, non pour l'accuser.

❖ Ne lui demandez pas de s'excuser ou de s'amender pour ses erreurs.

❖ S'il devient verbalement ou physiquement violent, quittez aussitôt les lieux. Il a le droit de vous dire ce qu'il ressent par rapport à votre comportement, mais il n'a nullement le droit de vous insulter ou de vous attaquer verbalement ou physiquement.

Même s'il rejette complètement vos excuses, vous aurez fait ce que vous aviez à faire. Vous aurez franchi cette partie de la cinquième étape. Et vous aurez avancé sur le chemin de la liberté.

À l'âge de dix-huit ans, Christian se remettait d'une dépendance à l'alcool et aux drogues. Adolescent, il était aux prises avec la colère, la rébellion, les problèmes scolaires et quelques accrocs mineurs avec la loi. À la fin de l'été suivant l'obtention de son diplôme secondaire, il avait réussi à être sobre. Pour gagner sa croûte, il travailla une année entière dans le monde de la construction, le temps de remettre sa vie sur les rails. Il décida ensuite de s'inscrire au collège, dans un établissement public qui accepta sa candidature. Le jour, il travaillait sur les chantiers de construction, le soir, il étudiait ferme; il réussit ses études. Mais pendant ce temps, il sentait monter un profond regret pour tous les soucis et la douleur qu'il avait causés à ses parents pendant son adolescence. Si bien que ce regret devint trop lourd à porter, la situation était devenue intolérable.

Christian savait qu'il devait s'amender auprès de ses parents afin de se libérer de la culpabilité et du regret qui l'étouffaient. Mais ce n'était pas chose facile. Pour commencer, ses parents étaient aussi alcooliques, mais non abstinents. Ils blâmaient Christian pour tous les soucis causés au cours de son adolescence, mais l'accusaient aussi de fautes qu'il n'avait pas commises. Ils ont accepté de le rencontrer, mais selon leurs conditions. La situation était claire, ils n'avaient aucune excuse à lui faire. Elle était aussi complexe pour Christian, car son père avait l'habitude de déverser son trop-plein de rage, surtout lorsqu'il avait bu, en battant Christian lorsqu'il était enfant et en le menaçant encore lorsqu'il était en âge de se défendre contre son père.

Christian dressa la liste des différentes façons dont il avait heurté ses parents et pour lesquelles il désirait s'excuser. La liste était aussi exhaustive que possible avec exemples à l'appui. On y retrouvait un peu de tout, comme les inquiétudes de ses parents lorsque Christian ne rentrait pas dormir pendant des jours sans donner signe de vie jusqu'au paiement de sa caution pour le sortir du pétrin dans lequel il se trouvait, devant les tribunaux.

Christian examina ses excuses avec soin, sollicitant l'aide constante de son confident et utilisant les outils spirituels et psychologiques pour se préparer à passer à l'action. Il savait pertinemment que ses parents n'assumeraient pas la responsabilité de l'avoir émotionnellement abandonné ou de l'avoir physiquement agressé pendant des années, mais il n'était pas là pour recevoir leurs excuses. Christian avait un but, celui de s'amender sans se mettre en colère, sans les attaquer pour tout le mal qu'ils lui avaient fait.

Quand il se sentit prêt, Christian prit rendez-vous avec ses parents à la maison familiale. À son arrivée, ils buvaient déjà, ce qui ne facilita pas les choses. Après avoir refusé trois fois une bière, après avoir été blâmé de ne jamais donner signe de vie et de ne jamais les aider dans les travaux à faire autour de la maison, Christian eut enfin la permission de prendre la parole. Il expliqua à ses parents qu'il était venu s'excuser pour son attitude négative, quand il était ado, et pour la peur et la souffrance qu'il leur avait causées à tous les deux. Il ajouta que sa dépendance à l'alcool et aux drogues était en grande partie responsable de toutes ses étourderiés, mais que ce n'était pas une justification ou une excuse valable. Il assumait l'entière responsabilité de ses actes.

Christian fit la lecture de sa liste, notant les actes répréhensibles qu'il avait commis avec exemples à l'appui et promit à ses parents de ne jamais plus se comporter de la sorte. Il fut interrompu à maintes reprises par son père qui en ajoutait toujours un peu plus et qui se mettait parfois en colère en se rappelant les faits énoncés, ou encore par sa mère qui pleurait par intermittence. Christian ne se défendit pas lorsqu'ils l'accusèrent de fautes qu'il n'avait pas commises, il ignora tout simplement ces propos et tenta de les écouter patiemment jusqu'à ce qu'il puisse passer au point suivant de sa liste.

Plus Christian avançait dans la lecture de sa liste d'excuses, plus la colère gagnait son père. Il n'avait cessé de boire depuis le début de la rencontre et commençait maintenant à insulter son fils. À ce moment, Christian leur expliqua qu'il n'accepterait pas cette violence, qu'il partait et leur enverrait le reste de sa liste par lettre. Son autorité parentale ainsi mise au défi, le père laissa éclater toute sa rage; Christian partit sans plus attendre, de crainte que son père ne s'attaque à lui physiquement.

Le lendemain, Christian termina sa démarche en écrivant une lettre à ses parents dans laquelle il expliquait avoir été obligé d'interrompre sa rencontre et ses excuses parce que son père l'avait menacé physiquement et qu'il n'acceptait plus qu'on le traite ainsi. Évidemment, Christian aurait aimé que ses parents s'excusent auprès de lui, qu'ils expriment un peu de sympathie pour son combat contre sa dépendance à l'alcool et aux drogues, qu'ils se montrent admiratifs devant sa sobriété réussie depuis dix-huit mois. Il n'en fut rien. Mais à ses yeux, il avait réussi à faire amende honorable. Les choses ne s'étaient peut-être pas déroulées comme il l'avait souhaité, mais il s'attendait à ce résultat. Après s'être amendé, Christian se sentit plus léger, le poids de la culpabilité en moins. Il n'avait aucun acte de réparation à faire envers ses parents. Il avait réussi à changer son comportement et s'était complètement amendé.

Réconciliations

Si vous vous amendez en ayant également pour objectif de vous réconcilier, votre approche sera différente. Vous ne procéderez pas comme vous le feriez auprès d'une personne que vous n'aimez pas ou même que vous méprisez et que vous ne souhaitez plus revoir après lui avoir fait vos excuses. Vous ferez amende honorable en suivant les mêmes phases, soit en présentant vos excuses, en réparant vos torts et en changeant votre comportement. Mais cette fois, vous présenterez vos excuses différemment : vous laisserez la porte ouverte pour permettre une réconciliation. Par exemple, vous pouvez offrir à l'autre de poursuivre votre conversation lorsqu'il sera prêt ou de planifier ensemble une marche à suivre pour renouer vos liens. Bien sûr, vous ne pouvez insister auprès de cette personne, mais vous pouvez en exprimer le désir.

La réconciliation n'est pas essentielle, on peut s'amender sans elle. Dans cette cinquième étape, l'objectif consiste à se libérer de toute culpabilité et de tout regret – cela étant fait, vous avez franchi cette étape, qu'il y ait ou non réconciliation. Cette dernière est parfois impossible et même non souhaitable. En certaines circonstances, nous ne désirons pas nous réconcilier en raison de la nature des blessures qu'on nous a infligées, en raison de l'état émotif de l'autre personne ou de ses croyances un peu tordues. On peut pardonner sans se réconcilier et c'est ce que vous découvrirez en franchissant les étapes du pardon (étapes huit et neuf).

S'amender auprès de personnes décédées ou inaccessibles : la lettre de guérison

Vous désirez vous amender auprès d'une personne, mais elle est inaccessible, elle est peut-être décédée, elle a déménagé et vous ne savez comment la joindre. Quoi qu'il en soit, vous devez quand même vous excuser auprès d'elle puisque vous faites ce geste pour vous, non pour l'autre. La personne qui reçoit vos excuses peut en tirer une certaine satisfaction, mais ce n'est pas là votre objectif. Par conséquent, vous pouvez vous excuser, réparer vos fautes, changer d'attitude et retrouver votre bien-être quant à vous-même et au monde, et ce, même si vous ne pouvez communiquer directement avec cette personne.

Pour ce faire, vous devrez faire preuve de créativité afin de trouver une façon de vous amender en ayant recours à la métaphore ou à l'analogie. Par exemple, on peut présenter ses excuses à une personne absente ou décédée en lui adressant une lettre qu'on met réellement à la poste, mais qu'elle ne recevra jamais – évidemment! Ce genre de missive est un outil psychologique permettant de communiquer avec les personnes décédées ou absentes. Les humains sont des êtres de symboles. Une lettre rédigée et postée est un puissant substitut à une véritable lettre, et ce, même si elle n'est jamais reçue et lue par le destinataire. La lettre de guérison est encore plus efficace si elle s'accompagne de prière et de visualisation créative.

La lettre de guérison peut répondre à divers objectifs. Elle peut servir à exprimer l'amour ressenti, mais jamais exprimé à une personne décédée. Consuela a grandi au sein d'une famille laissant peu de place à l'expression affective, qu'elle soit verbale ou physique. À la mort de son père, elle regrettait amèrement de ne lui avoir jamais dit combien elle l'aimait. De plus, jamais elle ne l'avait remerciée pour tout ce qu'il avait fait pour elle, lui offrant des études universitaires en doublant ses heures de travail grâce à un deuxième emploi. La lettre de guérison a permis à Consuela de lui dire tout cela, de lui exprimer tout son amour et sa gratitude pour les sacrifices consentis et les cadeaux offerts. Consuela mit sa lettre à la poste sans l'adresse de l'expéditeur sur l'enveloppe; elle indiqua l'adresse de leur maison familiale de son enfance, mais en la modifiant un peu pour créer une adresse inexistante. Dans son esprit, Consuela était convaincue que son père recevrait, d'une certaine manière, sa lettre d'amour.

De plus, Consuela fit une visualisation dans laquelle elle se voyait dire à son père combien elle l'aimait et à quel point elle était reconnaissante pour tout ce qu'il lui avait apporté au fil des années. Dans cet exercice, elle vit son père lui sourire en entendant ces mots. Elle l'entendit exprimer sa gratitude de l'avoir eue comme fille et ses regrets de n'avoir pas su lui exprimer plus clairement son amour, qu'il disait éternel.

Kurt écrivit, lui aussi, une lettre de guérison à son père, mais dans le but de s'excuser de l'avoir fait souffrir et pour lui demander pardon. Dans sa lettre, Kurt expliquait ses regrets dans le détail, s'excusait de ses erreurs, disait de quelle manière il avait changé d'attitude et de mode de vie. Ce fut l'occasion d'exprimer ses regrets en commençant par « si seulement », tels les mots qu'il aurait aimé prononcer, les gestes qu'il aurait aimé faire ou encore ses regrets pour ce qu'il avait dit et fait par le passé. Kurt demanda à son père de lui pardonner. Il posta sa lettre en indiquant la dernière adresse de son père, mais achemina ce courriel dans une ville n'ayant pas de rue du même nom, dans une enveloppe sans l'adresse de l'expéditeur. Il eut recours à la visualisation créative pour s'amender auprès de son père, trouvant paix, pardon et réconfort en imaginant son père mourant l'embrasser tout en prononçant les mots tant désirés.

Nul autre que vous ne lira votre lettre de guérison, aussi écrivez-la en toute franchise. Ne retenez rien. La lettre de guérison est comme une visualisation créative faite par écrit. Elle semble très réelle et, pour cette raison, a le pouvoir de guérir. Soyez très précis et dites tout ce que vous avez à dire. Écrivez avec votre cœur, sachant que – par quelque voie mystérieuse – votre destinataire recevra votre lettre et la lira.

Il est possible qu'une seule lettre ne suffise pas si vous éprouvez depuis longtemps des regrets fort complexes. Peut-être que vous aurez besoin de rédiger plusieurs lettres avant d'avoir le sentiment de vous être amendé. Peu importe le nombre de lettres à écrire, vous saurez que le processus est complet en rédigeant votre toute dernière lettre de guérison.

S'amender envers soi-même

Selon notre vision traditionnelle du monde, l'être humain doit savoir gérer trois types de relation pour être pleinement satisfait et heureux : la relation à lui-même, aux autres et à l'Être suprême. Toutes trois sont reliées; si l'une d'elles est trouble, les deux autres en souffriront. Par exemple, si vous ne vous aimez pas, vous pourrez difficilement aimer les autres. Si vous êtes en colère contre l'Être suprême, vous serez en colère contre vous-même et votre entourage.

Nous devons nourrir ces trois relations essentielles pour donner un sens à notre vie et atteindre la plénitude. Depuis le début de cette étape, vous avez agi dans le but d'améliorer votre relation aux autres, envers les personnes que vous avez heurtées à tout le moins. Vous vous êtes amendé auprès de ces gens. Mais, ce faisant, vous vous amendez également envers vous-même et l'Être supérieur. Vous avez promis à ces personnes de changer d'attitude; sachez que cette promesse est également valable lorsque vous désirez vous amender envers vous-même.

Il est possible qu'une amende précise s'impose, surtout si vous vous êtes fait du mal. Par exemple, vous portez de lourds regrets qui vous ont coûté très cher (de même qu'à vos proches), sur le plan personnel, si vous avez traversé des années de dépendance aux drogues ou à l'alcool, si vous avez laissé libre cours à vos crises de rage, aux licenciements répétés, à la négligence de vos talents. En pareil cas, vous devez vous amender envers vous-même afin de vous libérer de votre culpabilité pour les torts que vous vous êtes causés. Encore ici, l'amende comporte trois phases : présenter vos excuses, réparer vos fautes et changer d'attitude.

S'amender envers soi-même est un acte simple. Vous procédez comme vous le feriez envers toute autre personne que vous avez blessée et à qui vous présentez vos excuses. Trouvez un endroit calme où vous prendrez le temps de contempler toute la signification de ce geste et de ressentir l'impact de vos paroles sur le plan émotif. Lorsque vous aurez présenté vos excuses, libre à vous de les accepter ou de les refuser. Ne vous inquiétez pas si vous êtes incapable de les accepter; cela signifie que vous ne pouvez vous pardonner. Mais vous y parviendrez en franchissant la neuvième étape et vous pourrez alors accepter vos excuses.

Les actes faits dans le but de réparer les torts que vous vous êtes faits ont le même objectif que précédemment : réparer vos fautes autant que vous sachiez en tenant compte des circonstances présentes. Cela se résume souvent à agir. Par exemple, si vous regrettez de n'avoir jamais terminé vos études universitaires et, de ce fait, de n'obtenir que des emplois mal payés, vous pouvez réparer votre erreur en retournant à l'université et en décrochant votre diplôme. Si vous regrettez d'avoir consacré toute votre vie à la carrière, à l'argent et aux biens matériels sans jamais songer à donner aux autres, vous pouvez réparer votre erreur en vous engageant dans un projet qui vous permet d'offrir votre service désintéressé (par exemple, servir à la soupe populaire, enseigner à lire à un enfant ou mettre à contribution tout autre talent).

3. Modification du comportement fautif

S'amender comporte une troisième phase, soit un changement de comportement. Après avoir présenté vos excuses et réparé vos fautes, vous avez la responsabilité de changer d'attitude afin de ne pas reproduire les mêmes erreurs. Vous ne pouvez vous contenter de les réparer, vous devez y mettre un terme et ce changement fait partie intégrante du processus. Sans quoi vos excuses et vos réparations ne seront que des coquilles vides.

Vous vous souvenez du cas de Colin? En première analyse, on pouvait difficilement établir comment, dans un cas d'adultère non déclaré, Colin pouvait présenter ses excuses et réparer les torts qu'il avait causés. Mais le changement de comportement était clair : plus jamais de relations extraconjugales. Par conséquent, Colin devra être fidèle à sa conjointe ou demander le divorce si ce mariage ne fonctionne plus. D'autres changements d'attitude pourraient convenir à Colin, par exemple faire de plus grands efforts pour nourrir leur union ou porter une plus grande attention à sa conjointe. Quant à Tony, coupable de détournement de fonds, le changement de comportement s'imposait de lui-même : jamais plus de vol.

Mais dans certains cas, un changement d'attitude est difficile à faire sans aide extérieure. Vous pouvez vous cogner le nez aux portes de la résistance sans trop savoir pour quelle raison. Si vous ne pouvez modifier votre comportement, demander de l'aide peut s'inscrire dans votre processus, celui de vous amender. Vous devez absolument changer ce comportement qui est source de vos regrets. De plus, cela fait partie de vos tâches lorsque vous faites amende honorable envers une personne que vous avez blessée, que ce soit vous ou quelqu'un d'autre. Si vous êtes enclin aux crises de rage, suivez un cours de gestion de la colère et demandez l'aide d'un professionnel en santé mentale. Si vous êtes alcoolique, suivez un traitement ou inscrivez-vous aux Alcooliques anonymes. Prenez les mesures qui s'imposent pour changer ce comportement qui vous a fait vivre tant de regrets par le passé – et qui vous menace encore aujourd'hui. Sans quoi vos démarches visant à vous amender – envers vous ou les autres – resteront toujours inachevées.

Lorsque cette cinquième étape aura été franchie, vous serez soulagé et libéré d'un certain poids, celui de la culpabilité liée à vos regrets. Admettre vos erreurs en toute humilité et tenter de les corriger sont des actes libérateurs. Ayant fait amende honorable – présenter vos excuses, réparer vos erreurs et changer d'attitude –, vous êtes enfin libéré de la tyrannie de la culpabilité. En coupant la chaîne de votre culpabilité, vous mettez fin à l'esclavage dans lequel vous enferme le regret.

Vous avez complété toutes les tâches exigées dans cette cinquième étape, mais sachez que votre travail n'est pas terminé; il ne le sera jamais, car vous vous êtes engagé à changer d'attitude et cet effort devra être maintenu tout au long de votre vie. Vous devrez maintenir ce nouveau comportement et vous améliorer, au fil du temps, par la pratique quotidienne; au besoin, demandez de l'aide. Mais dans ce programme, vous avez franchi cette étape et êtes prêt à passer à la prochaine. Goûtez au bonheur d'avoir complété cette étape difficile. Vous le méritez largement. Félicitations!

Prenez un peu de repos et amusez-vous!

Vous avez trimé dur pour franchir la cinquième étape et vous goûtez maintenant aux fruits d'une nouvelle liberté. Vous pouvez jeter un regard neuf et positif sur vos regrets. Malgré toute la souffrance, la peur et la culpabilité engendrées par vos regrets, ces derniers vous ont fait cadeau de leçons et de présents. Au cours de la sixième étape, vous déterminerez les cadeaux – cachés ou non – que vous réservent vos regrets.

Chapitre 9

ÉTAPE 6 :
DÉTERMINEZ VOS LEÇONS
ET VOS PRÉSENTS

C ette sixième étape est l'occasion de jeter un regard différent sur nos regrets dans le but de découvrir les aspects positifs de notre expérience. Au cours des cinq étapes précédentes, nous avons examiné des aspects plus difficiles, soit la douleur issue du regret et le rôle que nous y avons joué. Le moment est venu de nous pencher sur les bienfaits qui en découlent. Où diable se cachent-ils? Dans les enseignements et les présents qui se trouvent au cœur de nos regrets.

Vous avez sans doute déjà entendu parler des leçons tirées de nos regrets, mais l'idée de recevoir des présents de cette difficile expérience est peut-être nouvelle pour vous. « J'ai appris ma leçon et l'ai payée très cher, mais je n'ai reçu aucun présent », disait Rory. Quant à Jay, il parvenait à la même conclusion, mais en d'autres termes : « Je n'y étais pour rien dans toute cette histoire, alors je ne vois pas quel enseignement je pourrais en tirer. Quant aux présents, faites-moi rire! » L'idée que nos regrets puissent avoir des leçons et des présents à nous offrir peut nous sembler saugrenue ou même nous déplaire, mais c'est la stricte vérité. Toutefois, pour les découvrir, il nous faudra chercher en gardant l'esprit ouvert.

Tous les chemins, empruntés ou ignorés, peuvent être source de regrets. S'il est vrai que chaque regret vient avec son lot de présents et de leçons, nous repérons plus facilement ces dernières. Il en va autrement des présents, tout aussi importants et précieux, mais beaucoup plus difficiles à reconnaître surtout quand on est embourbé dans le ressentiment, le blâme, la colère ou l'apitoiement.

Le lâcher-prise est tellement plus facile pour celui qui accepte les leçons et les présents issus de ses regrets. Sachant que cette expérience lui a transmis un enseignement fondamental et à jamais utile, il sera mieux disposé à abandonner ce regret qui restera à jamais précieux, à ses yeux.

Nul besoin de savoir distinguer leçon et présent pour accomplir cette étape. Contentons-nous de dire qu'une leçon est un enseignement tiré d'une expérience et que, désormais, nous saurons appliquer notre nouveau savoir à toute situation similaire. Prenons le cas de Rosa qui fut une enfant négligée et peu encadrée; devenue adulte, elle faisait trop confiance aux premiers venus et développait une dépendance envers les gens qui se montraient aimables et serviables à son égard. Cette naïveté lui coûta très cher; elle se retrouva dans un véritable bourbier financier après avoir fait confiant à des gens malhonnêtes. Par exemple, elle donna son numéro d'assurance sociale à un parfait inconnu qui disait faire du télémarketing et qui utilisa cette information pour lui voler son identité. Après quoi Rosa mit plusieurs années à rétablir son nom et son crédit.

En signant son contrat de location de voiture, Rosa négligea d'en lire les termes, car elle se fiait aux dires et promesses du vendeur; elle découvrit – trop tard – que le taux d'intérêt inscrit au contrat était supérieur à celui qu'on lui avait proposé. Par ailleurs, elle perdit presque tous les bénéfices de la vente de sa maison en les investissant dans une entreprise bidon sans faire les vérifications d'usage. Elle avait rencontré l'investisseur en question dans une soirée pour les grands de ce monde et en avait déduit qu'il devait être honnête. Toutes ces erreurs furent catastrophiques, sur le plan financier, et la laissèrent amère et très en colère. Mais elles s'inscrivaient au cœur d'un regret bien plus profond : celui de n'avoir pas appris, enfant, « comment faire face à la vraie vie », comme dit Rosa. Les événements de sa vie et ses regrets lui ont enseigné de précieuses leçons qui sauront la protéger dorénavant, l'incitant à assumer ses responsabilités au quotidien et en particulier sur le plan financier. Mais Rosa devait également apprendre à trouver l'équilibre entre naïveté et cynisme.

Sous nos regrets se cachent des présents comme l'acquisition d'un nouveau regard sur la vie, d'une plus grande sagesse ou de nouveaux objectifs plus significatifs. Parfois, ils prennent la forme de nouveaux venus qui entrent dans notre vie par la porte de nos regrets. Ces présents viennent souvent satisfaire un besoin psychologique ou spirituel que nous ignorions avoir ou que nous ne pouvions combler dans le cours « normal » de notre vie.

Le jour où la conjointe d'Enrique quitta la maison familiale avec ses enfants dans les bras et signa une demande de divorce en bonne et due forme parce qu'elle en avait assez de ses beuveries, il était furieux. Peu de temps après, on le congédia pour les mêmes raisons; de plus, il reçut un avertissement légal qui pouvait éventuellement l'empêcher de travailler. Cette litanie de regrets – soudainement rattachés à son grand regret, l'alcoolisme – le mena dans une maison de désintoxication puis aux Alcooliques anonymes. Il trouva la sobriété chez les AA, de même qu'un nouveau mode de vie plus riche, plus satisfaisant que tout ce qu'il avait vécu ou espéré. Le jour où toute sa petite famille fut à nouveau réunie, il avait changé du tout au tout et menait une vie reposant sur des valeurs solides ayant fait leurs preuves. Une toute nouvelle vie s'offrait à Enrique, c'était le présent que lui réservaient ses regrets.

Fujio avait grimpé dans une échelle et s'affairait à couper une branche de l'arbre qui se trouvait dans sa cour arrière. En tombant, la branche accrocha l'échelle et Fujio s'affaissa lourdement au sol; il s'en tira avec de graves blessures au bras et à l'épaule et dut subir deux chirurgies suivies de douloureuses séances de physiothérapie. Fujio regrettait amèrement d'être monté dans cette échelle et se plaignait constamment en ayant recours aux « si seulement ». Mais cette chute suivie d'une période de convalescence lui réservait de belles surprises. Fujio découvrit qu'il avait énormément de courage, que sa famille et ses amis l'aimaient profondément et que la vie ne tient qu'à un fil.

Nos regrets sont porteurs de leçons et de présents pouvant contribuer à notre évolution spirituelle et psychologique; c'est pourquoi ils sont si précieux, mais encore faut-il les reconnaître et les accepter. Ces expériences prennent tout leur sens lorsqu'on reconnaît les leçons apprises à travers elles. Notre vie n'en est que plus riche. Inutile de nous demander s'il y a des leçons et des présents cachés sous nos regrets. « À tout malheur, quelque chose est bon », dit le dicton. La véritable question à se poser est : saurons-nous les reconnaître et en faire bon usage? Nul n'est à l'abri des difficultés de la vie, quoi qu'on en pense et malgré les apparences.

La vie est ainsi faite. Nous faisons constamment face à une multitude de problèmes à résoudre (et à une foule de petits et grands bonheurs à vivre). La joie, comme les difficultés, nous apporte ses leçons et ses présents. Mais il est plus facile de reconnaître un cadeau venu de l'amour que celui qui émerge de la tragédie. Nul doute que les difficultés sont des défis que nous lance la vie et des occasions à saisir pour grandir, évoluer et réussir sur le plan personnel. Dans son sermon sur les quatre nobles vérités, Bouddha nous enseigne que *la vie est souffrance*. Mais il enseigne aussi qu'en acceptant la souffrance comme partie intrinsèque de la vie, on la transcende; elle se transforme et n'est plus souffrance. Lorsque nous savons accepter et gérer nos difficultés, elles nous apparaissent sous un jour nouveau. Les accepter, c'est les transcender.

Mais transcender nos souffrances n'est pas chose facile.

Nos traditions spirituelles nous enseignent, depuis deux millénaires, comment faire face à nos peurs, à nos déceptions et à nos drames – le propre de toute vie au même titre que nos joies, nos réussites et nos plaisirs. La sagesse spirituelle offre une solution à la souffrance et à la douleur liées au regret. Cette démarche vers le lâcher-prise de nos regrets est un voyage vers la transcendance, mais aussi une quête d'évolution psychologique visant à dépasser la colère, la tristesse et la honte issues de notre passé. Nous ne pouvons changer les événements liés au regret – vécus par nous ou les autres –, mais nous pouvons choisir d'y répondre et de les intégrer autrement. Nous pouvons changer l'impact qu'ils ont sur notre vie. Nous transcendons nos regrets avant de les laisser aller, de nous en libérer.

Le distingué psychiatre américain, Scott Peck, est l'auteur d'un remarquable ouvrage sur l'art de faire face aux difficultés de la vie. Paru en 1978 en anglais sous le titre *The Road Less Traveled* (paru en français : *Le chemin le moins fréquenté*), ce livre demeura au sommet des succès de librairie pendant plus de dix ans et transforma en profondeur la vie de milliers de gens. Le docteur Peck jette un nouveau regard sur les défis et les difficultés de la vie, les disant essentiels à la croissance psychologique, à la réalisation et à la satisfaction personnelle. Il nous suffit d'examiner nos actions et notre vie à la lumière de cette approche pour en saisir la sagesse et la profondeur.

Il nous arrive de prendre certaines difficultés à bras-le-corps et parfois même avec enthousiasme. Ces défis à relever sont inspirants, nous permettent d'acquérir de nouvelles compétences et d'être en agréable compagnie. Ils nous apportent une foule de bienfaits. En acceptant d'entreprendre un nouveau projet pour la maison, une nouvelle tâche au bureau ou de suivre une nouvelle formation, nous disons oui à un nouveau défi ainsi qu'aux difficultés qui risquent de se présenter en cours de route. Nous relevons ce défi avec la ferme conviction que nous y gagnerons, en bout de piste. Vu sous cet angle, quel plus grand défi riche en difficultés (et joies) de toutes sortes que celui d'avoir des enfants? Quand arrive le premier enfant, les parents doivent faire face à d'innombrables difficultés, vivent l'angoisse de l'incertitude et de leurs propres exigences. Mais l'expérience est si enrichissante qu'ils remettent ça. Et va pour un deuxième enfant!

En examinant les raisons qui nous incitent à relever certains défis, nous comprenons pourquoi il est parfois préférable de relever des défis que nous n'avons pas choisis, qui nous sont proposés ou même imposés. Ces difficultés sont autant d'occasions de grandir, d'apprendre puis de partager ce savoir et cette expérience avec d'autres. Les défis relevés avec joie et enthousiasme nous serviront ensuite de modèles sur l'art de gérer ces autres difficultés de la vie qui nous sont moins agréables : avec stratégie et dans le but d'en tirer un enseignement. Lorsque nous parvenons à dépasser la fameuse question « pourquoi moi? », nous sommes prêts à envisager d'autres questions, soit « de quelle manière dois-je gérer cette situation et que puis-je en apprendre ou en tirer? ». Le jour où nous acceptons nos difficultés et les percevons comme partie intégrante de la vie, nous quittons le rôle de la victime pour prendre celui du pèlerin. Inutile de nous demander si nous éprouverons des problèmes et aurons des regrets dans la vie, nul n'y échappe. Le véritable enjeu est de relever les défis que nous présente la vie et d'en tirer les enseignements qui s'y cachent, puis de lâcher prise.

FRANCHIR LA SIXIÈME ÉTAPE

Cette étape se divise en quatre volets. Le premier volet consiste à déterminer les leçons à tirer de vos regrets. Le second volet est une recherche des présents qui s'y cachent. Dans le troisième volet, vous apprendrez à utiliser ces leçons et ces présents pour votre propre bénéfice. Dans le dernier volet, vous apprendrez à les mettre au service des autres. Voici la liste d'actions de cette sixième étape.

Sixième liste d'actions

DÉTERMINEZ VOS LEÇONS ET VOS PRÉSENTS

1. *Leçons à tirer*
2. *Présents reçus*
3. *Utilisez vos leçons et vos présents pour votre propre bénéfice*
4. *Utilisez vos leçons et vos présents pour le service aux autres*

Voici une description détaillée des actions à entreprendre.

1. Identifiez les leçons à tirer de vos regrets

Pour déterminer correctement les leçons à tirer de vos regrets, vous devez prendre en compte les leçons apprises et les autres, encore non apprises et qui attendent que vous vous en occupiez. Nous sommes habituellement bien au fait des leçons apprises, mais qu'en est-il des leçons qui dorment encore sous nos regrets? L'action que vous entreprenez maintenant se fait en deux temps : déterminer les leçons apprises en toute conscience et déterminer les leçons non apprises et demeurées dans l'inconscient.

Les leçons apprises

Dans votre journal personnel, décrivez les leçons apprises au cours des événements entourant chaque regret. Plus les enseignements sont nombreux, plus votre regret devient précieux. Notez tout, des plus infimes aux plus grandes leçons. Certaines vous sauteront aux yeux, d'autres vous demanderont plus de réflexion. Supposons que, à la suite d'un congédiement, vous ayez entrepris une nouvelle formation il y a quelques années. Avez-vous songé que vos nouvelles compétences, qui vous semblent si naturelles aujourd'hui, font partie des leçons apprises de cet événement regrettable?

Au moment de dresser votre liste, demandez l'aide de vos amis et surtout de votre confident qui saura vous aider à déceler ces précieuses leçons parfois difficiles à reconnaître. Ces personnes peuvent aussi vous aider à valider vos leçons pour éviter que vous ne tiriez des conclusions erronées au sujet de vos regrets. Par exemple, un dirigeant a volé de l'argent à son entreprise et fut pris la main dans le sac. La leçon à en tirer, selon lui, est qu'il aurait dû mieux planifier son projet de détournement de fonds avant de passer à l'action. Il n'a pas su tirer la bonne leçon de sa mésaventure.

Le conjoint de Sadie est alcoolique. Il a demandé le divorce, dit-il, parce que sa conjointe se plaignait constamment de ses beuveries et que c'est ce qui le poussait à boire davantage. Sadie en a conclu qu'elle était responsable de son divorce et de l'alcoolisme de son mari. Ces deux conclusions sont évidemment erronées, sans parler de la leçon qu'elle en a tirée : selon Sandie, elle aurait dû faire plus d'efforts pour maintenir son conjoint dans la sobriété et pour sauver leur union. Mais elle n'avait pas le pouvoir de le rendre sobre et elle n'a rien fait pour détruire ce mariage. N'ayant pas su tirer les bonnes leçons de ce regret, Sadie n'en a tiré aucun enseignement.

Les leçons à apprendre

Vous avez dressé la liste des leçons apprises de vos regrets. Examinez-la maintenant dans le but de retrouver les leçons potentielles qu'elle détient, c'est-à-dire des leçons importantes que vous pourriez encore en tirer et qui vous seraient profitables, aujourd'hui comme demain, si vous parveniez à les reconnaître et à les intégrer. N'hésitez pas à les regrouper, au besoin. Ce sont des leçons qui nous apparaissent au fil du temps et parfois même longtemps après la fin des événements – un peu comme nos conclusions tirées après avoir examiné divers facteurs, concepts et principes.

Voici une liste d'exemples qui vous aideront sans doute à bien saisir ce concept. Inspirez-vous-en et dressez votre liste de leçons potentielles pour chacun de vos regrets :

- ❖ « J'ai appris que la vengeance n'était pas un bon choix. Je n'en ai tiré aucune satisfaction, en fait, je n'ai fait qu'aggraver la situation. »

- ❖ « J'ai appris à ne plus être naïve en affaires. Demander que tout soit confirmé par écrit n'est pas une marque de méfiance. Cela démontre que j'ai le sens des affaires, car il arrive qu'il y ait méprise sur les termes qu'on croyait avoir énoncés clairement. »

- ❖ « On doit consacrer du temps aux gens qu'on aime. C'est ce qui est le plus important. Chaque fois qu'on refuse de partager un moment en leur compagnie, c'est un moment à jamais perdu. »

- ❖ « Si vous attendez que toutes les conditions idéales soient réunies pour passer à l'action, vous ne ferez rien. Parfois, il faut se lancer dans l'aventure même si la situation est loin d'être parfaite. »

- ❖ « J'ai appris à écouter mon intuition. »

❖ « J'ai découvert qu'on ne peut avoir toujours raison, qu'on ne peut toujours gagner et qu'on peut même s'habituer qu'il en soit ainsi. »

❖ « Je sais maintenant que je dois apprendre à me tenir debout pour me défendre dans la vie, car personne ne le fera à ma place. »

❖ « J'ai découvert que ceux qu'on aime peuvent disparaitre soudainement, sans crier gare, et que le mot *toujours* n'existe pas. On doit profiter de leur présence maintenant, à chaque instant, pendant qu'il en est encore temps. »

Nos regrets nous enseignent souvent la sagesse. Ce que les parents offrent à leurs enfants, ce que les amis s'apportent mutuellement, ce sont les fruits de leurs dures épreuves et de leurs douces réussites. Quand nous prenons le temps d'examiner nos regrets pour en extraire toute la sagesse, ils se transforment en de vastes champs d'apprentissage. Mais encore faut-il mettre l'épaule à la roue et faire l'effort voulu pour les découvrir.

2- Identifiez les présents reçus de vos regrets

La découverte des présents reçus se fera en empruntant le même chemin parcouru pour retracer les leçons tirées de vos regrets. En fait, on confond souvent présents et leçons tant ils se ressemblent. Peu importe que vous parveniez à les distinguer ou non, l'essentiel est de les placer dans leur catégorie respective. Certains sont directs – par exemple, savoir tout l'amour que nous portait un être cher, à l'heure de son décès. D'autres sont indirects – par exemple, pleurer la perte d'un emploi qui, finalement, nous incitera à embrasser une nouvelle carrière plus satisfaisante.

Il arrive que nous bénéficiions de certains présents au moment même des événements liés à notre regret et que d'autres se déploient lentement. Ils s'accumulent au fil du temps et sont parfois difficiles à reconnaître. Consultez votre confident et vos amis et demandez-leur de vous aider à déceler vos présents; ils sauront voir les choses avec plus d'objectivité et de recul tout en ayant une vue d'ensemble de la situation et de votre propre évolution, depuis ces événements.

Voici des exemples qui vous aideront à dresser votre liste de présents.

❖ « J'ai réalisé que j'étais doté d'une force intérieure insoupçonnée. »

❖ « J'ai découvert le plaisir d'être aimée. »

❖ « Ce drame m'a fait grandir. J'avais besoin d'évoluer et d'apprendre à assumer mes responsabilités; finalement, il est tout de même sorti quelque chose de bon de ce malheur. »

❖ « J'ai découvert combien je suis courageuse. Je l'ignorais auparavant. »

❖ « Ces événements m'ont appris à aimer, à aimer vraiment. »

❖ « Cela m'a obligé à suivre un traitement de désintoxication et à mettre un terme à ma dépendance aux drogues. »

❖ « J'en suis sorti avec une foi renouvelée et une relation plus riche, plus profonde avec Dieu. »

❖ « J'ai découvert que j'avais quelque chose à offrir aux autres. »

❖ « Cela m'a transformée. Je suis une meilleure personne. J'écoute davantage. Je suis plus compatissante et je juge moins rapidement les gens. »

❖ « Après ce jour, je n'ai plus jamais tenu une personne ou une journée pour acquise. »

❖ « Je savais que je devais me libérer de ma rage. Elle nous détruisait tous, moi et les gens que j'aime. J'ai suivi une thérapie. »

❖ « Cette expérience m'a conduite vers le service aux autres, alors que je ne me préoccupais que de moi auparavant. »

❖ « Aujourd'hui, la vie me passionne. Ce n'était pas le cas avant ces événements. »

Il est important de reconnaître ces présents qui, dans une certaine mesure, compensent pour les pertes inévitables qu'entraînent pareils événements. Certes, ces compensations ne sauront combler le vide laissé par les pertes encourues, mais elles auront jeté un baume sur vos blessures; sachant cela, il vous sera plus facile de vous détacher de vos regrets. La découverte de ces compensations aura un réel impact sur vous parce qu'elles sont intimement liées à la source même de votre regret. Voyons le cas du couple Juan et Lucinda dont les deux jumelles ont quitté le foyer familial pour entrer à l'université. Ce départ leur causa un profond chagrin, mais leurs filles devaient évidemment faire leurs études. Ce deuil était nécessaire et porteur d'un précieux cadeau : offrir des études universitaires à leurs filles. Ce présent compensait la douleur liée à la séparation. Mais d'autres présents les attendaient. Dorénavant, ils pouvaient se consacrer à leurs champs d'intérêt personnels (Lucinda retourna sur le marché du travail), avoir des soirées en tête-à-tête et goûter au calme retrouvé dans la maison. Ils étaient heureux également de voir leurs filles prendre de la maturité. Bien sûr, ce départ marquait le passage du temps – une autre perte inévitable de la vie. Mais si ce couple avait vécu cette perte sans reconnaître les présents et les « compensations » qui s'y rattachent, leur peine aurait été beaucoup plus profonde.

Il en va de même pour l'adulte qui, au mitan de sa vie, voit s'envoler sa jeunesse et reconnaît les présents qui s'offrent à lui comme la compétence et la sagesse. Il peut choisir d'accueillir et de savourer ces compensations ou encore de les rejeter et de les ignorer en se concentrant sur ses pertes plutôt que sur ses gains. En fin de vie, nous devons nous soumettre aux nombreux et pénibles renoncements qui accompagnent ce dernier passage, alors que nos cadeaux, de nature souvent spirituelle, sont parfois bien difficiles à reconnaître et à accepter. Quoi qu'il en soit, refuser la réalité n'est jamais très productif. Accepter ce qui est peut être un jeu d'enfant lorsque la situation nous plaît, mais il en va tout autrement quand les choses ne vont pas selon nos désirs. L'acceptation est une démarche spirituelle et psychologique fondamentale qui nous permet de transcender les événements de la vie. C'est la capacité de créer un état intérieur qui nous permet de faire la paix avec les événements extérieurs de notre vie, qu'ils soient ou non agréables.

Voici une liste d'actions dont le but très précis est de vous aider à planifier votre course au trésor – de vous lancer à la recherche des présents qui se cachent sous vos regrets. Pour chacun de vos regrets, passez en revue les huit catégories figurant sur la liste et décrivez les présents qui vous viennent à l'esprit. Nul besoin de distinguer chaque catégorie, car vos présents et vos « compensations » peuvent s'inscrire dans plus d'une catégorie.

Sixième liste (2) d'actions

LES PRÉSENTS REÇUS AU COURS DE MA VIE

1. *Gens*
2. *Champ d'intérêt*
3. *Occasion*
4. *Réussite*
5. *Présent de nature psychologique*

6. *Présent de nature spirituelle*

7. *Autre présent*

8. *Présent potentiel*

Pour chacun de vos regrets et chacune des catégories, voici les actions à entreprendre :

1. *Gens*

Voyez l'amour qui est entré dans votre vie depuis les événements liés à votre regret. Dressez la liste des personnes concernées – amoureux, nouvelles amitiés ou amitiés de la première heure. Songez aux personnes rencontrées, à celles qui occupent une place importante dans votre vie depuis ces événements. Ces gens vous ont inspiré, conseillé, soutenu pendant cette période difficile ou même depuis toujours. Ils vous ont offert un cadeau précieux, celui d'être aimé et d'avoir quelqu'un à aimer. Qui sont ces personnes? Que vous ont-elles apporté, individuellement?

2. *Champ d'intérêt*

Quels sont vos champs d'intérêt, vos nouvelles passions depuis l'apparition de ce regret? Quand Sandra perdit son enfant unique atteint d'un trouble sanguin fort rare, elle se consacra à la cause : faire connaître cette maladie au grand public et organiser des collectes de fonds pour soutenir la recherche médicale et la découverte d'un traitement. En cours de route, elle aida un grand nombre de personnes et trouva du réconfort auprès des parents qui, comme elle, perdirent un enfant atteint de cette maladie.

3. *Occasion*

Depuis ces événements, quelles ouvertures se sont présentées à vous sous forme d'emplois ou de services aux autres? Si vous avez été condamné à purger votre sentence au sein de la communauté, peut-être avez-vous découvert la joie du bénévolat ou le bonheur d'œuvrer auprès des plus démunis.

4. *Réussite*

Avez-vous été obligé de faire certaines actions à la suite d'événements liés à votre regret? Si oui, quelles sont les réussites, petites et grandes, qui en découlent? Un jour qu'Edwin était à jouer dans la cour de son école, au primaire, un homme pris de démence menaça de faire sauter une bombe dans le terrain de jeux où il se trouvait avec d'autres élèves. Son professeur discuta calmement avec cet homme, cherchant à l'attirer loin du terrain de jeux tout en disant aux enfants de retourner en classe. Mais l'homme s'impatienta et fit sauter la bombe. Le professeur fut tué sur le coup de même que deux élèves qui s'étaient réfugiés derrière lui. Edwin eut la vie sauve, mais perdit une partie de sa jambe sous l'effet de l'explosion. Il dut subir l'amputation de cette jambe au-dessus du genou. Lorsqu'il entra au secondaire muni de sa prothèse, Edwin s'intéressa à la mécanique des membres artificiels, cherchant à découvrir comment construire une jambe et un genou pour obtenir un meilleur ajustement et une meilleure performance. Il poursuivit cette recherche tout au long de ses études jusqu'à l'université et finit par mener une brillante carrière, concevant des genoux artificiels innovateurs et venant en aide à des milliers de personnes amputées tout comme lui.

5. *Présent de nature psychologique*

Après avoir relevé les défis découlant des événements liés à votre regret, qu'avez-vous acquis sur le plan psychologique? Avez-vous remporté des victoires sur vous-même ou par rapport à l'adversité? Si oui, en quoi ces réussites vous ont-elles changé? Avez-vous maintenant la capacité de partager votre expérience avec des gens ayant vécu une situation similaire? Dressez la liste des qualités acquises en raison de ce regret, comme la confiance en vous, l'auto-discipline, la capacité à assumer vos responsabilités.

6. *Présent de nature spirituelle*

En quoi ce regret vous a-t-il enrichi sur le plan spirituel? Avez-vous acquis une plus grande foi, une plus grande tolérance et une plus grande compassion envers les autres? Avez-vous découvert que la recherche de la richesse et des biens matériels au détriment de vos relations amoureuses et de vos principes moraux ne valait pas le coup? Peut-être avez-vous développé la confiance en l'autre, le désir de servir l'humanité ou la reconnaissance d'une puissance plus grande que vous. Peut-être avez-vous appris à aimer et à être aimé.

7. *Autre présent*

Il est possible que certains présents reçus ne s'inscrivent dans aucune de ces catégories. Prenez le temps de les noter maintenant.

8. *Présent potentiel*

Voyez quels sont les présents potentiels que vous pourriez recevoir, mais que vous n'avez pas encore reconnus comme tels ou qui sont demeurés inutilisés. Demandez à votre confident et à vos amis de vous aider à déceler ces cadeaux cachés. Plus vos présents seront nombreux, plus vos regrets auront une valeur à vos yeux et plus il vous sera facile de les accepter et d'y trouver un sens. Quels sont les présents qu'il vous reste à découvrir? Voyez si ces événements ont fait de vous une personne plus forte, plus honnête et plus reconnaissante. Avez-vous appris l'humilité, la patience ou la constance en raison de ce regret? En quoi ce regret peut-il vous inciter à être plus aimant et plus engagé à vivre pleinement une existence plus satisfaisante? Comment y puiser une plus grande foi en une force suprême?

Revoyez maintenant la liste des catégories ayant servi à décrire les présents tirés de vos regrets. Cette fois, partez à la découverte des présents *potentiels* – ceux qu'il vous reste à découvrir si seulement vous acceptez de les reconnaître ou de les conquérir. Pour y parvenir, posez-vous la question suivante : « Quels autres enseignements puis-je encore tirer de mes regrets afin d'enrichir mon expérience? »

3- Utilisez vos leçons et vos présents pour votre propre bénéfice

Maintenant que vous avez déterminé les leçons et les présents reçus lors des événements liés à vos regrets, vous êtes en mesure de les utiliser pour votre propre bénéfice. En fait, vos regrets perdent de leur emprise quand ils vous sont utiles, à vous ou aux autres. S'il est vrai qu'ils vous ont dépouillé de quelque chose de précieux, ils vous ont également enrichi sur d'autres plans. Cet échange ne vous semble peut-être pas équitable et vous avez sans doute raison. La mort d'un enfant est trop chèrement payée, peu importe le présent ou la leçon qu'on en tire. Et pourtant, même les événements les plus dommageables sont porteurs d'enseignements profonds et puissants; savoir les déceler et en faire bon usage fait partie intégrante de ce passage vers une vie meilleure et le lâcher-prise des regrets.

Tout en réfléchissant aux mille et une façons de faire bon usage des leçons et des présents que vous avez reçus, inspirez-vous des exemples qui suivent :

❖ Regrettant amèrement d'avoir raté les moments importants de la vie de son fils aîné, Pepe a refusé une promotion qui l'aurait confiné à un emploi toujours plus exigeant. Il a plutôt opté pour un poste de niveau inférieur, moins rémunéré et demandant peu de déplacements – afin de passer plus de temps en compagnie de ses deux jeunes fils. Ses regrets ont incité Pepe à consacrer plus de temps aux choses qu'il priorise, à réévaluer l'importance de sa carrière et à modifier ses objectifs de vie.

❖ Après avoir déclaré faillite en raison de leurs dettes accumulées sur cartes de crédit, Ling et son conjoint ont appris à se serrer la ceinture, à reconnaître l'importance de se faire un budget, de s'y tenir et d'épargner. Ils ont appris à moins dépenser et à vivre selon leurs moyens et, de ce fait, à se construire une sécurité financière à long terme.

❖ Ayant subi une crise cardiaque, Jake a revu ses priorités de vie. « C'est la meilleure chose qui me soit arrivée, dit-il. Je ne vois plus la vie de la même manière et j'ai agi en conséquence, en modifiant du tout au tout mon mode de vie et mes priorités. »

Nos regrets peuvent nous enseigner à :

❖ Écouter notre intuition.

❖ Goûter chaque moment partagé avec ceux que nous aimons.

❖ Reconnaître que les biens de ce monde nous procurent un bonheur limité ou une satisfaction superficielle et éphémère.

❖ Dire « je t'aime » aux êtres chers.

❖ Faire amende honorable lorsque nécessaire.

❖ Acquérir l'autodiscipline.

❖ Dire la vérité.

Pour chacun de vos regrets, déterminez les leçons et les présents reçus. Dans votre journal, précisez :

❖ De quelle manière vous les utilisez pour votre propre bénéfice.

❖ D'autres façons possibles de les utiliser pour votre propre bénéfice.

4- Utilisez vos leçons et vos présents au service des autres

Vos leçons et présents peuvent également être mis au service de la collectivité. Ce faisant, vous multipliez d'autant vos propres bénéfices tout en allégeant le fardeau découlant de ce regret. Dès lors, ils ne sont plus uniquement source de douleur, mais également d'une sagesse que vous pourrez partager avec d'autres. Un jour, on demanda à un homme pourquoi tant de souffrance en ce monde? Ce à quoi il répondit : « Sans cette souffrance, les humains n'auraient nullement besoin les uns des autres. Vous n'auriez aucune raison d'aider votre prochain et il n'aurait jamais l'occasion de vous tendre une main secourable. »

Grâce aux leçons tirées des événements liés à vos regrets, vous pouvez aider les autres en partageant vos connaissances et votre expérience. Lorsque vous avez souffert autant qu'eux, vous pouvez leur apporter votre soutien, sur le plan émotif et spirituel, et les aider à trouver de l'espoir, du courage et des réponses à leurs questions. À leurs yeux, vos leçons apprises serviront d'exemple, vos présents seront une inspiration, votre lâcher-prise sera un modèle à suivre. Quels que soient vos présents et vos leçons, il y a quelqu'un quelque part avec qui les partager. Vos regrets peuvent être d'un grand secours à une personne, à un inconnu.

Aider l'autre, c'est également s'aider soi-même. L'entraide n'a pas son pareil pour vous sortir de l'apitoiement, de vos remords et de vos regrets. Quelqu'un a besoin de vous, cette personne vous apprécie et pourra bénéficier de votre savoir. Elle vous servira d'aide-mémoire, vous rappelant d'être reconnaissant pour tout ce que vous avez reçu. Le service aux autres vous ouvre les yeux, vous fait voir les bienfaits de la vie et surtout de quelle manière vous avez été personnellement choyé.

Afin de compléter cette sixième étape, décrivez dans votre journal les points suivants pour chacun de vos regrets :

* ❖ De quelle manière utilisez-vous les leçons et présents reçus pour en faire bénéficier votre entourage?
* ❖ De quelles autres façons pourriez-vous les mettre au service d'autrui?

UTILISEZ LES OUTILS SPIRITUELS ET PSYCHOLOGIQUES

Si vous éprouvez des difficultés à identifier vos leçons et présents ou encore à découvrir comment les utiliser pour votre propre bénéfice ou celui des autres, n'hésitez pas à avoir recours aux outils spirituels et psychologiques pour vous inspirer et vous guider. Par exemple, priez et demandez d'avoir la volonté et l'ouverture nécessaire afin de pouvoir reconnaître les leçons et les présents que vous offrent vos regrets. Demandez à l'Être suprême de vous aider à les identifier et à faire preuve de créativité pour les utiliser à bon escient, pour vous et les autres. Priez et demandez d'avoir le courage d'accepter les éléments positifs qui émanent de ces événements malheureux liés à votre regret.

Visualisez-vous franchissant cette étape. Voyez-vous en train de trouver les leçons et les présents offerts par vos regrets, d'écrire dans votre journal les résultats de vos découvertes et d'être émerveillé par les enseignements reçus. Imaginez-vous rempli d'enthousiasme et en pleine action : vous mettez ces enseignements en application afin de vous aider et d'aider vos semblables, et ce, d'une manière toute personnelle. Voyez-vous trouvant satisfaction dans ces nouveaux savoirs que vous maîtrisez et que vous partagez avec d'autres – c'est la juste récolte de vos efforts pour vous libérer de vos regrets. Voyez votre confident qui s'avance et vous félicite pour un tel accomplissement. Savourez ce moment de joie en contemplant les connaissances acquises et la richesse de votre récolte.

Ayez recours à l'analyse des pensées afin de réfléchir de façon rationnelle et créative aux multiples moyens d'utiliser les leçons et les présents reçus. Au moment de dresser votre liste, demandez l'aide de votre confident et de vos amis; cherchez ensemble comment faire bon usage de ces nouveaux acquis, pour votre propre bénéfice et celui des autres. Faites les affirmations suivantes : « Je fais bon usage des leçons et des présents reçus grâce à mes regrets, j'accepte avec reconnaissance mes leçons et mes présents et je vois qu'il y a des éléments positifs issus de mes regrets. »

Vous avez franchi cette sixième étape et découvert un tout nouvel aspect de vos regrets : les leçons et les présents qui s'y cachaient. Même si à vos yeux le prix payé semble trop élevé, vos leçons et vos présents demeurent précieux et fort importants. Dorénavant, vos regrets ne sont plus que pure perte. Qui plus est, vous regardez maintenant les événements liés à votre regret en ayant un point de vue plus équilibré et plus réaliste, ce qui vous prépare à bien entamer la septième étape qui consiste à développer votre compassion.

Chapitre 10

ÉTAPE 7 :
DÉVELOPPEZ VOTRE COMPASSION

Au cours de la septième étape, vous passerez en revue le rôle que vous avez joué pour construire ce regret. Mais cette fois, vous le ferez en empruntant le point de vue du passé et non celui du présent. Avec le recul, vous pourrez facilement repérer vos erreurs, mais cela ne signifie en rien que vous auriez pu agir autrement à l'époque, dans les circonstances. Peut-être avez-vous agi autant que vous sachiez.

L'objectif, ici, est de vous aider à développer de la compassion pour la façon dont vous avez réagi à l'époque et créé ce regret dans votre vie. C'est pourquoi cette étape peut vous sembler moins pertinente au regard d'un regret que *vous* avez subi et d'une situation qui vous fut imposée bien malgré vous. Mais il faut reconnaître, tout de même, que vous avez joué un rôle dans tout regret que vous continuez à porter et à alimenter. En fait, ce regret vous appartient, vous en êtes responsable depuis l'instant où vous l'avez créé. Ce que vous en faites et dans quelle mesure vous laissez ce regret vous blesser est votre entière responsabilité. Par conséquent, la compassion est essentielle pour la guérison de tout regret, quelle qu'en soit la cause.

FRANCHIR LA SEPTIÈME ÉTAPE

Si vous vous jetez la pierre et jugez sévèrement vos erreurs liées à votre regret, c'est que vous regardez les choses en fonction du présent. Mais le contexte d'aujourd'hui est bien différent de celui d'hier. *Vous* êtes sans doute bien différent de celui que vous étiez au moment des événements. Au cours de la septième étape, vous serez appelé à vous poser la question suivante : « À cette époque, étais-je en mesure d'agir différemment par rapport aux événements liés à ce regret, si je tiens compte de la personne que j'étais alors et des circonstances existantes? » Peu importe combien votre réaction fut inefficace, inappropriée ou dommageable, n'avez-vous pas réagi autant que vous sachiez et à la hauteur de votre capacité?

Cette ligne de pensée est délicate et risquée, on doit l'approcher avec doigté. Si vous n'aviez pas franchi les six étapes précédentes, vous pourriez détourner l'objectif et utiliser cette étape pour justifier vos actions et rejeter toute responsabilité. Mais ce danger est éloigné puisque vous avez complété ces six étapes; ainsi, vous pourrez assumer pleinement votre rôle dans la création et le maintien de vos regrets tout en acceptant que, à l'époque, vous ne pouviez agir autrement dans les circonstances. En fait, le geste que vous avez fait – quel qu'il soit – était réellement votre seule solution. Vous ne pouviez faire mieux même si votre décision d'alors semble la plus inappropriée. Sans quoi vous auriez agi autrement. Cette prise de conscience ne doit pas vous amener à conclure que vous n'êtes pas responsable de vos actes, mais elle doit vous aider à développer de la compassion pour ce que vous avez fait ou omis de faire à l'époque.

En quoi cette pensée peut-elle vous être utile pour la guérison de vos regrets? N'est-ce pas une façon un peu trop commode de vous en laver les mains? Ce ne sera pas le cas si vous maintenez l'entière responsabilité de vos actes. Au cours des étapes précédentes, vous avez accepté d'assumer vos responsabilités, de faire amende honorable et de réparer vos erreurs. Il n'est donc pas question ici de nier ou de minimiser vos actes et leurs conséquences malheureuses. Cette étape est une invitation à accepter le fait que ce que vous avez fait, à l'époque, est la seule et unique chose que vous pouviez faire dans les circonstances.

De toute évidence, ces gestes faits et que vous regrettez ne sont pas représentatifs de celui que vous êtes essentiellement. Vous avez peut-être agi ainsi parce que vous étiez sous l'effet de la drogue ou de l'alcool, peut-être étiez-vous fortement ébranlé sur le plan émotif ou psychologique? C'était le mieux que vous poussiez faire, aussi regrettables qu'aient pu être vos agissements. C'est précisément ce que vous devez accepter. Vous ne pouviez faire mieux tout en étant qui vous étiez à l'époque. En reconnaissant cette vérité, vous éprouverez un début de compassion pour les luttes que vous avez menées, les problèmes éprouvés et les erreurs commises, vous comprendrez comment s'est construit ce regret. Comme tout être humain, vous avez bafoué vos idéaux et ceux d'autrui, peut-être même avez-vous eu des comportements inacceptables? Mais vous ne pouviez faire mieux.

Le jour où Joanne a trahi sa meilleure amie pour faire une percée dans sa carrière, elle a justifié son comportement en rationalisant sa décision. Elle occupait un poste de chercheuse scientifique dans une petite compagnie pharmaceutique lorsqu'elle vola un concept développé par son amie; elle demanda et obtint le brevet pour cette idée, ce qui lui amena célébrité et fortune. Elle jouissait de toute cette richesse et du respect de ses collègues tout en développant une culpabilité grandissante – et un grand vide intérieur. Assoiffée de succès, elle répondait aux exigences envahissantes d'une carrière qui la confinait à l'isolement et à l'absence de relations significatives. De plus en plus seule et malheureuse, Joanne se souvenait avec nostalgie de ses anciennes amies, du bon temps passé en leur compagnie et du bonheur qu'elle en éprouvait. Et en tête de liste figurait cette amie qu'elle avait trahie. Elle rêvait de renouer avec elle et de réparer ses erreurs, mais c'était impossible. Son amie était décédée.

Cherchant désespérément à comprendre pourquoi elle avait agi ainsi, Joanne se remémora la personne qu'elle était à l'époque de cette trahison. Elle ne cherchait pas à excuser ou à minimiser son geste, mais elle voulait comprendre ce qui l'avait poussée à commettre un geste qui lui semblait si répréhensible aujourd'hui. Elle se rappelait avoir grandi au sein d'une famille pauvre; vivant une grande insécurité matérielle, elle avait ce désir ardent de devenir riche, célèbre et de remplir ce grand vide intérieur qui l'habitait. Elle se souvenait de son père qui lui répétait sans cesse combien elle était stupide de faire des études supérieures, car jamais au grand jamais elle ne pourrait faire carrière dans le monde médical, réservé aux hommes. Elle se rappelait avec quelle ardeur elle était décidée à lui prouver le contraire, à réussir sa carrière et à faire beaucoup d'argent pour l'impressionner et obtenir son approbation. Elle se souvenait aussi qu'elle était fort égoïste et avait tendance à utiliser ses amis pour « mousser » sa carrière.

Ces souvenirs ont permis à Joanne d'éprouver un début de compassion envers elle-même. En faisant ce retour dans le passé afin de voir qui elle était et quelles étaient les circonstances de sa vie, elle comprenait mieux les raisons de son geste. Cela n'excusait en rien la trahison de son amie et ne minimisait pas le mal qu'elle avait fait, mais Joanne comprenait pourquoi elle avait succombé à cette terrible tentation. Elle ne se voyait pas comme une victime. Elle avait toujours eu le pouvoir de faire ou non des choix éthiques; mais elle éprouvait une certaine tristesse pour cette jeune femme qu'elle fut, à la fois désespérée et cherchant à combler un grand vide intérieur. C'est ce qui lui permit de comprendre ses choix malheureux faits par le passé. Elle ne se percevait pas comme un monstre, mais comme une jeune femme très démunie ayant commis une faute terrible et avec laquelle elle avait tenté de composer. Joanne décida qu'elle n'aurait pu faire mieux à l'époque. Tragique, mais vrai. Trop meurtrie, elle fut incapable de faire le bon choix. Elle en souffre énormément depuis.

Lorsque vous songez à vos regrets, il est possible que cette approche vous semble trop compatissante, trop facile, on excuse un comportement inacceptable et puis voilà, tout est pardonné! Ce serait sans doute le cas si vous n'aviez pas franchi patiemment les six étapes précédentes. Mais ce faisant, vous avez démontré votre volonté d'assumer vos actes et de faire amende honorable. Vous avez pris votre courage à deux mains et assumé vos responsabilités. *C'est précisément parce que vous avez fait cette démarche* que vous avez sur vos regrets une vue d'ensemble plus inclusive, moins limitative qu'auparavant.

À l'instar de Joanne, vous auriez mieux agi si vous en aviez eu les moyens. Le fait qu'il en soit autrement indique bien que vous étiez trop démuni ou à la merci d'un trop grand stress pour faire un meilleur choix; vous avez fait face à un défi sans y être préparé. En d'autres mots, vous avez eu une faiblesse, vous avez été humain – et vous avez payé le prix de votre humanité. En reconnaissant et en acceptant cette personne que vous étiez, en éprouvant de la compréhension et de la compassion envers celui que *vous étiez alors*, il vous sera plus facile de vous accepter tel que *vous êtes maintenant*. En faisant amende honorable, vous avez modifié votre comportement. Vous n'êtes plus cette personne que vous étiez au moment des événements.

La septième étape n'est pas celle du pardon. Elle consiste plutôt à développer de la compassion pour cet être imparfait que vous êtes – comme tous les humains –, pour vous qui cherchiez à relever les défis et à profiter des occasions que vous offrait la vie, pour vous qui n'avez pas toujours été à la hauteur de vos aspirations. Vous devez éveiller un sentiment d'empathie, de sympathie pour celui que vous étiez alors, même si les événements ont eu lieu il y a un mois à peine.

Au cours de cette étape, vous serez appelé à réévaluer votre performance au moment des événements liés à votre regret. Il vous faudra reconnaître votre faiblesse et accepter que vous ne puissiez la surmonter compte tenu du peu de ressources dont vous disposiez sur le plan affectif ou autre. À la lumière des faits, essayez de ne plus vous jeter le blâme. Cherchez plutôt à vous accepter tel que vous étiez à l'époque et de reconnaître que vous avez réellement fait de votre mieux dans les circonstances. Quand vous aurez cessé de vous blâmer et que vous aurez accepté la situation, vous serez libéré de votre regret et vous trouverez la voie de la compassion.

En développant un sentiment de compassion envers vous-même, vous préparez le terrain pour entreprendre la huitième étape, vers le pardon de l'autre, et la neuvième étape, vers le pardon de vous. Le jour où vous admettrez avec compassion avoir fait de votre mieux dans les circonstances, une nouvelle possibilité s'offrira à vous. Les personnes qui vous ont blessé ont peut-être fait de leur mieux, elles aussi. Elles sont peut-être comme vous : aux prises avec une foule de problèmes et d'expériences qui les empêchent d'offrir leur soutien ou même d'avoir un comportement acceptable. Elles sont peut-être sur le même bateau. Et si nous étions tous sur le même bateau? Cette prise de conscience peut apporter un certain soulagement et un sentiment de liberté. Cela ne signifie pas que les gens qui vous ont blessé ne sont pas responsables de leurs actes; cela signifie simplement que vous pouvez éprouver de la compassion envers elles et envers vous-même.

Voici la liste d'actions de cette septième étape.

Septième liste d'actions

DÉVELOPPEZ VOTRE COMPASSION

1. *Limites de vos capacités au moment de vivre les événements liés au regret*
2. *Ce que vous avez fait de bien*
3. *Mise en application des outils psychologiques et spirituels*

Appliquez ces trois actions à chacun de vos regrets au moment de franchir la septième étape.

1. Limites de vos capacités au moment de vivre les événements liés au regret

Au moment d'entreprendre ces trois actions, prenez soin de vous rappeler qui vous étiez lors des événements liés à votre regret et les circonstances existantes. Faites-en la description dans votre journal. Notez tout problème d'ordre physique ou émotif ayant pu influencer les décisions prises alors et que vous regrettez aujourd'hui. Décrivez la peur, la honte, la culpabilité, la colère, les ennuis financiers ou tout autre facteur déterminant. Demandez-vous s'il était possible pour vous de faire mieux, à la lumière des événements et des circonstances ainsi que de votre état psychologique et spirituel. La question n'est pas : « Aurais-je *dû* faire mieux? », mais bien : « Aurais-je *pu* faire mieux? ». Soyez réaliste, qu'auriez-vous pu faire différemment? Si vous évaluez la situation en toute honnêteté, vous découvrirez qu'il vous aurait été fort difficile, sinon impossible, de faire autrement.

Si les événements entourant votre regret sont accidentels, vous trouverez plus facilement la voie de la compassion que si votre geste fut intentionnel. Vous avez peut-être eu un moment d'inattention, mais, en réalité, des accidents se produisent à tout moment – et ils sont parfois très graves. Si votre regret repose sur un geste non intentionnel, mais que vous continuez à vous en blâmer, vous devez chercher à comprendre pourquoi. Se pourrait-il qu'un mode de pensée toxique en soit la cause? Mais si le pardon est en cause, sachez que nous aborderons le sujet aux étapes huit et neuf. Pour l'instant, utilisez les outils spirituels et psychologiques pour vous aider à franchir cette étape.

2. Ce que vous avez fait de bien

Quand un regret nous tenaille, nous oublions parfois de reconnaître ce que nous avons fait de bien, en particulier les gestes faits pour en atténuer les fâcheuses conséquences. Songez à l'un ou plusieurs de vos regrets. Avez-vous tenté d'intervenir pour empêcher que les choses ne s'enveniment ou pour en corriger les effets néfastes? Même si la situation était terrible, vous auriez pu faire pire encore – mais vous vous êtes abstenu. En refusant de voir ce que vous avez fait de bien, vous niez les gestes positifs que vous avez faits et minez vos chances d'éprouver de la compassion envers vous-même. Vous ne cherchez pas à chanter vos louanges lorsque vous examinez vos regrets dans le but de découvrir vos gestes positifs, mais à reconnaître vos bons et mauvais coups en toute franchise, à vous en accorder le crédit qui vous revient de bon droit.

Ken fut un père absent, un bourreau de travail désireux de réussir à tout prix. Il n'avait que très peu de temps à consacrer à ses enfants, en particulier à ses deux jeunes fils. Avec le recul, son plus grand regret est d'avoir été absent de leurs vies et de ressentir cette distance qui les sépare lorsqu'ils sont ensemble, aujourd'hui. Ses deux fils respectent leur père, mais n'ont jamais eu de lien étroit avec lui. Rien à voir avec leurs sœurs qui sont aussi avides que leur père à passer du temps ensemble. Cherchant à faire la paix avec ce regret, Ken s'est mis en quête de déterminer ce qu'il avait fait de bien dans sa relation avec ses deux fils.

Ken avait toujours justifié ses absences par sa volonté d'offrir à ses enfants une qualité de vie exceptionnelle. Aujourd'hui, il admet que ce n'était qu'une excuse. En fait, il s'intéressait moins à sa relation avec ses enfants qu'à son travail, à la réussite dans son champ d'expertise et aux énormes bonis qui l'attendaient. Il le regrettait maintenant et prenait conscience que l'argent ne lui achèterait jamais le privilège de faire partie intégrante de la vie de ses enfants. Mais il devait reconnaître que l'argent avait permis à ses enfants de fréquenter les meilleures écoles, de visiter des endroits merveilleux pendant les vacances en famille et de jouir d'une foule d'avantages sur le plan matériel. En voulant trouver les gestes positifs qu'il avait faits envers ses enfants, Ken en prit note. Il avait tenté de passer le plus de temps possible en leur compagnie. C'était bien peu, mais il avait tout de même sacrifié certains aspects de son travail dans ce but. Il avait tenté de leur enseigner l'honnêteté et jamais il n'avait eu l'intention de les blesser. Il les avait aimés de son mieux à l'époque. Ken ajouta ces éléments à sa liste d'actions après avoir cherché à relever les bons gestes faits envers ses fils, lors d'une démarche de guérison de ce profond regret.

Pour chacun de vos regrets, inscrivez dans votre journal :

❖ Les gestes que vous avez faits afin d'amenuiser les effets négatifs des événements.

❖ Les gestes que vous avez faits pour éviter d'envenimer les choses.

3. Mise en application des outils psychologiques et spirituels

Vous avez du mal à éprouver de la compassion envers vous-même et les gestes faits au cours des événements entourant votre regret? Ayez recours à la prière, à la visualisation créative, aux affirmations, au partage et à l'écriture dans votre journal personnel pour vous aider à franchir cette étape. Par exemple, demandez dans vos prières qu'on vous accorde la compassion envers vous-même. Priez et demandez de vous souvenir du passé sous toutes réserves. Priez et demandez de comprendre les circonstances et les motifs de votre comportement, de saisir pourquoi vous ne pouviez agir autrement – alors que vous étiez une tout autre personne à l'époque. Demandez à l'Être suprême de vous donner la force d'évaluer votre situation telle qu'elle était réellement, en toute honnêteté.

Par le truchement de la visualisation créative, rappelez-vous qui vous étiez à l'époque – peut-être étiez-vous démuni ou au cœur d'une détresse émotionnelle? Visualisez-vous tel que vous êtes aujourd'hui et tendant une main secourable à celui que vous étiez alors. Voyez-vous acceptant cette main tendue et vous étreignant. Dans cette étreinte, sentez la condamnation quitter votre corps, mais reconnaissez la tristesse et la douleur émanant de cette période trouble. Ayez de la sympathie et de la compassion pour celui que vous étiez alors. Sentez la joie de renouer avec vous-même, la joie de laisser tomber la colère et le blâme et de reconnaître les luttes que vous avez menées, la joie de vous accepter avec amour tel que vous étiez et d'éprouver de la gratitude pour celui que vous êtes maintenant.

Dans votre journal, dites combien il fut difficile d'éprouver de la compassion pour vous-même, racontez votre refus de voir toutes circonstances atténuantes entourant vos actions passées. Décrivez votre peur de faire face à celui que vous étiez, dites à quel point il est difficile de cesser de vous jeter le blâme, énumérez les espoirs qui vous habitent en franchissant cette étape et décrivez le sentiment de liberté que vous auriez si vous pouviez accepter le fait que vous avez fait de votre mieux dans les circonstances.

Répétez les affirmations suivantes : « J'ai de la compassion envers moi-même, j'ai fait de mon mieux au moment des événements, j'éprouve de la sympathie et de l'amour envers moi-même, je suis fier de la personne que je deviens. »

Avec votre confident, fouillez votre passé afin de découvrir les pistes vous indiquant que vous avez fait de votre mieux dans les circonstances et que vous méritez votre compassion.

Certains jours, vous éprouverez plus de compassion envers vous-même qu'en d'autres moments. Mais au fil du temps, essayez d'installer une compassion solide, généreuse et stable envers vous-même, une compassion qui vous permet de reconnaître, d'apprécier et même d'honorer les difficultés, les luttes et les faiblesses de caractère qui vous ont incité à faire les gestes que vous regrettez aujourd'hui. La compassion vous permet de comprendre votre comportement répréhensible dans le contexte et les circonstances de votre passé.

Vous n'êtes plus celui que vous étiez *à l'époque*. Le passé appartient au passé. Vous ne pouvez changer les événements qui se sont produits, mais *vous*, vous pouvez changer. En fait, vous *avez* changé. En ce moment même, vous changez alors que vous franchissez ces étapes dans le but de vos libérer de vos regrets. Il est temps de regarder le passé et d'y voir une période antérieure de votre vie pendant laquelle vous avez affronté des problèmes d'une ampleur dépassant vos capacités à les gérer. Le temps est venu de clore ce chapitre de votre vie et d'aller de l'avant.

Vous avez fait de votre mieux. Vous auriez pu envenimer les choses. Vous ne l'avez pas fait. Soyez reconnaissant qu'il en soit ainsi, accordez-vous le crédit pour ce que vous avez fait de bien en cette période trouble de votre vie.

Prenez une respiration profonde. Inspirez, inspirez de la sympathie et de la compassion pour celui que vous étiez alors. Expirez, expirez et laissez aller le blâme et la condamnation. Respirez profondément. Inspirez, inspirez de l'acceptation et de la gratitude. Expirez, expirez et laissez aller vos ressentiments et votre désapprobation. Respirez à nouveau profondément. Inspirez, inspirez de l'amour pour celui que vous êtes maintenant. Expirez, expirez et laissez aller votre colère contre celui que vous ne pouviez être à l'époque.

Maintenant, si vous le pouvez, allez marcher au grand air. Prenez le temps d'observer les fleurs et les arbres. Voyez combien chaque arbre est différent, même ceux d'une même famille. Voyez combien chacun fut modelé différemment par les éléments, certains portent des cicatrices, d'autres sont courbés ou encore troués dans leur chair après avoir perdu un membre. Voyez combien chaque arbre, malgré ses imperfections, jette de l'ombre sur la route et ajoute à la beauté du paysage. Voyez combien chaque arbre est, à sa manière, parfait malgré ses imperfections. Vous êtes à l'image de ces arbres modelés par les forces de la vie, portant les cicatrices du temps, mais offrant votre beauté – même imparfaite.

Ayant acquis une plus grande compassion au cours de la septième étape, vous êtes sur le point d'entreprendre la huitième étape qui vous invite à pardonner à ceux qui vous ont blessé dans le contexte de votre regret. Cette huitième étape vous permettra d'ouvrir la porte menant à votre libération. Au cours de la neuvième étape, vous franchirez cette porte et découvrirez le pardon personnel.

Chapitre *11*

ÉTAPE 8 :
PARDONNEZ AUX AUTRES

*E*n franchissant la septième étape, vous avez atteint le parvis de votre libération. Vous voici devant une porte qui s'ouvre sur un monde libre de tout regret. Il vous suffit d'en franchir le seuil.

Sur cette porte, il y a un écriteau sur lequel brille un seul mot : *pardonner.*

Au cours de cette huitième étape, il vous sera demandé d'ouvrir cette porte et de pardonner aux personnes qui vous ont blessé. La neuvième étape vous amènera à faire un pas de plus, celui du pardon de vous-même.

Pardonner aux gens qui vous ont blessé est l'objectif de cette huitième étape qui s'avère essentielle, si vous désirez vous libérer de vos regrets. L'absence de pardon est l'ultime chaîne qui vous garde prisonnier de vos regrets, de votre passé et de votre douleur.

LA DÉFINITION DU PARDON

Que signifie pardonner? Le véritable sens du pardon est souvent méconnu. Influencés par les croyances populaires, nous restons souvent cantonnés dans notre refus de pardonner en raison d'une conception erronée. Le pardon est un processus qui nous permet de faire la paix avec nos regrets sur le plan intellectuel, émotif et spirituel; ce faisant, nous les neutralisons, ils n'exercent plus aucun pouvoir sur notre vie. Pardonner, c'est nous départir de toute forme de ressentiment, blâme, culpabilité, honte, colère ou tristesse issus de nos regrets. Départis de tout pouvoir, nos regrets et les événements du passé n'ont plus aucun impact sur notre vie d'aujourd'hui.

Pardonner, ce n'est ni un événement ni un produit dérivé; c'est un choix délibéré. Ce n'est pas un acte causal ni un énoncé superficiel lancé sans réfléchir; c'est le résultat d'une décision intellectuelle et spirituelle en résonance avec nos émotions.

On ne peut pardonner sous la contrainte. Le pardon est un geste d'entière liberté, sans quoi il ne peut exister. C'est un acte de générosité et, comme c'est souvent le cas en pareilles circonstances, nous sommes les premiers à en bénéficier. *Le pardon est un geste que nous faisons d'abord et avant tout pour nous. Non pour les autres.* Nous le faisons pour notre propre bonheur, mais, en général, les gens pensent que nous devons pardonner pour le bien d'autrui. En fait, il est possible que notre pardon ait bien peu d'effet sur l'autre et cela importe peu. Ce qui importe, c'est l'impact qu'il aura sur nous et sur notre vie.

Le pardon est un paradoxe qui, à ce titre, semble dépourvu de toute logique. Si c'est l'autre qui obtient mon pardon, en quoi le fait de pardonner peut-il m'être bénéfique? N'est-ce pas l'autre qui en profite? Et pourquoi diable devrions-nous pardonner à celui qui nous a blessés et qui refuse de s'excuser ou même de s'amender? Comment pardonner « l'impardonnable »? La réponse à toutes ces questions demeure la même : nous pardonnons parce que c'est l'unique moyen de nous libérer – nous libérer de notre colère, de notre souffrance, de cette personne ou des événements qui nous ont heurtés. Nous le faisons pour les désamorcer, leur enlever tout pouvoir de nous blesser encore et encore. Voilà pourquoi, essentiellement, nous pardonnons.

La pratique du pardon nous permet de nous assouplir. Avec le temps, nous pardonnons plus facilement. Le pardon est aussi un engagement. Une personne aux prises avec de lourds regrets aura sans doute du mal à pardonner complètement, lors d'un premier essai. Mais grâce à des efforts répétés et soutenus, elle parviendra à maintenir son pardon pendant des périodes de plus en plus longues jusqu'au jour où elle accordera un pardon total et définitif. C'est ainsi que nous apprenons, par la pratique, à maîtriser l'art de pardonner.

LES BIENFAITS DU PARDON

Le pardon est nettement plus avantageux que le refus de pardonner. Rien de comparable, en fait. Pardonner est un geste audacieux, entreprenant. Ni faible ni passif, c'est un acte de courage et de pouvoir. Seuls les forts et les braves sont capables d'un véritable pardon. Pardonner est parmi les actes les plus libérateurs du genre humain parce qu'il émerge de l'amour. Il nous libère de souvenirs malheureux, d'événements troublants, de gens hostiles et de regrets amers de notre vie. Le pardon est une source infinie de bienfaits dont voici un aperçu.

Le pardon améliore la santé

Outre ses bienfaits de nature psychologique et spirituelle, le pardon améliore également la santé générale; selon une recherche médicale, on note chez ces gens une diminution du rythme cardiaque et de la tension artérielle ainsi que le sentiment de mieux contrôler leur vie. Ils souffrent moins de colère, de stress et de dépression tout en éprouvant une plus grande vitalité et un meilleur optimisme. Il est démontré que la rage, la peur, l'amertume et le ressentiment sont les fidèles compagnons du refus de pardonner, provoquant une élévation du taux de cortisol aussi connue comme étant l'hormone de la fuite ou du combat. Au fil du temps, un taux élevé de cortisol peut être à l'origine de problèmes cardiaques, d'ulcères, de colites ou de troubles du système immunitaire.

Le pardon nous libère de celui qui nous a blessés

Refuser de pardonner, c'est donner le contrôle de notre vie émotive à celui qui nous a blessés au départ. Ce faisant, nous lui donnons le pouvoir de nous heurter à nouveau, mais avec notre permission, cette fois. Nous ne sommes plus uniquement des victimes; nous sommes devenus nos propres bourreaux. En pardonnant, nous coupons tout lien émotif et psychologique avec les personnes et les événements qui sont la source de notre souffrance. Ils perdent ainsi tout pouvoir de nous blesser ou de nous influencer, ils n'agissent plus sur nos émotions et notre comportement. Nous sommes à nouveau maîtres de nos pensées et de notre énergie, nous pouvons dorénavant les mettre au service de nos objectifs pour mener une vie heureuse et productive.

Le pardon nous permet d'employer différentes techniques de résolution de conflits dans notre relation avec l'offenseur.

Le pardon nous ouvre la voie à différentes approches et techniques de résolution de conflits en regard de situations existantes et impliquant l'offenseur. Prenons l'exemple de José, plongé dans les affres d'un divorce amer qui n'en finissait plus après des mois de chaudes luttes devant les tribunaux pour trouver un terrain d'entente sur les questions épineuses

179

de la garde des enfants et de la pension alimentaire. Plus le comportement de son ex-conjointe l'irritait, plus il cherchait à la blesser. Il mit au point un plan fort ingénieux qui l'obligeait, toutefois, à utiliser ses enfants pour faire la guerre à son ex. Mais au fil du temps, José réalisa qu'il s'apprêtait à blesser ses enfants pour atteindre leur mère. Quel choc! Il reprit les choses au début afin de trouver une nouvelle approche pour régler ce difficile divorce.

Finalement, José décida qu'il devait d'abord retrouver ses esprits; il voulait faire la paix avec lui-même et les gestes malheureux qu'il avait faits. Pendant ce processus, il tenta de pardonner à son ex-conjointe et de se libérer des regrets émergeant de son divorce. Le jour où il lui pardonna, il se libéra du ressentiment et de son désir de vengeance. José pouvait enfin agir pour le meilleur intérêt de ses enfants et pour lui-même, sans se préoccuper des bienfaits que son attitude pouvait avoir sur son ex-conjointe. Il était libre.

Notre vie reprend son cours

Lorsque nous libérons cette énergie emprisonnée dans la colère et la haine de nos regrets, nous pouvons enfin la mettre au service de nos objectifs de vie, de nos relations interpersonnelles et de notre carrière. Pendant que nous nous consumons dans le ressentiment et le désir de vengeance, les personnes qui nous ont blessés poursuivent leur chemin et leur vie. Leur pardonner est le meilleur moyen de retrouver notre propre énergie et notre pouvoir afin de nous consacrer à mener une vie productive et enrichissante. Avoir une vie satisfaisante, bien remplie et significative, n'est-ce pas la plus belle des « revanches »?

Le compagnon de vie de Natalia lui offrit de l'épouser le jour où il apprit qu'elle était enceinte, mais à une condition. Elle devait consentir à se faire avorter. Comment choisir entre son enfant et son amoureux? Tourmentée, elle finit par acquiescer à contrecœur à sa demande et se fit avorter. Aussitôt fait, il la quitta. Dévastée par la perte de son enfant et la trahison de l'homme qu'elle aimait, Natalia sombra dans une profonde dépression puis dans le blâme et enfin dans la rage. Ce n'est qu'en pardonnant à son ex-amoureux qu'elle put finalement se libérer à son tour de la colère et de la rage. Elle eut une nouvelle relation amoureuse et retrouva sa joie de vivre d'antan et sa compétence professionnelle au travail. Et sa vie reprit son cours.

MYTHES ET FAUSSES CROYANCES : CE QUE LE PARDON N'EST PAS

Pour bien saisir la nature et le processus du pardon, nous devons d'abord clarifier ce qu'il n'est pas. Les mythes populaires à ce sujet ont la vie dure et c'est pourquoi il importe de réviser notre compréhension un peu tordue de ce qu'est le pardon et de ce qu'il implique. Bien des gens refusent de pardonner en raison de ces fausses croyances, dont voici une description sommaire.

Pardonner, c'est oublier le comportement répréhensible de l'offenseur

« Je n'oublierai jamais ce qu'il m'a fait. Jamais je n'oublierai combien il m'a battue », dit Martina. Et elle a bien raison. Elle se souviendra toute sa vie des coups reçus. Mais cela ne veut pas dire qu'elle ne peut pardonner à son ex-mari. Pardonner ne signifie pas oublier. Pardonner, c'est faire la paix avec notre passé – sans toutefois l'oublier – afin de nous consacrer à notre vie présente. Les souvenirs restent gravés dans notre mémoire, mais ils n'ont plus le pouvoir d'éveiller notre douleur. C'est chose du passé.

Pardonner, c'est excuser l'offenseur

Le pardon n'excuse ni ne condamne d'aucune façon le comportement répréhensible qui est à la source de notre regret. Si Matt nous décrivait le comportement incestueux que son père avait envers lui, alors qu'il était enfant, il emploierait encore aujourd'hui les mêmes mots virulents pour condamner avec raison les gestes dégoûtants qu'il fit sur lui. Aujourd'hui, il ne dit pas que ces gestes sont acceptables ou même excusables. En fait, il les trouve toujours aussi répugnants qu'avant. Pourtant, il a pardonné à son père. Il a pardonné afin de se libérer de la haine qu'il lui vouait, il a accepté de reconnaître que cet homme avait aussi certaines qualités et il a fait la paix avec son enfance, aussi horrible fût-elle.

Pardonner, c'est reconnaître que l'offenseur n'est plus responsable de ses fautes

Après avoir reçu notre pardon, l'offenseur demeure responsable des actes qu'il a commis. Cette responsabilité lui incombe à jamais. Nous pouvons pardonner tout en le tenant responsable de ses gestes et même le faire condamner à la prison pour ses crimes. Nous pouvons pardonner et maintenir des poursuites en divorce ou dommages et intérêts. Pardonner ne met jamais fin à la responsabilité de l'offenseur. Lorsque leur fille fut violée et tuée, Ralph et Édith ont pardonné à ce criminel qui leur avait volé leur enfant. Ils l'ont fait pour eux-mêmes, non pour lui. Encore aujourd'hui, ils sont d'accord avec le jury qui a jugé que ce jeune criminel devait passer le reste de ses jours en prison sans possibilité de libération conditionnelle. Ils ont réellement pardonné au tueur, mais tout en éprouvant une réelle satisfaction à le voir payer pour sa faute, à en être tenu responsable.

Pardonner, c'est sous-entendre que l'offenseur est innocent, plus ou moins coupable ou soulagé de sa peine

Pardonner ne sous-entend pas que l'offenseur n'est pas coupable. C'est plutôt le contraire. Nul besoin de pardonner à celui qui est innocent. Seul le coupable peut être pardonné. Mais ce pardon, nous l'accordons pour notre propre bénéfice, non le sien. Gretl a pardonné à son frère d'avoir mené à sa perte l'entreprise familiale en déclarant faillite et, par la même occasion, de l'avoir dépossédée de presque tous ses biens. Elle lui accorda son pardon *non* parce qu'il était innocent, mais bien parce qu'il était coupable. En fait, ce pardon reconnaissait et confirmait la culpabilité de son frère et la libérait de sa rage et de sa haine; elle pouvait enfin se reconstruire financièrement et goûter aux plaisirs de la vie.

Pardonner à notre offenseur ne signifie pas le soulager de sa peine, même s'il en est convaincu. Mais il est vrai que dans certaines circonstances, notre pardon peut alléger sa souffrance ou son regret... *dans la mesure où il se soucie réellement de nous.* Souvent, les personnes envers qui nous avons du ressentiment n'ont que faire de ce que nous pensons d'elles ou de notre pardon. En fait, elles se réjouissent parfois de notre tourment. Autrement dit, notre refus de pardonner les indiffère, c'est *nous* qui en souffrons. Nous ignorons si notre offenseur se soucie de nous au point de souffrir de notre refus à lui accorder notre pardon. Mais cela n'a aucune importance, car sa douleur n'est rien en comparaison à la souffrance de celui qui refuse de pardonner. Ce refus équivaut à ingurgiter un poison et à s'attendre que l'autre en mourra.

Pardonner, c'est se réconcilier avec son offenseur

Se réconcilier, c'est rétablir sa relation avec cette personne. Or, on peut pardonner sans se réconcilier. Nous avons le choix et pouvons opter pour la réconciliation. Lorsque Sam partit pour le Viêt-nam où il séjourna pendant deux ans, sa conjointe vécut avec un autre homme dans leur maison familiale. Dès que Sam fut de retour au pays, elle quitta la maison avec son amant et demanda le divorce. Sam était dévasté. Puis enragé. Il finit par lui pardonner, mais ne désirait pas se réconcilier. Heureusement pour lui, nul besoin de passer par cette étape pour accorder son pardon.

Pour sa part, Min vécut une réconciliation. Après une dispute amère au sujet de l'héritage laissé par leurs parents, Min et sa sœur ne se sont plus adressé la parole pendant plus de dix ans. Le comportement de sa sœur la jetait dans une telle rage que Min était incapable de communiquer avec elle. Min fut atteinte d'un cancer; dorénavant, elle voyait la vie sous un nouveau jour et entreprit de pardonner à sa sœur. Toutes deux se réconcilièrent et retournèrent aux jours heureux de leur enfance. Le pardon peut mener à une réconciliation, bien qu'elle ne soit nullement obligatoire. C'est une question de choix.

Seul l'offenseur qui le mérite peut obtenir notre pardon

Notre décision de pardonner ne tient que de nous, peu importe que notre offenseur mérite ou non notre pardon. Il nous sera peut-être plus facile de lui pardonner s'il s'excuse ou fait amende honorable, mais ce n'est pas nécessaire. Nous pardonnons pour notre propre bien et non le sien, qu'il le mérite ou non. Les expressions « mérite notre pardon » ou « ne mérite pas notre pardon » sont si courantes dans notre société que nous oublions de nous arrêter un moment afin de réfléchir au mot *mériter* – est-ce une raison valable justifiant notre refus de pardonner? Absolument pas.

Tom avait treize ans lorsque son père divorça pour se remarier aussitôt. Cherchant désespérément la présence et l'approbation de son père, Tom quitta la maison familiale pour s'installer chez son père, avec sa nouvelle belle-mère et ses trois enfants issus d'un précédent mariage. Il ne tarda pas à s'apercevoir que jamais il ne serait traité comme les autres enfants, *ses enfants*. Ses demi-frères et demi-sœurs avaient de nouveaux vêtements, des chambres fraîchement décorées et des jouets électroniques, mais lui, rien. Mais surtout, on lui refusait les marques de reconnaissance, d'approbation et d'affection qu'on accordait aux autres enfants. Tom vécut pendant trois longues années chez son père, malheureux, avant de retourner vivre auprès de sa mère à l'âge de seize ans. Son père ne cessa de lui promettre son amour, son affection et d'agréables moments en sa compagnie... sans jamais passer aux actes. En bout de piste, Tom pardonna à son père de l'avoir brutalement privé de son amour pendant son adolescence. Il fit ce geste non parce que son père le méritait, mais parce que lui, Tom, le méritait. Il voulait vivre libre de ce regret et de la douleur qui l'accompagnait.

Le pardon est accordé uniquement à la demande de l'offenseur

Faux. Nul besoin d'une demande de sa part pour pardonner à notre offenseur. Cette requête provient de *nous.* Nous voulons pardonner à cette personne et *nous* sommes les premiers à en bénéficier. Peu importe qu'elle en fasse ou non la demande. Bien souvent, notre offenseur ignore même que nous lui avons pardonné ou ne s'en soucie guère. En d'autres cas, il est décédé ou incapable de nous faire cette requête. Éric épousa celle qu'il aimait malgré la désapprobation de ses parents qui le déshéritèrent et refusèrent de le revoir, lui et sa petite famille. Ils restèrent sur leur position jusqu'au jour de leur mort et furent enterrés sans n'avoir jamais vu leurs petits-enfants. Éric leur pardonna avant même leur décès, mais ses parents ne lui en firent jamais la demande; ils ne voulaient nullement recevoir son pardon.

Pardonner, c'est être déloyal envers toutes les autres personnes également blessées par notre offenseur

Cette incompréhension du pardon est le point culminant des mythes précédents voulant que pardonner signifie oublier ou excuser les actes répréhensibles commis à notre égard, nous réconcilier avec l'offenseur, le libérer de toute responsabilité ou juger qu'il mérite notre pardon. Toutes ces croyances sont fausses, mais elles font plus ou moins partie de ce mythe, à savoir que le pardon est un acte déloyal envers les personnes ayant souffert de la situation créée par l'offenseur.

Alors qu'elle jouait dans la cour avant de la maison, la fillette de Margarita fut enlevée et finalement tuée par un homme souffrant d'un déséquilibre mental. Au début, Margarita était incapable de pardonner. Elle était consumée par la haine. Elle désirait pardonner à cet homme, mais craignait de se montrer déloyale envers sa fille en agissant de la sorte. Mais avec le temps, elle se rendit compte que c'était tout le contraire. Elle savait que sa fille voulait la voir heureuse, libre de cette haine qui la dévorait et soulagée de ne plus constamment revoir les images de la mort violente de son enfant. Les amis de Margarita désapprouvaient son désir de pardonner au tueur et cherchaient à l'en dissuader, avec subtilité ou agressivité. Mais elle persista, convaincue que sa fille la soutenait dans cette démarche et qu'elle devait à tout prix faire ce geste pour retrouver sa paix intérieure. Finalement, Margarita pardonna au tueur. Elle fut libérée de sa haine et de ses tourments.

On ne pardonne qu'à certaines conditions, comme obtenir des excuses de l'offenseur

Le pardon est inconditionnel ou n'est pas. Si notre pardon est conditionnel aux faits et gestes de notre offenseur, nous donnons à ce dernier le pouvoir de décision sur notre processus du pardon. Comble de l'ironie, nous remettons notre destin entre les mains de cette personne, notre offenseur, envers qui nous éprouvons tant de haine et de ressentiment.

Les gens qui n'ont rien compris au pardon exigent souvent des excuses de leur offenseur avant de pardonner. Ces excuses ne sont nullement nécessaires. Cette requête laisse sous-entendre que l'offenseur « gagne » notre pardon en s'excusant. Mais le pardon est un acte libre et gratuit. C'est pour nous que nous le faisons, non pour l'autre. Nous *pouvons choisir* de pardonner pour notre propre mieux-être et celui de l'autre, mais par ce geste, nous cherchons avant tout à améliorer notre qualité de vie. Et même lorsque l'offenseur continue à nous injurier sans jamais s'excuser, nous pouvons encore pardonner.

Hiroshi était dans les affaires avec deux copropriétaires qui n'ont pas tenu promesse et qui ont profité de sa bonté naturelle et de sa confiance pour l'escroquer en toute légalité. Elle fut contrainte de choisir entre leur faire face ou tout perdre. En désespoir de cause, elle leur pardonna, et ce, même s'ils n'avaient nullement changé d'attitude ni offert d'excuses. Elle n'avait plus confiance en eux et n'appréciait plus leur compagnie, mais, dorénavant, elle pouvait négocier avec eux afin de protéger ses intérêts financiers.

Pour être valide, le pardon doit être accepté par l'offenseur

Cette fausse croyance est renforcée par l'expression populaire « offrir son pardon » comme si la personne devait accepter d'être pardonnée pour que notre geste soit validé. Nous n'offrons pas notre pardon. Nous l'accordons. Comme un cadeau de nous à nous. Peu importe que l'autre l'accepte ou le refuse. L'important, c'est de l'accorder. S'il fallait que la validité de notre pardon dépende de l'acceptation de l'autre, ce dernier pourrait nous empêcher de nous libérer en pardonnant. Or, nul ne le peut. Le pardon n'est jamais conditionnel. Autrement, ce n'est pas un pardon.

Quand nous parvenons à déjouer toutes ces fausses croyances, nous comprenons l'importance de pardonner même dans les circonstances les plus difficiles. Nous devrions avoir pour objectif de pardonner dangereusement, comme le dit si bien Mariah Nelson, auteure du merveilleux ouvrage *The Unburdened Heart.*

VOUS LIBÉRER DU RESSENTIMENT

Dans la seconde étape de votre démarche, vous avez dressé la liste des personnes que vous blâmez pour les événements entourant votre regret. Ce sont les gens envers qui vous éprouvez du ressentiment, qui est une forme de haine. Le ressentiment s'exprime par une colère soutenue envers une personne ou une situation en raison d'offenses réelles ou imaginaires. Malheureusement, la haine sous toutes ses formes nous attache, nous garde prisonniers de ce que nous détestons. Jamais la haine ne nous libère, toujours elle nous piège.

Un simple test suffit pour en faire la démonstration. Songez à une personne dont les agissements vous ont blessé. Elle vous a peut-être méprisé, menacé ou humilié. Voyez combien votre état d'esprit change subitement : heureux, serein et satisfait, vous voici malheureux, tourmenté ou en colère. À l'instant même où vous avez plongé dans votre ressentiment et senti monter votre colère, vous avez changé d'humeur. Ironique, non? Vous venez de donner plein pouvoir à vos émotions envers cette personne qui vous a blessé. Son simple souvenir suffit à vous délester de tout pouvoir émotionnel et à modifier votre humeur. Cette personne que vous méprisez vient de prendre le contrôle de votre monde émotionnel.

Chaque fois que surgit un ressentiment, nous sommes le jouet de cette personne que nous détestons. Mais cette fois, nous ne sommes pas sa victime. Nous sommes l'offenseur. Cette personne du passé, nous l'avons invitée à venir habiter notre présent et nous lui avons donné, une fois de plus, le contrôle de nos émotions et la main haute sur notre qualité de vie. Nous avons créé un fantôme et l'avons invité à revenir nous blesser; nous avons invité notre offenseur à venir s'installer dans notre présent et à répéter le scénario de notre passé. À une différence près. Cette fois, nous sommes responsables de la souffrance que nous inflige notre offenseur.

Le ressentiment crée une véritable fontaine de colère, dans notre vie, dans laquelle nous puisons à volonté pour détourner notre attention d'autres émotions, comme la peur ou la peine, ou pour nous donner force et énergie sur demande. Nous nourrissons cette colère et ce ressentiment en ressassant nos regrets encore et encore. Notre colère s'active. Parfois, notre ressentiment vis-à-vis de certains regrets est si intense qu'il se transforme et nous incite à planifier notre revanche et à passer ou non à l'action. Ce désir de faire payer l'autre, de l'attaquer ou de nous venger nous ravit comme une petite douceur. Petite douceur qui se transforme et finit par avoir un goût amer, sans parler de ses effets secondaires dévastateurs. Quand la vengeance occupe toutes nos pensées, elle nous « vide » de toute l'énergie nécessaire à la réalisation de nos projets et détourne notre attention vers un monde de fantaisies. Quand la vengeance nous obsède, elle nous plonge dans les pires tourments, déraille nos vies et nous prive de tous les plaisirs du moment présent. Dans sa forme extrême, la vengeance devient une véritable obsession qui nous condamne à mener une existence faite de manigances, baignant dans la rage et exposée aux conséquences sérieuses de nos actes si ce n'est aux menaces de mort.

Le ressentiment et les idées de vengeance sont soutenus par notre refus de pardonner. Ils sont grandement corrosifs et font obstacle à toute vie heureuse et satisfaisante. De plus, ils nous gardent prisonniers de nos regrets. Pour nous en libérer, nous devons nous délester de leur mère nourricière : le ressentiment.

FRANCHIR LA HUITIÈME ÉTAPE

Au cours des sept étapes précédentes, vous avez examiné vos regrets, pleuré vos pertes, assumé la responsabilité de vos actes et fait amende honorable. Vous avez identifié les leçons et les présents issus de vos regrets, exploré et neutralisé les pensées toxiques qui vous ont tenu prisonnier de vos regrets, développé de la compassion pour vous-même et reconnu que vous avez fait de votre mieux lors des événements entourant votre regret. Toutes ces étapes s'inscrivent dans le processus de libération de vos regrets.

Au cours de cette huitième étape, vous serez invité à pardonner aux gens qui vous ont blessé. Si, dans les circonstances de votre regret, nul ne vous a blessé et si vous ne nourrissez aucun ressentiment envers qui que ce soit ou quoi que ce soit, vous n'avez pas à franchir cette huitième étape. Mais si vous blâmez ne serait-ce qu'une seule personne pour les événements, en tout ou en partie, entourant votre regret, vous devez franchir cette étape.

187

Voici la liste d'actions qui vous guidera dans l'accomplissement de cette huitième étape.

Huitième liste d'actions

PARDONNEZ AUX AUTRES

1. *Liste des personnes à qui pardonner*
2. *Raisons pour lesquelles vous devez pardonner*
3. *Avantages de pardonner*
4. *Raisons pour lesquelles vous ne devez pas pardonner*
5. *Le pardon*

Pour chacun de vos regrets, entreprenez ces actions en vous inspirant des lignes directrices qui suivent. Ayez recours aux outils spirituels et psychologiques afin de contrer toute résistance à accorder votre pardon aux personnes que vous blâmez ou envers qui vous éprouvez du ressentiment.

1. Liste des personnes à qui pardonner

Revoyez l'exercice fait dans votre journal personnel, au cours de la deuxième étape, et intitulé « Examinez vos regrets ». Passez en revue la liste des personnes que vous blâmez en raison de votre regret. La majorité des personnes auxquelles vous devez pardonner se trouvent sur cette liste. Ajoutez, au besoin, le nom d'autres personnes envers qui vous avez du ressentiment, de la haine ou que vous blâmez pour leur rôle dans les événements liés à votre regret. Vous avez maintenant la liste complète des personnes à qui accorder votre pardon.

2. Raisons pour lesquelles vous devez pardonner

Pour chaque personne figurant sur votre liste de pardon, décrivez le mal qu'elle vous a fait et la raison pour laquelle vous la blâmez, la détestez ou éprouvez du ressentiment à son égard. Autrement dit, que devez-vous lui pardonner afin de compléter cet exercice?

3. Avantages de pardonner

Relisez les passages décrivant, au début de ce chapitre, les bienfaits du pardon. Pour chaque nom apparaissant sur votre liste, précisez en quoi ce pardon vous sera bénéfique en vous inspirant de ce passage.

Ajoutez, au besoin, d'autres bienfaits que vous pourriez retirer du pardon accordé à chacune de ces personnes. Reconnaître et inscrire les bienfaits de ces pardons vous aidera à dépasser les résistances que vous éprouverez peut-être, au moment de pardonner à ces gens. Rappelez-vous que c'est pour vous que vous le faites, non pour eux.

4. Raisons pour lesquelles vous ne devez pas pardonner

Voyez pour quelle raison vous refusez d'accorder votre pardon entier et inconditionnel à chacune des personnes figurant sur votre liste. Relisez le passage de ce chapitre traitant des mythes et fausses croyances afin de vous en inspirer pour trouver réponse à cette question. Ayez recours à l'analyse des pensées et aux outils spirituels et psychologiques pour contrecarrer les raisons de votre refus.

Si vous refusez toujours de pardonner, voici un exercice à faire dans votre journal personnel; il vous aidera à déceler d'autres raisons sous-jacentes faisant obstacle au pardon. Pour commencer, dressez la liste de toutes les personnes à qui vous refusez de pardonner. Pour chacune de ces personnes, écrivez la phrase suivante en y insérant le nom de l'intéressé et en terminant avec la raison qui vous vient à l'esprit :

❖ Je voudrais te pardonner, (ajoutez son nom), mais _____ .

Si vous refusez toujours de pardonner après avoir terminé cette phrase, reprenez-la à nouveau, mais en inscrivant une autre raison qui vous empêche de lui pardonner. Continuez ainsi jusqu'à épuisement des raisons qui vous poussent à lui refuser votre pardon.

Lorsque vous aurez fait cet exercice pour chacune des personnes figurant sur la liste des gens à qui vous refusez de pardonner, vous aurez déterminé toutes les raisons de votre refus. Vous pourrez dès lors utiliser l'analyse des pensées et les autres outils spirituels et psychologiques afin de dépasser votre résistance et de trouver la force de pardonner. Voici deux autres techniques qui, espérons-le, sauront également vous aider à traverser cette résistance :

❖ développez votre compassion envers l'autre;
❖ écrivez une lettre de guérison.

Développez votre compassion envers l'autre

S'il vous est impossible de pardonner à une personne, essayez de développer de la compassion envers elle comme vous avez appris à le faire envers vous-même, au cours de la septième étape. Rappelez-vous : vous avez reconnu que vous aviez fait de votre mieux dans les circonstances, au moment des événements liés à votre regret. Vous avez cherché à comprendre pourquoi vous aviez agi ainsi, ce qui vous aidera sans doute à comprendre les comportements des gens qui vous ont fait du mal et qui sont à l'origine de votre lourd regret. Après tout, peut-être ont-ils fait de leur mieux dans les circonstances et en raison de leur état psychologique et spirituel d'alors.

Évidemment, vous ne pouvez lire dans leurs pensées et ne saurez jamais quels étaient leurs véritables motifs. Lorsqu'il y a eu brutalité, violence, sévices sexuels, il est difficile d'éprouver de la compassion envers l'offenseur parce qu'on a du mal à comprendre un tel comportement. Toutefois, vous pouvez reconnaître que quelque chose ne tournait vraiment pas rond dans sa vie. Vous pouvez éprouver de la compassion pour votre offenseur sans connaître les raisons précises qui l'ont poussé à agir ainsi. Sur le plan intellectuel, vous pouvez au moins reconnaître qu'il devait nécessairement avoir des difficultés, des luttes internes ou un trouble de la personnalité pour faire des actes aussi répréhensibles, sans quoi il n'aurait jamais agi de la sorte.

Les parents alcooliques en sont un bon exemple. La compassion n'excuse pas leur alcoolisme – ni leur comportement abusif après avoir consommé ni leur refus de se faire traiter. Ça ne justifie pas leurs gestes ou leur comportement et ça ne les absout pas de toutes leurs fautes; mais la compassion peut nous aider à mieux les comprendre. Vous ne saurez jamais ce qui les aura poussés à avoir de tels comportements – à moins qu'ils ne vous le confient – et encore, le savent-ils vraiment? Vous ne saurez pas le fin mot de l'histoire, mais vous pourrez voir, en eux, des âmes troublées ayant un comportement inacceptable et destructeur envers eux-mêmes comme envers vous.

Comment trouver la voie de la compassion? Dans certains cas, il nous faut accepter que l'offenseur cherchait d'abord à se faire du mal à lui-même. Par ce comportement, sa cible n'était pas nous, mais lui-même. Il arrive que nous n'ayons strictement rien à voir avec ces événements et cette personne, mais nous sommes directement touchés par ses agissements. Quand un passant est fauché lors d'un tragique accident ou quand un enfant est brutalisé, ces victimes n'ont rien à se reprocher. Lorsque l'offenseur est un membre de la famille, nous devons apprendre à avoir de la compassion pour ce *qu'il ne pouvait faire* et pour ce *qu'il n'a pas fait.* Leurs terribles limites, sources de tant de blessures au cours de notre enfance, nous parlent davantage d'eux et de leur vie même si nous en avons souffert. Sans doute que les limitations de nos parents, de nos frères et de nos sœurs et leurs comportements destructeurs nous ont terriblement touchés, mais il n'en reste pas moins que leurs actions reflétaient ce qu'ils sont, eux.

Évidemment, cela ne signifie pas que nous devons approuver le comportement répréhensible de l'offenseur, ni l'excuser ni le minimiser. Mais nous pouvons chercher à comprendre ses gestes, en y voyant une projection de sa personnalité et de ses problèmes et, de ce fait, éprouver suffisamment de compassion à son égard pour désirer lui pardonner ses fautes.

Écrivez une lettre de guérison

Écrire une lettre de guérison à la personne qui vous a blessé vous aidera à pardonner. Cet outil s'avère d'une grande utilité au cours de cette huitième étape, comme ce fut le cas au cours de la cinquième étape; mais cette fois, il s'agit d'une lettre de nature un peu différente. Cette lettre vise à vous donner l'occasion d'affronter la personne qui vous a blessé et de l'en tenir responsable. Vous décrirez dans le moindre détail tous les aspects de votre relation afin de vous libérer complètement de la souffrance que vous éprouvez à son égard. Peu importe que le destinataire soit vivant ou décédé. Vous pouvez écrire à tout un chacun : des parents qui vous ont négligé, des amis qui vous ont trahi, des partenaires d'affaires qui vous ont trompé, des conjoints qui ont abusé de vous. Pourquoi ne pas écrire à Dieu et lui expliquer comme vous avez souffert de toutes les difficultés éprouvées sur votre chemin et comme vous êtes malheureux d'avoir été aussi bousculé par la vie?

La lettre de guérison doit être très précise et d'une grande charge émotive. Oubliez la ponctuation et la grammaire, c'est sans importance. Vous pouvez même dresser une liste de vos blessures. Sentez-vous libre de vous exprimer comme bon vous semble, par le dessin, la poésie, les photos, les images, les collages ou toute autre forme vous permettant de lui dire ce que vous avez sur le cœur et que vous n'avez jamais pu lui révéler. Citez des exemples précis de son comportement offensant. Décrivez vos peurs, votre humiliation ou vos tourments. Décrivez la trahison ressentie, l'injustice des faits vécus, vos efforts répétés, mais inutiles afin d'améliorer la situation. Dites vos déceptions, vos espoirs déchus, vos pertes. Racontez les conséquences sur votre vie. Dites toute votre souffrance et le torrent de larmes versées, dans les mauvais jours. Dites tout sans la moindre retenue. Saisissez cette occasion, dites-lui tout ce que vous avez toujours voulu lui dire. Exprimez-vous enfin et puis – lâchez prise! Cette lettre n'en est pas une de plainte, d'apitoiement et de victimisation. Bien au contraire! Vous prenez votre vie en main et vous dites la vérité. Une fois que vous aurez tout dit, vous pourrez quitter le passé dans lequel cette personne vous garde prisonnier afin de plonger dans le présent, où se trouve votre propre pouvoir.

En terminant cette lettre, vous pouvez écrire – si c'est vrai, évidemment – combien vous l'avez aimé jadis, combien il ou elle comptait pour vous, combien vous lui êtes reconnaissant pour les bons moments passés ensemble. Vous pouvez lui expliquer que ces souvenirs ont rendu la chose encore plus pénible, par la suite. Si votre offenseur a fait quelque chose de bien ou fait un geste positif, libre à vous de le mentionner également en signe de reconnaissance pour les bons côtés de votre relation mutuelle.

Il serait bon de conclure cette lettre en mentionnant à cette personne que vous lui pardonnez. Vous pouvez lui expliquer les raisons qui vous incitent à faire ce geste et préciser que votre pardon n'excuse en rien son comportement répréhensible. Dites-lui que c'est pour vous que lui accordez votre pardon et que votre geste n'en est pas moins authentique pour autant. Vous ne voulez plus être attaché à votre passé ou aux événements qui vous liaient jadis. Cette lettre vous permet de lui pardonner et, par la même occasion, de vous libérer.

Il est possible qu'une seule lettre suffise pour l'atteinte de vos objectifs. Ou alors une douzaine. Vous le saurez lorsque vous aurez dit tout ce qui doit être dit. Vous le saurez lorsque vous apposerez votre signature au bas de votre toute dernière lettre. Ce sera l'authentique lettre de guérison, celle du pardon véritable et du lâcher-prise.

5. Le pardon

Accorder son pardon est un processus psychologique et spirituel. Il est de nature psychologique parce qu'il fait appel aux pensées et aux émotions; de plus, de tous les actes faits par un être humain, le pardon inconditionnel est de ceux qui exigent le plus de maturité. Pardonner, c'est mettre de côté notre enfant immature et tourné sur lui-même qui réclame vengeance et rétribution pour laisser place à notre adulte mature en quête de liberté et de paix. Ultimement, pour récolter le fruit du pardon, nous devons accepter la réalité et les imperfections de la vie et reconnaître que la haine et le ressentiment sont avant tout source de grandes souffrances.

Le pardon est de nature spirituelle parce que cette expérience transcende les mondes purement psychologique, stratégique ou rationnel. C'est au plus profond de notre être que le pardon puise sa force et son but à atteindre. Il affirme que de toutes les émotions humaines, l'amour est la plus puissante – l'amour des autres et l'amour propre. Le pardon élargit notre conscience et nous amène dans un monde plus vaste où des puissances d'une force incroyable créent des changements miraculeux qui nous traversent de part en part, nous et les autres. En pardonnant, nous transcendons le monde matériel pour atteindre l'infini. En pardonnant, notre esprit se délecte d'une liberté sans pareille, une liberté dont l'âme ne s'est jamais départie.

Lorsque vous aurez terminé toutes les activités propres à cette huitième étape, demandez-vous si vous avez pardonné à toutes les personnes figurant sur votre liste. Vous êtes-vous libéré de votre colère, de votre ressentiment et de votre haine à leur endroit? Dans l'affirmative, prenez votre journal et pour chaque personne inscrite sur votre liste du pardon, écrivez : « Je t'ai pardonné, (ajoutez son nom), pour avoir (ajoutez la raison de votre pardon). » Après avoir rédigé cette phrase pour chacune de ces personnes, remerciez votre Être suprême de vous avoir donné la volonté de pardonner et d'en avoir permis la réalisation. Terminez en demandant à l'Être suprême de bénir la ou les personnes à qui vous avez accordé votre pardon. Si vous avez le sentiment d'avoir pardonné à cette personne, d'être libéré de votre colère et d'avoir l'esprit plus léger, sachez que votre pardon est authentique et complet.

Si vous désirez informer ces personnes qu'elles sont pardonnées, vous pouvez le faire en personne, par téléphone ou par lettre. Si l'une de ces personnes est décédée ou inaccessible, vous pouvez lui envoyer une lettre de guérison, si ce n'est déjà fait.

QUAND LE PARDON NE VIENT PAS

Si vous refusez encore d'écrire « je t'ai pardonné » à l'une des personnes figurant sur votre liste, continuez pour l'instant le processus du pardon. Dans votre journal, ouvrez une nouvelle section intitulée « Outils du pardon ». Pour chaque personne non pardonnée, utilisez une série d'outils spirituels et psychologiques conçus précisément pour vous accompagner dans ce processus du pardon. Mettez-les en pratique tous les jours jusqu'à ce que vous parveniez à pardonner. Voici les outils en question :

❖ Prière demandant la volonté de pardonner.

❖ Prière demandant des bénédictions pour la personne que vous cherchez à pardonner.

❖ Affirmation portant sur le pardon.

❖ Visualisation portant sur le pardon.

❖ Écriture dans le journal sur votre grande résistance à accorder votre pardon à cette personne.

De plus, utilisez régulièrement les outils suivants :

❖ Partage avec les gens de votre entourage, dont votre confident, portant sur les personnes n'ayant pas encore reçu votre pardon.

❖ Analyse des pensées, y compris les bienfaits du pardon, les raisons vous incitant à pardonner, le prix à payer lorsque vous refusez de pardonner.

❖ Lettres de guérison.

MAINTENIR LE PARDON

Au fil du temps, nous voyons parfois resurgir notre ressentiment envers une personne ayant pourtant reçu notre pardon. Si cela se produit, vous serez moins en contact avec les émotions du pardon. Habituellement, ce phénomène survient avec une personne qui vous a blessé et avec qui vous avez maintenu ou rétabli le contact. Ne vous découragez pas. Vous pouvez pardonner à maintes reprises, vous rétracter et recommencer encore et encore avant de pouvoir pardonner définitivement. Mais chaque pardon sera plus facile que le précédent. Ce procédé se fera tout naturellement et deviendra partie intégrante de votre vie. Vous finirez par pardonner rapidement et, bien souvent, sans le moindre effort.

Vous mettez plus de temps à pardonner définitivement à un tel plutôt qu'à tout autre? Soyez patient. Si vous lui avez pardonné une fois, vous saurez le faire à nouveau. Le pardon est un processus. Autrement dit, vous devez parfois remettre vos vieilles chaussures, replonger dans vos anciens modes de pensée et vos anciens comportements avant de faire un nouveau plongeon et adopter de nouvelles attitudes. Si votre ressentiment refait surface, reprenez cette huitième étape. Revoyez vos écrits, reprenez les mêmes exercices et pardonnez à nouveau. La route du pardon est parfois courte, parfois longue, sinueuse ou chaotique. C'est selon. Mais c'est un chemin riche et gratifiant qui vous offre des trésors d'une valeur inestimable : la liberté et l'amour.

Chapitre *12*

ÉTAPE 9 :
SACHEZ VOUS PARDONNER

Vous voici au seuil d'une vie libre de tout regret. Franchirez-vous cette porte qui s'ouvre devant vous? Cette neuvième étape est celle de l'accomplissement, du véritable lâcher-prise de tous vos regrets. Tous les efforts consentis depuis l'ouverture de ce livre vous ont préparé à cette ultime étape, celle de la libération. Au cours de cette neuvième étape, vous serez invité à vous pardonner d'avoir participé à la création et au maintien de vos regrets, quel que soit votre rôle. Ce faisant, vous pourrez enfin lâcher prise, vous libérer de vos regrets et de votre souffrance en laissant votre passé derrière vous. Vous pourrez embrasser à bras ouverts votre présent et tout son potentiel dormant.

C'est le pardon de nous-mêmes qui nous permet, en bout de piste, de nous libérer de nos regrets. La démarche proposée au cours de la huitième étape, pour pardonner aux autres, s'applique également au pardon personnel, mais à deux différences près. Le pardon de nous implique que nous sommes à la fois celui qui pardonne et celui qui est pardonné. De plus, il y a *toujours* réconciliation lorsqu'on se pardonne à soi-même. C'est même l'un de nos principaux objectifs. Le pardon de soi, c'est faire l'expérience d'une joie profonde, celle de se réconcilier avec soi-même après avoir pardonné et *avoir été pardonné*. C'est retrouver un sentiment d'unité intérieure, source d'une guérison profonde. Le pardon de nous-mêmes, comme toute autre forme de pardon, est un geste d'amour et un cadeau de l'esprit qui nous inonde de ses bienfaits encore et encore. Celui qui s'est pardonné se sent en accord avec le monde qui l'entoure. Nulle raison de s'excuser, de se sentir coupable ou honteux désormais. Il est libre.

Sans le pardon de nous-mêmes, nous ne pouvons nous sentir entièrement libres de tout regret, et ce, même si nous avons su à maintes reprises pardonner aux autres et que ces derniers nous ont à leur tour pardonné. Notons que si nous nous sommes pardonnés malgré le refus des autres à en faire autant, nous aurons tout de même le sentiment d'être libérés de nos regrets.

Le pardon de nous n'échappe pas aux fausses croyances, dont celle voulant que nous ne puissions nous pardonner à nous-mêmes aussi longtemps que les autres ne nous ont pardonné. Rien de plus faux. Le pardon de soi consiste à faire la paix avec soi et avec Dieu, quel que soit le nom qu'on lui prête. Il ne s'agit pas de faire la paix avec les autres. Ce geste ne repose que sur nous-mêmes. De fait, en faisant amende honorable, nous avons déjà fait la paix avec les personnes ayant participé aux événements entourant notre regret. Qu'elles aient ou non fait la paix avec nous, qu'elles nous aient ou non pardonné n'importe guère. Nous n'avons besoin ni de l'approbation ni de la permission de quiconque pour nous pardonner. Le pardon de soi est un cadeau qu'on s'offre à soi-même.

Au final, c'est un acte de compassion, une reconnaissance de nos imperfections et un geste d'humilité. C'est nous accepter tels que nous avons été – et tels que nous sommes.

Les bienfaits du pardon de soi

À l'instar du pardon accordé à l'autre, le pardon de nous-mêmes nous apporte ses bienfaits – ils sont notre plus grande motivation. Ce sont les fruits bien mérités de notre lâcher-prise, de notre courage et du dépassement de la peur qui nous tenaille.

Ce geste d'amour repose sur trois grands principes intellectuel, psychologique et spirituel. Sur le plan intellectuel, le pardon de soi est sans contredit le chemin le plus pratique, le plus rationnel qu'on puisse emprunter pour mener une vie productive et satisfaisante. Sur le plan psychologique, il nous libère de la haine personnelle qui handicape notre relation à l'autre et à nous et nous empêche de nous réaliser pleinement. Enfin, sur le plan spirituel, le pardon personnel est un acte d'amour et une grâce qui s'expriment dans toutes nos relations et nos activités, inondant de ses bienfaits notre propre vie et celle de nos proches.

Nous avons mille et une raisons de nous pardonner. En voici un aperçu.

Le pardon de soi est un acte d'amour et de compassion

Refuser de pardonner est un acte de haine. Pardonner est un acte d'amour. Le refus de se pardonner provient d'une haine de soi sur laquelle repose alors la relation à soi, ce qui est inacceptable comme dans toute autre relation humaine d'ailleurs. Refuser de nous pardonner est plus destructeur encore que de refuser de pardonner à autrui puisque nous sommes constamment en notre propre présence. Le pardon de nous est un acte d'amour et de compassion dirigé vers nous qui nous touche profondément et nous inonde de ses bienfaits. Il nous libère de l'hostilité intérieure issue de nos regrets. Il nous offre un cadeau d'une valeur inestimable : le bonheur d'aimer et d'être aimé, sans doute l'expérience humaine ayant le plus grand pouvoir de guérison.

Le pardon personnel nous permet de vivre en ce moment présent

Chaque regret nous replonge dans ce passé et ces événements qui nous ont rendus si malheureux. Nous recréons ainsi notre malheur d'hier et le ramenons dans notre présent; nous nous « empoisonnons » littéralement la vie. Chaque instant passé à ruminer nos regrets nous prive du moment présent et de ses joies. Le pardon personnel nous ramène à cet aujourd'hui auquel nous appartenons, au présent que nous avons le devoir de vivre et qui est porteur de tous les plaisirs de la vie.

Le pardon personnel nous libère de la honte et de la culpabilité

Le pardon personnel est particulièrement libérateur lorsque notre regret s'accompagne de honte et de culpabilité. Il efface notre douloureux passé. Peu importe que les événements liés à notre regret soient largement connus du public ou non, nous ne craignons plus l'opinion des autres et ne croulons plus sous le poids de la honte et de la culpabilité en leur présence. Nous avons fait amende honorable. Nous sommes en paix avec nous-mêmes, avec la force supérieure et avec le monde. Les jugements sévères de l'entourage ne nous atteignent plus désormais. Ces gens sont maîtres de leurs pensées, à eux de composer avec elles. Le pardon personnel nous libère de notre passé quel qu'il soit et nous permet d'agir à notre guise et d'accomplir tous nos désirs dans le présent, de goûter au bonheur, de réussir et de trouver un sens profond à notre vie.

Le pardon personnel nous accorde un profond sentiment de paix et parfois même le bonheur

La paix, la sérénité et le véritable bonheur nous « échappent » aussi longtemps que nous nous punissons. Vivre dans le blâme et la colère dirigés contre soi, c'est ne jamais connaître la paix intérieure et, par conséquent, le bonheur. Le pardon de soi met fin à cet état perpétuel de punition de même qu'aux tourments qui l'accompagnent. Il ouvre un nouveau chapitre dans notre vie, celui de l'acceptation et du respect de nous ainsi qu'une multitude de possibilités. Il nous permet enfin de prendre plaisir à la vie et de découvrir notre unicité dans l'expression de nos espoirs et de nos talents personnels.

Le pardon personnel nous guide naturellement vers le pardon de l'autre

Aussi longtemps qu'on ne s'est pas pardonné, il est difficile de pardonner aux autres au quotidien. Le pardon de soi permet de pratiquer l'art de pardonner aux autres. C'est en maîtrisant le pardon de nous-mêmes que nous comprendrons le pardon de l'autre et que nous en saisirons tous les bienfaits. Mais le contraire est tout aussi vrai. Plus nous pardonnons aux autres, plus il nous est facile de nous pardonner à nous-mêmes lorsque l'occasion se présente... inévitablement.

Le pardon personnel nous guide naturellement à maintenir notre pardon accordé à l'autre

Si nous persistons à nous blâmer pour les événements entourant notre regret, nous pouvons développer du ressentiment envers ceux à qui nous avons accordé notre pardon. Eux sont pardonnés, mais pas nous. Cette situation nous semble injuste, avec raison d'ailleurs. Pourquoi devrions-nous souffrir ainsi alors qu'ils vont librement dans la vie? Se refuser le pardon, c'est risquer de se rétracter en regrettant avoir pardonné aux personnes impliquées. On risque alors de les blâmer à nouveau pour le rôle qu'elles ont tenu lors des événements malheureux du passé et leur retirer graduellement le pardon. Ce faisant, nous reconstruisons notre regret; nous franchissons lentement chacune des étapes, mais à reculons cette fois. Le pardon personnel nous protège contre une telle éventualité.

Le pardon personnel guérit notre relation à nous-mêmes et, par conséquent, notre relation aux autres

Il est difficile d'établir une relation aimante avec l'autre quand on éprouve de l'amertume envers soi-même, car ces deux liens relationnels sont trop intimement liés. C'est un peu comme s'ils s'abreuvaient tous deux à une même source d'amour dans un mouvement de contraction ou d'expansion, suivant notre volonté de pardonner. Quand nous refusons de pardonner – nous sommes alors dans l'autocritique, la haine et la dénonciation de nous-mêmes –, nous avons moins d'amour à offrir, à nous comme aux autres. Le pardon personnel – qui est un acte d'amour – nourrit notre réservoir d'amour et notre capacité à le partager avec les autres et, ironiquement, avec nous-mêmes. C'est à partir de cet amour que nous parvenons à créer des relations significatives et profondes, à les maintenir et à les multiplier afin de vivre une existence plus riche et plus satisfaisante.

Lorsque nous passons toute notre vie à nous blâmer pour les événements entourant notre regret, nous vivons dans un état perpétuel d'autoflagellation, nous nous faisons constamment violence pour nous punir de nos erreurs et nous avons tendance à nous isoler sur le plan émotif. Le pardon personnel nous permet d'établir des liens affectifs et de vivre à nouveau en communauté. Nous faisons un retour à la vie sociale active, dignes de nous joindre en toute équité à cette merveilleuse aventure qu'est la vie. Le profond sentiment d'isolement dans lequel nous plongent nos regrets – ce mur que nous avons érigé et qui nous sépare de nous et des autres – tombe enfin. Jamais plus nous ne vivrons pareille solitude.

Le pardon personnel est essentiel pour nous libérer de nos regrets

Aussi longtemps que nous refuserons de nous pardonner d'avoir joué un rôle dans ces malheureux événements liés à notre regret, ces derniers auront une influence néfaste sur notre vie. Ultimement, seul le pardon personnel saura véritablement nous en libérer. C'est le dernier acte de lâcher-prise qu'il nous est demandé de faire et il est absolument essentiel. Obligatoire même. Sans quoi nous resterons piégés dans les affres de nos regrets. Nous ne serons jamais libres si nous nous refusons cet ultime acte d'amour qu'est le pardon personnel.

LES FAUSSES CROYANCES ENTOURANT LE PARDON PERSONNEL : CE QU'IL N'EST PAS

Le pardon personnel, tout comme le pardon de l'autre, fait l'objet de fausses croyances responsables d'une méconnaissance et d'une incompréhension à cet égard. Qu'est-ce que le pardon de soi? Quels en sont le fonctionnement et l'ultime objectif? Quand ces croyances populaires nous embrouillent l'esprit, elles font obstacle au processus même du pardon personnel et nous gardent prisonniers de nos regrets. Certaines sont directement liées aux mythes entourant le pardon accordé à autrui. En voici un aperçu.

Si je me pardonne, j'excuse mon comportement répréhensible

En aucun cas le pardon personnel n'excuse ni ne condamne notre comportement répréhensible. On peut se pardonner tout en se tenant responsable de sa participation aux événements et aux conséquences qui en découlent. Mais nous avons déjà assumé nos actes et fait amende honorable; nous ne pouvons faire davantage. Toute autre forme de punition serait purement inutile. Nous avons payé notre dette. Sans excuser notre comportement, nous acceptons d'avoir fait ce geste malheureux par le passé. Nous assumerons cette responsabilité pour le reste de nos jours tout en nous pardonnant cette erreur.

Si je me pardonne, je risque de répéter les mêmes erreurs

Cette fausse croyance sous-entend que l'autopunition est le seul et unique moyen de contrôler notre monstre intérieur ou que le pardon personnel signifie, en quelque sorte, oublier notre comportement répréhensible et reproduire les mêmes erreurs. Se pardonner ne signifie aucunement nier ou oublier les gestes du passé ou ne plus s'en tenir responsable. Le pardon de nous-mêmes est un acte fait après avoir reconnu notre comportement répréhensible, fait amende honorable et changé d'attitude afin de ne jamais reproduire les mêmes erreurs.

Je pourrai me pardonner uniquement à certaines conditions

Le pardon, qu'il soit orienté vers soi ou l'autre, est toujours un geste inconditionnel. Nous nous accordons le pardon en toute liberté parce que nous figurons sur la liste des gens à qui nous devons pardonner afin de nous libérer de nos regrets. Ni le pardon de soi ni le pardon de l'autre ne peuvent être conditionnels.

Toutefois, dans les faits, vous avez rempli certaines conditions. En franchissant les huit premières étapes de ce processus, vous avez fait des gestes de nature psychologique et spirituelle – dont faire amende honorable – qui ont réuni les conditions gagnantes vous permettant d'envisager avec plus d'indulgence le pardon personnel. Mais il n'en demeure pas moins que ces huit étapes franchies ne vous « octroient » nullement le droit au pardon personnel, car ce dernier vous est déjà librement consenti, sans condition.

Je ne peux me pardonner, car je ne le mérite pas

Le pardon de soi n'est aucunement lié à son mérite. Ce geste est fait par cette part de nous *qui pardonne*, non par celle *qui est pardonnée*. Nous procédons ici comme nous l'avons fait au cours de la huitième étape alors que nous avons pardonné aux autres, qu'ils le « méritent » ou non. Nous devons nous pardonner pour nous libérer de nos regrets. D'un point de vue rationnel, lorsque nous avons présenté nos excuses, réparé nos erreurs et changé d'attitude, il n'y a rien d'autre à faire pour « mériter » le pardon. Et même si nous n'avions rien fait de tout cela, nous aurions encore droit au pardon.

Pourquoi se pardonner à soi-même? Pour les bienfaits qu'on en retire en profitant des mêmes avantages que ceux à qui nous avons pardonné. Le pardon personnel nous rend plus productifs, plus généreux et compatissants, des qualités difficiles à atteindre autrement. Il est illogique de penser qu'on puisse pardonner aux personnes ayant joué un rôle dans ces événements malheureux liés à notre regret, tout en refusant de se pardonner. Après tout, le but est le même pour tous. Le pardon de nous-mêmes fait de nous celui qui pardonne et celui qui est pardonné et ce double rôle ne doit jamais faire obstacle à notre décision de nous accorder ce pardon.

Certaines personnes croient ne pas « mériter » le pardon parce qu'elles n'ont pas été suffisamment punies pour leurs erreurs. Pourquoi devrait-on les libérer de leur peine? se demandent-elles. Parce que le pardon de soi, tout comme le pardon de l'autre, n'est nullement conditionnel à la gravité de ses erreurs ou à la sévérité de ses peines. Le pardon est inconditionnel. Il est octroyé par le parent intérieur qui prend soin de combler nos besoins fondamentaux. Le fait d'avoir ou non payé notre dette pour les erreurs commises est non pertinent.

Je suis incapable de me pardonner

Quoi qu'on en dise, tout le monde est capable de se pardonner. Si nous ne pouvons nous accorder le pardon après avoir franchi la neuvième étape, c'est que nous *avons choisi* de nous refuser ce pardon. Nous sommes encore aux prises avec des pensées toxiques qui nous empêchent de faire ce geste de compassion. Le pardon de soi est un choix, tout comme le pardon aux autres d'ailleurs. Nous détenons ce pouvoir, celui de choisir.

Je ne suis pas en mesure de me pardonner, seul l'autre peut y consentir

Certaines personnes prétendent que nous ne sommes pas en mesure de nous pardonner en raison du conflit inhérent à notre double rôle, celui qui pardonne et celui qui est pardonné. Ce qui rend le pardon personnel impossible, à leurs yeux; nous manquons d'objectivité pour faire ce geste qui doit, par conséquent, être accompli par d'autres que nous. Cette fausse croyance, comme tant d'autres, repose sur la mésinterprétation du pardon et en particulier du pardon de soi. Qu'il soit dirigé vers soi ou les autres, le pardon est toujours de même nature : il est inconditionnel.

Le pardon n'est pas octroyé ou refusé à la manière d'une décision juridique rendue par un tribunal, à la lumière des arguments des deux parties en cause. Il n'est pas non plus le résultat d'une négociation entre les deux parties. Le pardon, de soi ou des autres, est accordé librement et inconditionnellement pour toutes les raisons énumérées précédemment, sans quoi il ne s'agit pas d'un véritable pardon. Le pardon est un cadeau de l'esprit. Toute forme d'argumentaire cherchant à déterminer si nous « devons » ou non pardonner est irrecevable. Le pardon ne repose pas sur le jugement que nous portons, mais sur l'amour que nous donnons. Nous sommes en droit de nous pardonner à nous-mêmes, comme à tout être humain. Cette décision nous appartient entièrement, elle ne relève que de nous.

Les gens me critiqueront si je me pardonne

Sans aucun doute, mais d'autres vous critiqueront si vous refusez de vous pardonner. Les gens se critiquent entre eux, c'est humain. Si vous menez votre vie à partir de l'opinion d'autrui et refusez de faire ce qui est bon et juste pour vous par crainte des critiques, vous serez constamment déçu et maintenu dans le rôle de victime. Vous construirez votre vie à partir des plaintes de votre entourage et non à partir de vos rêves. Ceux qui critiquent votre décision de vous pardonner ne saisissent pas la véritable signification du pardon et ne connaissent pas tous les aspects de votre vie.

FRANCHIR LA NEUVIÈME ÉTAPE

Le processus visant à franchir cette neuvième étape est semblable à celui de la huitième étape puisqu'il s'agit, encore une fois, de pardonner. Vous serez appelé à examiner votre besoin de vous pardonner et les bienfaits qui en découlent, à analyser votre résistance au pardon personnel le cas échéant, à surmonter votre résistance et, en bout de piste, à vous pardonner.

Voici la liste d'actions de cette neuvième étape.

Neuvième liste d'actions

SACHEZ VOUS PARDONNER

1. *Nécessité de se pardonner*
2. *Raison de se pardonner*
3. *Raison de ne pas se pardonner*
4. *Résistance à se pardonner*
5. *Action de se pardonner*
6. *Lâcher-prise de tout regret*

Pour chaque regret non pardonné à ce jour, accomplissez les actions figurant sur cette liste. À ce propos, voici quelques directives qui, espérons-le, sauront vous guider.

1. Nécessité de se pardonner

Décrivez dans le détail les gestes faits et pour lesquels vous désirez être pardonné. Le pardon de soi est accordé pour un acte précis – comme ce fut le cas lors du pardon accordé aux autres. Pardonner dans le vague, sans référence à un comportement spécifique, n'est jamais très efficace, car peu crédible. La phrase « je me pardonne pour tout » n'a pas la même portée et la même force que « je me pardonne d'avoir abandonné mes enfants et de leur avoir occasionné toute cette souffrance, y compris celle de leur avoir fait vivre une enfance malheureuse ». En fait, même cet énoncé est trop général. Procédez plutôt comme suit : imaginez-vous dans le rôle de votre double, il s'approche de vous pour vous demander pardon pour ses fautes. Quelles excuses voudriez-vous recevoir exactement? Écrivez vos réflexions dans votre journal. Vous saurez, par intuition, jusqu'où exposer la situation dans le détail pour que le pardon personnel vous semble entier, complet.

Voyez l'histoire de Janet, par exemple. Adolescente, elle fut enceinte pendant ses études secondaires et donna son enfant en adoption parce que le père du bébé refusait de l'épouser. Elle approchait la trentaine lorsqu'elle se maria. Elle découvrit alors qu'elle ne pouvait plus enfanter.

Depuis, Janet souhaite ardemment avoir un enfant avec l'homme qu'elle aime et ce désir ne fait qu'amplifier son regret d'avoir abandonné le seul et unique enfant qu'elle n'aura jamais eu. Plongée dans l'enfer de la haine de soi et du remords, elle revient sans cesse sur cette décision prise dans sa jeunesse : « Si seulement... » Emprisonnée dans son passé, elle n'arrive pas à se pardonner son erreur de jeunesse et ne peut jouir des plaisirs que la vie lui offre aujourd'hui. Elle se languit d'un pardon qu'elle dit ne pouvoir obtenir et pourtant, il ne peut venir que d'elle-même.

Diego s'en voulait d'avoir traité ses parents avec cruauté pendant des dizaines d'années, alors qu'il tentait d'atteindre la maturité et l'équilibre dans sa vie. Il est devenu un homme maintenant, mais ses parents sont décédés. Il regrette profondément les rendez-vous manqués et la souffrance qu'il leur a occasionnée. Il continue à se punir en s'imaginant sans cesse ce qu'aurait pu être leur vie ensemble.

2. Raison de se pardonner

Dans votre journal personnel, dressez une liste des raisons pour lesquelles vous devez vous pardonner d'avoir participé à l'élaboration de votre propre regret. Passez en revue les bienfaits du pardon de soi énumérés plus tôt dans ce chapitre et appliquez-les à votre cas. Réfléchissez bien et voyez de quelle manière le pardon de vous améliorerait votre qualité de vie, soulagerait votre peine et vous libérerait des chaînes qui vous attachent à votre passé. Dressez une liste complète et détaillée de ces raisons, car vous y puiserez votre motivation première. Relisez votre liste. Voici pour quelles raisons vous devez lâcher prise et vous libérer de vos regrets.

Au final, la meilleure raison de se pardonner est sans doute que c'est tout simplement la seule chose à faire. La vie nous conduit naturellement au pardon personnel. Si nous nous y refusons, nous nous condamnons à vivre dans les regrets et les tourments. Nous portons alors une souffrance non méritée qui freine notre évolution spirituelle et personnelle. Cette souffrance n'est d'aucune utilité. Nous n'avons aucune raison d'endurer ce mal. Nul ne nous le demande d'ailleurs. En fait, la vie nous exhorte plutôt que de nous en défaire : *lâchez prise et pardonnez*.

3. Raison de ne pas se pardonner

Si vous êtes disposé à vous pardonner, nul besoin de faire cette activité d'écriture. Mais elle vous sera fort utile si vous hésitez encore à faire ce geste. Son but est de mettre en lumière les raisons qui vous empêchent de vous pardonner. Posez-vous d'abord cette question : « Qu'est-ce qui me retient? Quelles sont les raisons qui me poussent à me refuser ce pardon? » Ces raisons reposent peut-être sur les fausses croyances décrites plus avant, dans ce chapitre. Voyez également si des pensées toxiques font obstacle au pardon de vous-même. Explorez toutes les possibilités et voyez quelles sont ces raisons.

Si vous refusez toujours de vous pardonner, voici un exercice qui vous aidera à fouiller davantage pour découvrir les motifs de ce refus. Ouvrez votre journal sur une pleine page blanche. À gauche de cette page, écrivez l'affirmation : « Je me pardonne d'avoir (nom du regret pour lequel vous vous refusez le pardon). » En rédigeant cette affirmation, vous sentirez une résistance à vous pardonner; au même instant, surveillez vos pensées, car une objection surgira dans votre esprit. Notez-la et inscrivez-la à la droite de votre affirmation. Cette objection est un conflit intérieur non résolu qui vous empêche de vous pardonner.

Répétez ce processus. Écrivez à nouveau l'affirmation : « Je me pardonne d'avoir (nom du même regret) » et, dès qu'une objection surgit, inscrivez-la à la droite de cette phrase. Poursuivez ainsi encore et encore. Vous saurez que vous avez terminé l'exercice lorsque vos objections commenceront à se répéter ou lorsque vous n'éprouverez plus de résistance à vous pardonner.

4. Résistance à se pardonner

Si vous êtes disposé à pardonner chacun de vos regrets, ignorez cette activité. Mais dans le cas contraire, ayez recours aux outils spirituels et psychologiques pour acquérir la volonté de vous pardonner. Priez et demandez d'avoir la volonté et le courage de vous pardonner. Implorez l'aide de votre force supérieure afin de mieux comprendre la nécessité de faire ce geste d'amour personnel, son importance et les raisons de votre résistance. Priez et demandez d'être libéré de votre propension au blâme envers vous, à la colère et à la haine de vous-même qui vous empêchent de vous pardonner. Demandez à votre force supérieure de vous guider vers la voie la mieux indiquée et menant au pardon personnel.

Procédez à l'analyse de vos pensées afin de déceler les raisons de votre refus de vous pardonner. Opposez-les ensuite à un argumentaire solide.

Par la visualisation créative, imaginez l'état dans lequel vous seriez si vous vous étiez pardonné, sans oublier tous les bienfaits que vous en retireriez. Pendant cet exercice, sentez le blâme et la colère contre vos regrets s'évaporer lentement, voyez disparaître la honte et la culpabilité, la peur et le désenchantement. Imaginez-vous enfin pardonné. Visualisez-vous ayant franchi et complété cette neuvième étape, voyez comme vous vous sentez soulagé, heureux et accompli.

Faites des affirmations pour vaincre votre résistance. Affirmez : « Je me pardonne et je suis pardonné » et sentez le pouvoir de ces mots en les prononçant.

Confirmation du pardon de Dieu

Plusieurs personnes ont le sentiment, sur le plan spirituel, de pouvoir se pardonner uniquement en obtenant aussi le pardon de leur force supérieure, quelle qu'elle soit. À leurs yeux, tout pardon de soi serait vain sans le pardon divin. En pareil cas, le processus diffère un peu : le pardon de soi doit se faire conjointement avec une prière demandant à Dieu de leur pardonner et en acceptant son pardon. Si vous croyez que le pardon de Dieu est une partie importante du pardon de soi, décidez de la méthode à suivre pour obtenir ou confirmer le pardon de Dieu ou de votre force supérieure. Si un rituel religieux particulier doit être fait, demandez à un prêtre, un ministre, un rabbi, un moine ou tout autre membre de votre clergé de procéder au pardon, en tant que représentant de Dieu.

5. L'action de se pardonner

Le moment venu, vous saurez sans doute intuitivement comment procéder pour vous octroyer ce pardon de manière significative et convaincante. Mais ce n'est pas toujours le cas. Le rituel est habituellement la façon la plus efficace de procéder au pardon de soi. Il s'agit d'une sorte de cérémonie marquant un passage, une transition importante. Certains rituels religieux, comme la confirmation ou la communion juive, symbolisent le passage de l'enfance à l'adolescence. L'inauguration présidentielle symbolise le transfert des pouvoirs politiques et militaires. La célébration d'un anniversaire symbolise le passage d'un âge à un autre. Ce genre de rituel confirme au principal intéressé et à ses invités qu'un événement important ou majeur a eu lieu. Il affirme haut et fort que notre vie prend un virage et ne sera jamais plus la même. Le pouvoir symbolique du rituel est de confirmer qu'un changement s'est produit, c'est pourquoi il tient un rôle si important dans le pardon de soi.

Mais à vous de décider. Toutes les façons de procéder se valent. Un simple énoncé comme « je me pardonne d'avoir _____ » peut être amplement suffisant. En général, toutefois, les gens préfèrent la formule plus élaborée et plus dramatique du rituel pour procéder au pardon d'eux-mêmes. Ainsi, ils en gardent un souvenir vif et convaincant. Il ne tient qu'à vous d'en concevoir la forme, car vous êtes la personne toute désignée pour choisir les éléments qui seront, à vos yeux, les plus persuasifs sur le plan émotionnel et spirituel. Votre rituel peut être court ou très long, simple ou complexe, fait en solitaire ou en bonne compagnie. À vous de choisir selon vos préférences. Mais prenez soin qu'il s'adresse à chacun de vos regrets et à toutes leurs conséquences. Le pardon de soi doit être entier et complet.

Votre rituel peut se tenir dans un lieu sacré ou un endroit spécial à vos yeux. Vous pouvez y inviter des gens, comme votre confident, ou procéder seul. Vous pouvez même demander à un membre du clergé d'animer cette cérémonie suivant votre tradition religieuse. Il est également possible de choisir un rituel représentant la guérison et la liberté, deux précieux rejetons issus du pardon de soi. L'important est de concevoir un rituel à votre image, significatif et naturel.

Beth a conçu son rituel du pardon personnel dans un lieu de son enfance, un parc où elle a passé des jours heureux à s'amuser dans les bois et à nager dans les eaux vives de la rivière. Réfléchissant aux bienfaits qu'elle désirait retirer du pardon d'elle-même, elle s'est rendu compte que le plus important était de se sentir nettoyée de tous ses regrets. Elle voulait en être lavée à tout jamais et recommencer sa vie en ayant fait place nette. Voulant symboliser ce nettoyage, Beth entra dans la rivière de son enfance et s'immergea complètement dans ses eaux vives et froides. Puis, elle s'installa sur une roche au milieu des flots, laissant l'eau nettoyer en douceur tout son passé et détendre son corps pendant qu'elle respirait l'air frais des bois. Elle passa en revue chacun de ses regrets et ses conséquences et s'accorda le pardon. Elle se visualisa ensuite, acceptant d'être pardonnée et enfin libre. Elle récita enfin une prière.

En se relevant, Beth eut le sentiment que l'eau glissant sur son corps pour retomber dans la rivière emportait dans ses flots toute la honte, la culpabilité et le blâme qui l'habitaient depuis si longtemps. À ses yeux, l'eau représentait le pardon d'elle-même et elle avait le pouvoir de la nettoyer de ses fautes; l'évaporation de l'eau représentait à ses yeux la disparition de sa douleur, de sa culpabilité et de sa honte. Beth traversa la rivière pour se rendre sur l'autre rive, symbolisant ainsi son passage vers sa nouvelle vie libre de tout regret. Debout, sur l'autre rive, elle dit une prière et jeta un dernier regard en arrière. Puis, elle quitta les lieux et passa le reste de la journée à s'amuser, à s'offrir du bon temps.

Quant à Louisa, son rituel de pardon d'elle-même eut lieu dans une église. Elle s'agenouilla devant l'autel et ouvrit une petite boîte renfermant une croix montée sur chaîne, apportée pour l'occasion. Elle éleva cette croix devant l'autel, priant Dieu de bénir ce symbole sacré et de lui accorder à nouveau son pardon pour ses fautes commises lors des événements liés à ses regrets. La croix trouva sa place autour du cou de Louisa qui murmurait : « Je me pardonne d'avoir... »; elle énuméra tous les faits et gestes pour lesquels elle désirait être pardonnée. Elle mit fin à son rituel en affirmant : « Je suis pardonnée ». Depuis, Louisa porte toujours cette croix à son cou. Dès qu'elle sent l'attrait néfaste du regret resurgir, elle porte la main à sa croix pour se souvenir de rester dans le présent.

Que votre rituel ait lieu dans le calme et le silence de votre foyer ou dans un endroit spécial en présence d'amis, il doit être extrêmement significatif. Vous vous apprêtez à vivre un moment unique, celui de vous offrir – et d'accepter – un cadeau d'une valeur inestimable. Celui de l'amour. Du pardon. De la liberté. Ce moment est celui du pardon de vous, un instant sacré puisqu'il vient avec la réconciliation avec vous-même, la fin de vos luttes intérieures, des attaques et des condamnations issues de vos regrets. Savourez et chérissez ce moment de liberté, respirez à plein poumon dans l'air pur de cet instant béni.

Lorsque votre rituel de pardon de vous-même prend fin, vous êtes pardonné. Pour certains, cet état est permanent. Ils sont profondément touchés par ce pardon et l'acceptent volontiers. Libérés de la honte et de la culpabilité, ils entrent dans un monde fait de liberté et de douce quiétude. Susan était exaltée au sortir de son rituel. Elle se sentait libérée du poids qu'elle portait depuis tant d'années, celui de la haine de soi et du blâme qu'elle entretenait depuis la mort de sa sœur dans un accident de voiture. Il faut dire que Susan était au volant. Ce rituel lui permit de se réconcilier avec elle-même et avec sa sœur décédée. Elle avait trouvé la paix. Jamais plus elle n'éprouva le besoin de se blâmer ou de s'en vouloir comme par le passé.

Peter fut pris d'un même sentiment de liberté au sortir de son rituel. Mais au fil des jours, ses vieilles habitudes refirent surface, il se blâmait et se condamnait à nouveau pour ses fautes. Le sentiment d'être pardonné s'estompa graduellement tant et si bien qu'il finit par replonger dans la honte et la culpabilité. Réalisant cela, Peter prit les choses en main : il fit à nouveau les dernières étapes du processus, soit la huitième, la neuvième et la dixième de même qu'un second rituel de pardon personnel. Il retrouva ainsi sa liberté. Mais Peter dut refaire ce processus à maintes reprises et recréer plusieurs rituels avant de parvenir à se pardonner entièrement et pour de bon. Il mit plus de temps que Susan à atteindre son but, mais, au final, il obtint le même soulagement et la même liberté. Chaque fois que Peter reprenait ce processus, il lui était plus facile de se pardonner et de maintenir cet état plus longtemps. Ses efforts quotidiens l'ont finalement conduit au pardon définitif.

6. Le lâcher-prise de tout regret

Dès que vous vous êtes pardonné, plus rien ne vous lie à vos regrets. Vous aurez peut-être le sentiment qu'ils se sont volatilisés comme fantômes au petit matin. C'est le moment de faire une prière et de dire merci pour bien marquer le coup et de reconnaître cet état de fait. Ou d'écrire dans votre journal quelque chose comme : « Voici les regrets dont je suis libéré. Jamais plus ils ne me feront souffrir. »

Au début de ce long voyage (au premier chapitre), vous avez affirmé que votre objectif était de vous libérer de vos regrets et de vos souffrances liées au passé. En franchissant cette neuvième étape, vous avez atteint ce but. Vous voici libéré du fardeau de vos lourds regrets. Vous n'avez pas oublié vos regrets pour autant, mais ils n'ont plus le pouvoir de vous faire souffrir. Sans doute resteront-ils à jamais gravés dans votre mémoire, mais ils ne peuvent plus vous faire de mal ni vous entraîner dans ce passé douloureux et vous y garder prisonnier. Ces vieux regrets ne peuvent plus déformer votre présent. Chaque regret ne sera plus désormais qu'une pièce dans la mosaïque de votre vie, une vie qui par le passé vous a apporté son lot de souffrances et de cadeaux... chèrement payés. Peut-être souhaiteriez-vous n'avoir jamais vécu ces malheureux événements – malgré les leçons et les cadeaux qui en découlent –, mais vous n'aurez plus à vous y replonger désormais. Vous ne serez plus prisonnier de vos vieilles habitudes, du passé et de ses souffrances. En vous pardonnant, vous vous êtes libéré de vos regrets et avez réclamé votre présent. Vous voici libre, maintenant.

Si vous le désirez, vous pouvez terminer cette neuvième étape par un rituel symbolisant la libération de vos regrets. Ce rituel marque une transition importante de votre vie et peut prendre diverses formes, comme ce fut le cas lors du rituel du pardon personnel. L'important est que ce rituel soit significatif. Pour Gabriela, il prit la forme d'une cérémonie autour de son journal personnel. Elle mit le feu à son journal et observa la fumée monter dans un ciel bleu d'après-midi et s'éloigner à l'horizon. Gabriela voyait tous ses regrets et toute sa tristesse s'envoler en fumée, vers les cieux. Elle dit une prière faite de gratitude, demanda d'être à jamais libérée de ses regrets et remercia sa force supérieure de l'avoir guidée tout au long de ce voyage intérieur qui l'avait conduite à cet instant béni. Pendant que son journal brûlait, Gabriela tenait dans sa main un petit objet trouvé chez un antiquaire et qu'elle avait choisi pour symboliser son lâcher-prise. Elle le porta sur elle pendant des mois pour finalement le déposer dans un lieu secret.

Brad, de son côté, ne voulait pas brûler son journal, car il voulait pouvoir s'y référer au besoin, plus tard. Il choisit plutôt de dresser une liste de tous ses regrets sur une seule feuille, d'y décrire ses souffrances et tous les aspects de cette épreuve dont il voulait se défaire. Il dit une prière dans laquelle il « remerciait » d'être libéré de ses regrets et demandait d'avoir le courage de maintenir cette liberté retrouvée. Il déchira ensuite cette feuille en petits morceaux qu'il ramassa avec soin. Il jeta ces bouts de papier dans la toilette, tira la chaîne et observa le tout disparaître dans un tourbillon. Puis, il quitta les lieux en compagnie de son confident. Ensemble, ils célébrèrent en dînant dans son restaurant préféré où ils trinquèrent à sa nouvelle vie. Brad garda les allumettes du restaurant comme objet symbolique et les plaça sur sa commode pour lui rappeler sa liberté nouvellement acquise.

Jean a trouvé un bâton en tous points pareil à ceux qu'il aimait lancer lorsqu'il jouait, enfant, avec son chien. Sur ce bâton, il a gravé le mot *Regrets* et se rendit jusqu'au pont situé à une heure de marche de la maison. Debout, sur le pont, il songea à tous ses regrets et à sa douleur puis lança ce bâton dans le fleuve dévalant sous ses pieds. Le bâton fut emporté par le courant. Jean le regardait s'éloigner et c'est toute sa honte, sa culpabilité et ses remords que ce bâton apportait dans les flots. Jean affirma : « Cette fois, c'est pour de bon. Ce bâton ne reviendra jamais plus… ni mes regrets d'ailleurs. » Jean s'en était à jamais libéré.

Vous avez franchi cette neuvième étape et, ce faisant, vous vous êtes pardonné vos fautes et libéré de vos regrets. Mais il vous reste une dixième étape à franchir. Cette liberté nouvellement acquise doit être protégée et vous apprendrez comment y parvenir, au cours de cette dernière et dixième étape. Vous saurez comment demeurer libre pour le reste de votre vie.

Chapitre 13

ÉTAPE 10 :
VIVEZ LIBRE DE TOUT REGRET

L a grande aventure de la vie ne prend fin qu'au moment de rendre notre dernier souffle; certains diront même qu'elle semble se poursuivre bien au-delà. Il en va de même de cette aventure vers la libération des regrets. Elle n'est pas terminée. Il nous reste encore une toute dernière étape à franchir. Elle nous aidera à voyager librement, à vivre le cœur léger, sans le fardeau des regrets passés ou à venir. Bien sûr, nous ne sommes pas à l'abri du regret, il est inévitable. Nous sommes humains après tout. Nous commettrons des erreurs et vivrons des expériences que nous regretterons. Mais nous n'avons pas à les porter sur nos épaules. Il nous suffit de franchir les dix étapes de notre processus pour nous en libérer sans plus tarder.

Contrairement aux neuf étapes précédentes – tournées vers le passé –, cette dixième étape porte sur le présent et votre vie d'aujourd'hui. Quel en est l'objectif? Évitez de replonger dans vos vieux regrets ou d'en cultiver des nouveaux. Mettez en pratique, au quotidien, les outils et les principes présentés dans ce chapitre et vous resterez bien ancrés dans l'ici-maintenant et libre des regrets qui vous ont maintenu prisonnier du passé. Puisqu'elle porte sur le présent, cette dixième étape fait exception à la règle – elle ne sera jamais complétée et demande à être franchie encore et encore, sans relâche.

FRANCHIR LA DIXIÈME ÉTAPE

La liste d'actions de cette dixième étape comporte deux volets et vise à vous maintenir libre de tout regret pour le reste de vos jours. Le premier volet est un ensemble de *principes* spirituels et psychologiques à vivre au quotidien. Le second volet porte sur l'usage régulier des outils spirituels et psychologiques que vous connaissez bien maintenant, mais en particulier sur l'analyse des pensées et la prière. Ces activités sont décrites un peu plus loin.

Dixième liste d'actions

VIVEZ LIBRE DE TOUT REGRET

1- *Mise en application, au quotidien, des outils et des principes spirituels et psychologiques*

MISE EN APPLICATION, AU QUOTIDIEN, DES OUTILS ET DES PRINCIPES SPIRITUELS ET PSYCHOLOGIQUES

Depuis le début de ce processus, vous avez eu recours aux outils spirituels et psychologiques pour vous libérer de vos regrets. Vous les utiliserez maintenant pour éviter de replonger dans vos regrets du passé ou d'en cultiver des nouveaux. Vous aurez sans doute vos préférences parmi ces outils d'une grande efficacité. Mais ne vous limitez pas. Essayez d'en utiliser plusieurs et le plus souvent possible, au cours de cette dixième étape. Vous obtiendrez de meilleurs résultats. Prenez soin d'acquérir une discipline : utilisez ces outils et principes le plus rapidement possible, dès que le besoin se fait sentir. Priez et demandez d'acquérir cette discipline, visualisez-la, parlez-en dans votre journal.

Voici comment utiliser ces outils pour demeurer libre de tout regret.

Analyse des pensées

L'analyse des pensées fait appel à votre esprit critique; elle vous permet de contrer vos peurs irrationnelles et vos chimères et de rejeter vos fausses croyances; sans quoi vous risquez de replonger dans le passé ou de créer de nouveaux regrets. L'analyse des pensées est un outil qui a su vous être utile lors du lâcher-prise; il vous aidera maintenant à préserver votre liberté chèrement acquise. Quand un regret du passé refait surface, voyez si une pensée toxique ne cherche pas à s'infiltrer dans votre esprit. Lorsque vous l'aurez ciblée, faites une affirmation comme : « Ah! voici un autre exemple de (pensée toxique en question). » Passez en revue les caractéristiques de ce schéma et ajoutez : « Cette pensée est fausse, je vais donc l'ignorer. » Par exemple, si le schéma de votre pensée toxique est le contrôle exagéré, votre réponse pourrait ressembler à ceci : « Ah! voici un autre exemple de contrôle exagéré. Je ne possède pas ce genre de pouvoir. Cette pensée est fausse, je vais donc l'ignorer. » Si un nouveau regret surgit et que vous ne pouvez lâcher prise, ayez recours à ce même procédé pour vous en libérer.

Nous l'avons vu dans le sixième chapitre, les principaux schémas de pensée qui sont à l'origine de nos regrets sont les suivants :

- ❖ Perfectionnisme
- ❖ Contrôle exagéré
- ❖ Prédiction de l'avenir
- ❖ Divination (savoir ce que l'autre pense)
- ❖ Personnalisation des événements
- ❖ Comparaison incomplète
- ❖ Culpabilité non méritée
- ❖ Réinvention du passé
- ❖ Rationalisation extrême
- ❖ Utilisation du regret comme prétexte à l'inaction

Prière et méditation

Nous, les humains, ne sommes pas conçus pour faire face aux vicissitudes de la vie sans le soutien et la guidance de notre force supérieure. Mais pour y accéder, nous devons en faire la demande, nous en approcher et accepter cette aide. La prière nous y conduit.

Adonnez-vous à la prière quotidienne et vous serez inondé de ses bienfaits; elle vous apporta réconfort, courage, force et paix au milieu des incertitudes et des tumultes de la vie. Nul besoin d'avoir recours à des mots recherchés pour prier. Nul besoin de s'adresser à une image divine préconçue ou d'avoir une foi inébranlable. La prière fonctionne, sans plus, tout simplement.

Nous avons notre façon personnelle de prier. Certains prient le matin, demandant guidance pour eux et soutien pour ceux qu'ils aiment. D'autres prient le soir et disent merci pour les événements de la journée. D'autres encore prient à tout moment, lorsqu'ils ont besoin d'aide, de courage ou de soutien – avant de prononcer une conférence, de respecter un échéancier ou de discuter avec un adversaire. La prière, qui consiste à entrer en communication avec Dieu dans un lieu intérieur calme et serein, nous permet de nous rafraîchir les idées et de refaire nos forces; elle nous éclaire lorsque vient le temps de prendre d'importantes décisions. La prière a le pouvoir de nous guérir. Toute personne qui cherche un sens profond à sa vie ne peut y trouver de substitut. Rien ne saurait remplacer la prière.

Affirmation

Vous avez eu maintes fois recours à l'affirmation en franchissant les dix étapes de ce processus et vous en avez découvert l'efficacité. Dite à voix haute devant votre miroir ou répétée intérieurement pendant la journée, l'affirmation a le mérite de vous imprégner de sa vérité profonde. Elle vient contrecarrer le message négatif de son contraire que nous nous répétons depuis des années, sinon depuis toujours, et qui vient réveiller nos vieux regrets ou en cultiver des nouveaux. Quand votre ancien regret tente de refaire surface, vous pouvez lui clouer le bec en affirmant : « Je me suis départi de ce regret. Je suis libre. » Et si la colère contre une personne pardonnée resurgit, utilisez l'affirmation : « J'ai pardonné à (son nom). »

L'affirmation est un excellent remède contre les pensées toxiques nous menant irrémédiablement vers de nouveaux regrets. Prenons un exemple. Vous êtes tenté de vous blâmer et donc de regretter de n'avoir pas su prévoir un événement – sans quoi, vous auriez agi autrement. Répliquez en affirmant : « Je ne suis pas devin, je suis humain. » Pour grandir et devenir un être vibrant qui change et évolue en force et en sagesse, nous devons contrer ces pensées toxiques qui nous plongent dans la honte, nous diminuent ou attaquent notre intégrité. L'affirmation nous soutient dans notre quête. Elle nous permet d'évoluer et d'avoir un regard neuf et positif sur nous-mêmes et sur notre situation. Que de récolte à partir de simples énoncés favorables nous concernant!

Visualisation créative

Voici un outil puissant qui facilite l'adaptation aux changements de la vie. Utilisez-le pour vous préparer à vivre de nouvelles expériences qui vous demandent d'agir, et ce, malgré la peur qui vous tenaille devant la difficulté ou l'impossibilité de la tâche à accomplir. Tout conférencier de talent connaît ce secret – juste avant d'entrer en scène et de s'adresser aux gens, il s'imagine parlant devant cet auditoire qui l'applaudit à tout rompre. Avant de frapper la balle, tout grand golfeur s'imagine en train d'accomplir un coup parfait. En imaginant avec soin une scène parfaite dans tous ses détails, l'esprit adopte cette image comme étant une réalité et multiplie ainsi les chances de la manifester concrètement. Avant de faire une action – qu'elle soit nécessaire, désirée ou crainte –, nous pouvons nous y préparer mentalement en nous imaginant en train d'accomplir cette action avec facilité et compétence. Nous serons moins craintifs le moment venu, lorsque nous serons appelés à réellement accomplir ce geste.

Journal personnel

Certaines personnes n'aiment pas écrire. Mais si vous avez pris plaisir à tenir votre journal et avez trouvé soulagement et réconfort dans l'écriture, alors le journal personnel est sans doute un outil privilégié qui vous convient parfaitement. Tenir un journal personnel est un geste naturel chez certains, mais pour d'autres, c'est plus difficile. Si le journal ne figure pas parmi vos favoris, restez-lui fidèle malgré tout et il vous le rendra au centuple. Il vous sera particulièrement utile quand vous serez aux prises avec la peur et la confusion; l'écriture du journal personnel délimite le territoire de la peur et de la confusion et nous apporte clarté et réconfort en pareils moments. Calmez vos appréhensions en dressant une liste complète des situations que vous craignez voir se produire.

Devant une décision difficile à prendre, pesez le pour et le contre afin d'évaluer la situation; vous aurez ensuite les idées claires et saurez intuitivement prendre la meilleure décision. Le journal vous permet également d'exprimer et de départager vos émotions et vos attentes. Si de nouveaux regrets vous font la vie dure, vous pourrez vider la question en ayant recours à l'analyse des pensées et au journal, un outil complémentaire fort utile en pareil cas. Au cours des dix étapes que vous avez franchies, l'écriture a-t-elle occupé une grande place dans votre démarche? Écrire de la poésie et des nouvelles ou encore dessiner, faire des collages et monter un journal visuel vous a particulièrement plu et aidé? Sachez que cet outil continuera à vous soutenir tout autant, à l'avenir.

Partage avec son confident

Depuis la nuit des temps, nous avons besoin de partager avec nos semblables notre vie, nos expériences. Il en sera toujours ainsi. Nous sommes faits pour vivre non pas seuls, mais en communauté. Devant un problème, nous pouvons compter sur nos amis pour nous aider à y voir clair et à trouver une solution. Ils partagent nos joies et contribuent à notre bonheur. Ils éveillent notre courage et nourrissent nos espoirs.

Nos amis soutiennent notre quête spirituelle et notre développement psychologique. L'isolement affectif et spirituel est un terrible fardeau à porter, bien trop lourd en fait pour tout être humain, car tel n'est pas notre destin. Quel que soit notre degré d'isolement à ce jour, nous pouvons apprendre à partager nos sentiments et notre vie avec d'autres et en tirer tous les bienfaits. Mais il faudra y mettre les efforts. Les outils spirituels et psychologiques nous seront d'un grand secours en pareilles circonstances.

On peut débuter en joignant un petit groupe de partage qui se rencontre régulièrement. Ces groupes sont légion en Amérique. De fait, la plupart des Américains en sont membres. Ils couvrent divers champs d'intérêt et peuvent être subventionnés. On y retrouve des équipes sportives, des clubs de bridge, de lecture, des ateliers pour le couple, des groupes de prière, d'étude biblique, de traitement en douze étapes (Alcooliques anonymes, Outremangeurs anonymes, Al-Anon), d'entraide pour les personnes souffrant d'une maladie précise et d'autres problèmes sans parler d'une panoplie de groupes consacrés à l'éducation ou au soutien émotionnel. Tous ces groupes ont en commun le même souci d'aider et de soutenir leurs membres tout en leur offrant la chance de partager leurs expériences de vie avec d'autres dans un milieu sain, réconfortant et sécurisant. En joignant l'un de ces groupes et en participant régulièrement aux activités, vous rencontrerez des gens, vous vous ferez des amis et trouverez le courage de partager votre expérience en entendant les témoignages des autres membres.

Si vous êtes intimidé à l'idée de partager vos expériences, vous devrez rassembler tout votre courage. Mais vous pouvez prier et demander d'avoir ce courage, le visualiser, l'affirmer et écrire sur le sujet dans votre journal. Si vous le faites, vous serez étonné du résultat. Des portes s'ouvriront devant vous, des occasions et des gens extraordinaires se présenteront pour vous tendre la main, vous rencontrerez des personnes ayant vécu une expérience semblable à la vôtre et qui vous offriront généreusement leur vision, leur courage et leur espoir. Nous ne disons pas que la peur ne sera plus au rendez-vous, mais vous aurez le courage voulu pour l'affronter et la dépasser. Le groupe de partage est un outil parmi d'autres pour y arriver. Vos amis et confidents vous apporteront le soutien émotionnel, spirituel et psychologique dont vous aurez besoin pour maintenir votre liberté nouvellement acquise.

Usage des dix étapes

Dès qu'un vieux regret refait surface ou qu'un nouveau regret semble vouloir s'installer, reprenez le chemin des dix étapes. Franchissez les étapes nécessaires pour vous en libérer. Dans la majorité des cas, vous saurez immédiatement et intuitivement quelle étape choisir. Mais si la situation est sérieuse, n'hésitez pas à franchir les dix étapes en procédant dans l'ordre. Peu importe la nature de votre regret, vous pouvez vous en libérer. Ce processus en dix étapes vous y conduira à coup sûr.

Principes psychologiques et spirituels

Outre les *outils* spirituels et psychologiques mis à votre disposition, voici les *principes* spirituels et psychologiques à utiliser pour garder vos vieux regrets éloignés tout en évitant d'en cultiver des nouveaux. À l'instar des outils, ils vous garderont libre de tout regret. S'il est vrai que les outils vous offrent des techniques précises visant à modifier votre comportement, ces principes visent un autre objectif : ils vous servent de guide afin de mener une vie pleine et significative. Disons simplement que les outils sont les moyens pour arriver à nos fins alors que les principes sont la fin. Voici les dix principes spirituels et psychologiques :

1. *Mettez en application les présents reçus et les leçons tirées de vos regrets*
2. *Assumez vos responsabilités, faites amende honorable*
3. *Soyez toujours reconnaissant*
4. *Pratiquez l'humilité*
5. *Soyez au service des autres*
6. *Pardonnez-vous, pardonnez aux autres*
7. *Acceptez les gens, acceptez la vie*
8. *Laissez tomber vos vieux regrets*
9. *Abandonnez tout nouveau regret*
10. *Vivez résolument en ce moment présent*

Voyons plus en détail la nature de chacun de ces principes.

1. Mettez en application les présents reçus et les leçons tirées de vos regrets

Vos regrets vous ont apporté présents et leçons, mais vous avez trimé dur et payé cher pour les obtenir. Si vous êtes disposé à les reconnaître et en faire bon usage, votre souffrance et vos regrets auront trouvé un sens. Vous saurez en tirer le meilleur parti si vous les intégrez à votre vie quotidienne. À vous de découvrir comment les utiliser concrètement pour votre propre bien-être et celui de votre entourage. Nicholas a regretté avoir dilapidé son précieux héritage, mais il fit la paix avec son passé et tira profit de cette leçon de vie en changeant son rapport à l'argent et sa gestion financière. Nicholas s'est fait un budget mensuel qu'il respecte, il a appris à investir prudemment et se fait un devoir d'enseigner l'épargne à ses enfants. Il a aussi modifié sa perception des choses, car il sait aujourd'hui que « l'argent n'est pas tout ce qui importe dans la vie »; il peut maintenant transmettre cette nouvelle valeur à ses enfants. Il préférerait ne pas avoir eu à perdre tout son pécule pour apprendre ses leçons et recevoir ses présents; mais il aura au moins tiré profit de sa faute et, de ce fait, donné un sens à son regret.

2. Assumez vos responsabilités, faites amende honorable

Assumer l'entière responsabilité de vos erreurs et faire amende honorable équivaut à mettre en application la cinquième étape (« Faire amende honorable »), et ce, en permanence. Pour vivre libre de tout regret, vous devez mettre ce principe en application *dès que vous réalisez avoir trompé ou blessé quelqu'un*. En vous excusant et en réparant vos torts sur-le-champ, vous évitez de cumuler et de nourrir des regrets.

Jack a découvert combien il est salutaire de faire amende honorable en s'excusant pour son excès de colère, au bureau. Un collègue l'accusait d'avoir commis une erreur dans ses états financiers, ce qui s'avéra exact. En moins d'une heure, Jack présenta ses excuses pour l'erreur commise dans son rapport et pour s'être emporté. Il regrettait. Ses opposants ne s'attendaient pas à recevoir rapidement de telles excuses – même si elles étaient incontournables, selon eux. Devant ce geste, leur colère fit place au respect. Mais Jack ne cherchait pas leur approbation, il fit amende honorable pour son propre bien-être, pour être libre de tout regret.

Le principe d'assumer ses responsabilités signifie, dans un sens plus large, d'assumer l'entière responsabilité de sa vie et d'en tirer le meilleur parti en toutes circonstances. Quand vos chimères et vos regrets vous entraînent dans les « si seulement », ils vous privent de votre véritable pouvoir intérieur et de son terrain de jeu : le moment présent. Vous pouvez faire un acte pour tenter de réparer vos fautes, mais c'est tout. Vous ne pouvez changer le passé. En revanche, vous pouvez changer le présent. Vivre de vos regrets, c'est renoncer au pouvoir du moment présent et plonger dans l'impuissance du passé. Quand on affirme : « Je suis malheureux aujourd'hui à cause des événements que j'ai vécus dans le passé », on se complait dans ses chimères. Ce qui nous rend malheureux, c'est notre réaction aux événements actuels – non à ceux du passé –, aussi tragiques soient-ils. Mais voilà : si nous acceptions cette réalité, nous serions tenus de changer notre comportement ou notre mode de vie.

Dans un premier temps, nous avons du mal à croire que nous puissions détenir un tel pouvoir, celui de changer la perception que nous avons de nous-mêmes, de notre vie et du monde qui nous entoure. Ce pouvoir nous est conféré et nous donne à choisir la qualité de notre vie présente et future, puisqu'elle est le prolongement de ce qui est maintenant. Notre perception et nos croyances sur la vie déterminent l'interprétation que nous ferons des événements, passés et présents. Pour vous en convaincre, je vous invite à lire un ouvrage tout à fait extraordinaire intitulé *Découvrir un sens à sa vie avec la logothérapie* (*Man's Search for Meaning*), de Viktor E. Frankl. Il s'agit de l'autobiographie d'un psychiatre juif emprisonné dans les camps de la mort des nazis et qui a su trouver un sens et un but à sa vie en dépit de l'horreur invraisemblable qui prévalait en ces lieux. Frankl nous dit ce qu'il a appris sur la survie au quotidien en pareilles circonstances. « J'en conviens, nous ne pouvons changer notre destin, mais grâce à l'immense pouvoir de l'esprit humain, nous pouvons changer d'attitude. » Or, ce changement d'attitude lui sauva la vie.

Découvrir un sens à sa vie avec la logothérapie est un ouvrage puissant mettant en lumière les deux seules voies qu'il nous faut emprunter devant les vicissitudes de la vie : changer ce qui peut l'être et accepter ce que nous ne pouvons changer. Le seul fait d'accepter ce qu'on ne peut changer est, en soi, un changement d'attitude. Ce dernier modifie notre perception des choses et, par conséquent, notre réaction aux événements. C'est nous qui changeons. Évidemment, changer d'attitude n'est pas chose facile, mais le jeu en vaut la chandelle. Si vous êtes malheureux aujourd'hui, c'est que vous refusez de modifier quelque chose que vous avez le pouvoir de changer (habituellement votre attitude, votre perception ou votre comportement) d'une part et que vous vous efforcez de modifier quelque chose qui ne peut l'être (habituellement les gens, les événements ou les situations hors de votre contrôle).

Les regrets mentent, ils nous font croire que notre passé est la source de notre malheur. C'est faux. C'est notre façon de vivre le présent qui nous rend malheureux. Nous ne sommes pas les victimes du passé. Nous sommes les victimes de notre propre bourreau intérieur, victimes de nous-mêmes.

3. Soyez toujours reconnaissant

Cultivez la gratitude afin de nourrir un sentiment d'humilité et d'ouvrir la voie vers une quête spirituelle. La reconnaissance est un mode de communication avec le monde, une forme d'interaction à privilégier. Avec la pratique, notre sentiment de gratitude s'approfondit. Dressez une liste des choses, grandes et petites, pour lesquelles vous êtes recon- naissant... en particulier lorsque vos vieux regrets vous titillent. Faites de cette liste votre prière quotidienne que vous répéterez intérieurement; devant une difficulté, faites le même exercice par écrit, vous apaiserez ainsi votre angoisse et reprendrez courage devant l'adversité. Utilisez ré- gulièrement votre liste de « gratitudes » et songez aux bienfaits issus de vos regrets, au bonheur d'avoir pris un heureux virage et d'être comblé par la vie d'aujourd'hui. Une profonde gratitude exprimée librement et régulièrement nous protège des regrets et dissipe la peur et la tristesse. Dans le *Journal of Personality and Social Psychology*, on fait état d'une nouvelle recherche prouvant que les personnes ayant l'habitude de dres- ser une liste de gratitudes au quotidien ont une meilleure santé mentale, font plus d'exercice, dorment mieux et sont mieux disposées à aider leur entourage.

Nous nous sentons rassurés lorsque nous sommes reconnaissants. Nous savons alors que nous ne sommes pas seuls au monde, car notre force supérieure nous appuie. Éprouver de la gratitude, c'est reconnaître que nos changements intérieurs sont imputables à plus grand que nous, c'est accepter volontiers les leçons et les présents issus des événements, heureux et malheureux, de notre vie. La gratitude éveille notre foi en un ordre divin, en un plan divin dont nous ne pouvons saisir tout le mystère pour l'instant. Lorsque nous reconnaissons être comblés des bienfaits de la vie, nous faisons la paix avec notre passé et ses souffrances, avec le présent et ses mystères, avec le futur et ses possibles. C'est la vie qui s'ouvre à nous, la vie et son vaste potentiel.

4. Pratiquez l'humilité

Il nous faut une certaine dose d'humilité pour grandir et évoluer sur le plan spirituel et psychologique. L'humilité est une évaluation réaliste de notre rôle en ce monde et la reconnaissance de nos limites, sans pour autant surestimer ni sous-estimer l'étendue de notre pouvoir et de notre responsabilité. Elle nous permet de déceler nos propres imperfections, d'accepter les limites des autres, de commettre des erreurs et de pardonner. L'humilité nous permet également de reconnaître honnêtement nos réussites et nos accomplissements.

Sur le plan spirituel, c'est l'humilité qui nous incite à harmoniser notre volonté avec la volonté divine. Évidemment, cette forme d'harmonisation doit être dépourvue d'ego et il n'est pas toujours facile de déterminer quelle est la volonté de Dieu. Mais si vous admettez ne pas être le centre de l'univers, ne pas tout savoir ou en savoir moins que vous ne le pensiez, et si vous reconnaissez que certains grands principes ont plus d'importance que vos désirs personnels – vous saurez sans doute nourrir et maintenir un véritable sentiment d'humilité.

Il existe mille et une façons d'exprimer, d'atteindre et de pratiquer l'humilité. Voici une liste d'actions qui vous aideront à la cultiver.

5. Soyez au service des autres

Nous mettre au service de l'autre a le mérite d'éveiller et de renforcer notre sentiment d'humilité. Mais c'est également une source de grande satisfaction et un moyen de nous éloigner de nos soucis personnels. Quand vous tendez la main à une personne dans le besoin, vous oubliez temporairement vos problèmes. Vous pouvez servir de maintes façons, mais optez pour un bénévolat qui misera sur vos talents personnels. Selon la tradition, le don de soi consiste à offrir ses talents, son temps ou une somme d'argent; mais le meilleur moyen de nourrir l'humilité et la gratitude est d'offrir son talent et son temps, non de se contenter de faire un don en argent. Toute forme de bénévolat qui met votre vie en perspective vous sera bénéfique. Toutefois, si vos leçons et présents issus de vos regrets sont mis au service d'autrui, tout le monde y gagnera au centuple. Vous et les autres.

Ce ne sont pas les besoins qui manquent. Les bénévoles sont en demande partout. Par exemple, un alcoolique sobre peut en aider un autre à retrouver la sobriété. Une femme battue peut conseiller celles qui cherchent à quitter un conjoint violent. Une famille ayant perdu un ado par suicide peut conseiller d'autres familles sur la prévalence et la prévention du suicide chez les jeunes. Un décrocheur peut se consacrer à la cause des jeunes en difficulté d'apprentissage scolaire et les encourager à ne pas abandonner l'école. D'autre part, les leçons et les présents tirés de nos expériences peuvent être transmis à nos proches si nous nous comportons en bon parent et en ami fidèle.

6. Pardonnez-vous, pardonnez aux autres

Maintenant que vous et vos proches avez bénéficié de votre pardon, vous savez que vous avez le pouvoir de pardonner dès que l'occasion se présente. À l'instar de l'humilité, du service aux autres et de la gratitude, le pardon est une vertu essentielle pour quiconque désire vivre libre de tout regret. Pardonnez aux autres les fautes réelles commises, mais aussi leurs fautes imaginaires – par exemple, pardonnez à votre père de ne pas être tel que vous le souhaiteriez. Pardonnez dans le seul but de goûter aux plaisirs de votre propre vie.

Sachez pardonner vos fautes au quotidien, vos erreurs de jugement et vos échecs tout en cherchant à réparer vos torts. La perfection n'est pas le but à atteindre; ne vous jugez pas à partir de critères irréalistes. Apprenez la tolérance, la patience et la compassion envers vous-même comme envers les autres. Pardonnez-vous souvent, régulièrement et voyez votre progrès. Évitez de semer et de nourrir le ressentiment, il empoisonnerait le jardin de votre vie.

7. Acceptez les gens, acceptez la vie

Plus vous évoluerez sur le plan spirituel, plus vous aurez de la facilité à accepter les gens et les événements sur lesquels vous n'avez aucune prise. La prière de la sérénité en jette les fondements : « Mon Dieu, donne-moi la sérénité d'accepter les choses que je ne peux changer, le courage de changer les choses que je peux et la sagesse d'en connaître la différence. » Le contentement repose sur votre capacité à accepter les choses que vous ne pouvez changer. L'acceptation vous libère du ressentiment et vous permet de faire face aux difficultés de la vie avec équanimité, grâce à une foi plus adulte. Vous jugerez moins vos semblables et serez plus tolérant par rapport aux gens et aux choses que vous ne comprenez ou n'approuvez pas. Vous ne serez plus offensé par des vétilles et vous saurez pardonner sans tarder; vous serez moins colérique et vous apprécierez davantage les beautés extraordinaires de la vie. L'acceptation est à la fois une action et un état. Il faut trimer dur pour acquérir cette qualité et la mettre en application. Mais le jeu en vaut la chandelle! Accepter ce que vous ne pouvez changer devient un outil puissant qui vous permet de modeler vos expériences de vie et, au besoin, d'en triompher.

8. Rejetez vos vieux regrets

Ne faites pas l'erreur de nourrir de vieux regrets. Jamais. Ni pour une minute ni même pour une seconde. Ne vous vautrez pas dans le passé. Lorsque vous aurez franchi les dix étapes et acquis votre liberté, ne vous laissez pas entraîner dans les plaisirs attirants et destructeurs de vos regrets, et ce, pour quelque raison que ce soit. Refusez de rallumer la flamme du ressentiment, de retomber dans les affres de l'apitoiement ou du blâme. Ayez recours à l'analyse des pensées et aux outils spirituels et psychologiques pour éviter de revivre cette souffrance et cette colère.

Il est possible de vivre libre de tout regret sans oublier pour autant les leçons et les présents que vous en avez tirés. Vous pouvez vous souvenir de vos regrets, en appliquer les leçons, utiliser les présents reçus sans replonger dans ce regret, sans revivre le passé, sans vous blâmer à nouveau ou retomber dans les chimères des « si seulement ».

Soyez vigilant, veillez à ne pas laisser vos vieux regrets refaire surface. Faites de même avec votre entourage. Si quelqu'un cherche à rallumer la flamme de vos regrets, ne le laissez pas faire. Vous avez parcouru un chemin remarquable en franchissant ces dix étapes et en vous libérant de vos regrets. Ils appartiennent désormais au passé. Vous en avez décidé ainsi. Mais d'autres n'en ont peut-être pas fait autant, ils n'ont peut-être pas lâché prise et ne le souhaitent pas. Il est possible que ces gens ne veuillent pas *vous* voir libéré de vos regrets. Ils chercheront à vous replonger dans vos vieux regrets pour diverses raisons. Peut-être parce qu'ils aiment faire souffrir les gens autour d'eux, parce qu'ils veulent vous rappeler qu'ils ont « raison », parce qu'ils aiment argumenter, parce qu'ils veulent vous punir, parce qu'ils cherchent une victime, parce qu'ils sont jaloux de votre évolution, parce qu'ils veulent rester des martyrs, parce qu'ils évitent ainsi d'examiner leurs propres regrets, parce que... parce que... parce que. La raison importe peu.

Lorsqu'une personne cherche à vous rappeler votre passé et vos regrets en vous posant comme victime, agresseur, observateur ou personne concernée, votre réponse doit toujours être une version sur un même thème : « Je me suis libéré de ce regret. » Si vous le désirez, vous pouvez toujours développer un peu cette idée en ajoutant : « Si tu souhaites réellement te libérer de tes regrets, je serai heureux de partager mon expérience afin de t'aider à en faire autant. Mais je ne discuterai plus de mes vieux regrets. Ce sujet est clos. » Ceux qui veulent votre bonheur respecteront votre demande et agiront en conséquence. Ils laisseront tomber ce regret. Ceux qui cherchent réellement votre aide vous poseront des questions et voudront savoir comment vous êtes parvenu à ce résultat. En pareil cas, vous aurez la chance de témoigner de votre parcours et d'aider cette personne à se libérer à son tour de ses regrets.

Mais d'autres personnes ne veulent pas vous voir libéré de vos regrets, car ils y ont investi une petite fortune. Si ces gens découvrent que vous en êtes libéré, ils chercheront par tous les moyens à en rallumer la flamme. Résistez. Quoi qu'ils disent, ne mordez pas à l'hameçon. Refusez de retourner en arrière, d'abord poliment, mais n'hésitez pas à être impoli s'il le faut. Peu importe si vous devez vous montrer insistant et agressif, vous devez impérativement demeurer libre de tout regret et solidement ancré dans le présent. Vous avez le droit de vous protéger, vous et votre bonheur, de ceux qui vous veulent du mal ou qui agissent par pure ignorance. Vous devez refuser tout propos malveillant qui pourrait vous faire replonger dans la honte et la culpabilité laissées derrière vous.

À ceux qui s'obstinent à constamment ressasser votre passé et qui cherchent à réactiver vos vieux regrets, répondez : « Je suis désolé que ces vieux regrets te préoccupent encore à ce point. Pour ma part, j'ai tourné la page. » Ou donnez-leur un exemplaire du livre *Sans regret* avec la note : « Toi aussi, tu peux te libérer de tes vieux regrets. » Ne laissez quiconque vous agresser émotionnellement, comme vous ne laisseriez personne vous agresser physiquement. Vous devez vous protéger contre ces gens, s'il le faut avec agressivité – c'est là votre droit et même votre responsabilité.

9. Abandonnez tout nouveau regret

De nouveaux regrets se présenteront inévitablement. La vie est ainsi faite. Vous commettrez des erreurs, d'autres en feront tout autant, les choses ne se passeront pas toujours selon votre désir, des événements se produiront. Au fil du temps, vous éprouverez sans doute de nouveaux regrets. Certains seront bien mérités. Si vous faites une mauvaise action, il est normal de la regretter. Si un proche se comporte de manière à vous blesser, vous éprouverez naturellement des regrets. Mais ne les cultivez pas. Lâchez prise, laissez tomber. Vous savez utiliser les dix étapes pour vous libérer de vos regrets. Faites-le, n'attendez pas qu'un regret s'installe et s'incruste, protégez-vous en franchissant les dix étapes sans tarder. Vous protéger contre cette éventualité est dorénavant votre responsabilité, au quotidien.

10. Vivez résolument en ce moment présent

Ceux qui vivent en ce moment présent sont libres de tout regret. Car le regret appartient au passé. Le regret est malicieux, il nous prive des joies du présent, nous ramène à notre rôle de victime ou d'agresseur et nous plonge dans un passé qui nous a rendus malheureux. Vivre dans le regret, c'est abandonner le présent et notre pouvoir de changer notre vie pour vivre dans le passé et l'impuissance qui le caractérise. Oui, nous devons nous souvenir du passé, mais vivre uniquement dans le présent. Lorsque nous vivons un jour à la fois – sans jamais plonger dans le passé ni le futur –, nous nous concentrons sur les événements et les gens qui occupent le moment présent et nous goûtons aux plaisirs, à l'amour et aux merveilles qu'ils nous apportent.

· Vous refusez de replonger dans vos vieux regrets… de la même manière, refusez également de plonger dans la peur de demain, tout aussi toxique. Les regrets d'hier et les peurs de demain appartiennent au monde des chimères. Ils n'existent tout simplement pas. Seul existe le présent. Chaque jour apporte un présent renouvelé. Et chaque heure. Libre à vous de porter le fardeau de la veille, de l'année passée ou de la dernière décennie. Vous pouvez cumuler vos regrets, pour ce que vous avez perdu et pour ce qui jamais ne fut. Mais vous avez une autre solution : celle de saisir le moment présent et de le vivre pleinement. ,

Vous avez entière liberté. Libre à vous de choisir entre utiliser ou dilapider les joies du moment présent. Il s'agit de votre vie après tout. Vous ne pouvez contrôler les gens et les événements, mais vous avez le contrôle sur vous-même. Vous avez le pouvoir de choisir votre perception du monde et votre façon de répondre à la vie. Vous avez la maîtrise absolue en ce domaine et c'est tout ce qui importe. Vivre sa vie en exerçant cette maîtrise avec sagesse, c'est emprunter le chemin le moins fréquenté. C'est ce qui fera toute la différence.

En franchissant cette dixième étape, vous voici arrivé à bon port. Le voyage vers la libération de vos regrets est terminé. Si vous jetez un regard en arrière, vous constaterez tout le chemin parcouru. Quel accomplissement remarquable! Vous avez porté ces regrets pendant des mois, des années ou même des décennies et voilà qu'ils ont perdu tout leur pouvoir, ils ne peuvent plus vous blesser, vous priver du moment présent et d'une véritable qualité de vie. Vous avez coupé tout lien qui vous tenait prisonnier de vos regrets et de votre passé. Vous êtes enfin libre de vivre votre vie, de goûter aux joies du moment présent et de ne plus craindre la honte et les fantômes du passé.

Cette dixième étape est le début d'un nouveau voyage qui vous amènera dans l'univers mystérieux du cœur et de l'esprit. Vous découvrirez des mondes inconnus et inexplorés qui vous feront vivre des expériences extraordinaires, vivifiantes; ils vous attendent. Ces mondes vous feront connaître des joies exquises, des tristesses tout aussi exquises. Mais quelles que soient les aventures que vous réserve l'avenir, sur les grandes autoroutes ou les calmes recoins de votre périple, vous n'aurez rien à regretter.

Peu importe où vous mène ce voyage, vous ne serez jamais loin de votre foyer. Votre foyer est toujours le moment présent, là où se vivent les joies de la vie; là où se cachent ses trésors. Vous pouvez jeter un bref coup d'œil sur vos projets d'avenir ou de bons souvenirs du passé. Mais votre vie appartient au présent. Votre cœur également. La vie ne peut se déployer que dans le présent, l'interaction entre les humains n'a lieu que dans l'ici-maintenant. Vous n'êtes réellement vivant que dans l'instant. Le présent est votre foyer, il vous attend.

Le processus en dix étapes – et en particulier la dixième étape – vous aidera à vivre dorénavant en ce moment présent. Les outils et les principes spirituels et psychologiques vous aideront à prendre les bonnes décisions aux carrefours de la vie, même lorsque vous vous trouverez sur un chemin inattendu ou non désiré. Ce processus ainsi que les outils et les principes qui l'accompagnent sont si puissants que vous pourrez voyager en toute confiance, même en pleine incertitude; vous verrez votre souffrance s'estomper et votre passé prendre du recul. Vos regrets disparaîtront pour faire place à l'émerveillement de l'enfant, ce joyau perdu et retrouvé – un monde fascinant, rempli de surprises et d'amour. Délivré du passé et détaché du futur, vous connaîtrez l'éternité du moment présent et découvrirez le plus précieux des cadeaux : le savoir-être.

Vous voici sur le chemin du présent, le chemin le moins fréquenté, le chemin qui fait toute la différence.

Bienvenue en ce moment présent. Bienvenue chez vous, dans la chaleur de votre foyer.

Appendice A

LECTURES SUGGÉRÉES

Chacun de ses titres offre une autre perspective sur divers aspects du processus de libération des regrets et je vous en recommande la lecture.

❖ **Fanning, Patrick. *Visualization for Change*, Oakland, Californie, New Harbinger Publications, 1994.**

Cet ouvrage est un examen approfondi de la visualisation créative, en passant par son historique, ses pratiques fondamentales et ses applications. Il démontre comment utiliser la visualisation créative pour régler une multitude de difficultés ou améliorer sa vie : perte de poids, atteinte d'objectifs, amélioration de performances sportives, guérison, réduction du stress, insomnie, timidité, dépression et autres. Après lecture, on comprend tout du fonctionnement de la visualisation créative et de sa pratique.

❖ **Frankl, Viktor E. *Découvrir un sens à sa vie avec la logothérapie*, Montréal, Éditions de l'homme, 2005.**

Une remarquable autobiographie racontant l'histoire de ce psychiatre juif emprisonné dans un camp de concentration nazi, pendant la Deuxième Guerre mondiale. On apprend comment le docteur Frankl a survécu au camp nazi, mais également comment cette expérience l'amena à trouver un sens à sa vie. Une lecture qui s'impose à quiconque veut comprendre le pouvoir de l'esprit humain à découvrir le sens d'une expérience. Profondément inspirant. Vendu à plus de 2,5 millions d'exemplaires.

❖ Gawain, Shakti. *Techniques de visualisation créatrice*, Paris, Le Courrier du livre, 2006.

Un guide simple sur la visualisation créative, rédigé avec tendresse et riche d'exemples pour vous accompagner tout au long du processus. Livre à succès mondial. Plus court et plus personnel que *Visualization for Change*, ces deux ouvrages se complètement admirablement.

❖ Nelson, Mariah Burton. *The Unburdened Heart*, New York, Harper-Collins, 2000.

Cette autobiographie sera fort utile à quiconque éprouve de la difficulté à pardonner à ceux qui l'ont fait souffrir. C'est l'histoire d'une femme qui, adolescente, fut violée par son professeur du secondaire et de sa lutte pour arriver à lui pardonner. D'une écriture merveilleuse et engagée, c'est un vibrant témoignage sur le pardon et son pouvoir de guérir et de changer la vie de ceux qui pardonnent. Cet ouvrage décrit le processus mis en place par madame Nelson afin de pardonner aux autres dans le but de retrouver la paix intérieure.

❖ Peck, M. Scott. *Le chemin le moins fréquenté,* Paris, Robert Laffont, 1987.

Ce livre est parmi les ouvrages les plus remarquables traitant d'épanouissement personnel (il a figuré pendant dix ans sur la liste des livres à succès du *New York Times*). Ce cadeau que le docteur Peck a fait au monde entier nous enseigne comment affronter, embrasser et utiliser les inévitables difficultés éprouvées au cours d'une vie. On y trouve également une importante discussion sur le sens de l'amour, la façon de devenir plus aimant et de s'ouvrir davantage à l'amour des autres. Enfin, l'auteur explore la nécessité d'évoluer sur le plan spirituel et psychologique pour vivre pleinement notre vie. Cet ouvrage a aidé un nombre incalculable de personnes à améliorer leur qualité de vie et il demeure, encore aujourd'hui, tout aussi pertinent qu'à l'heure de sa première publication.

Appendice B

Voici un résumé des actions à entreprendre pour chacune des dix étapes :

Étape 1 : Dressez la liste de vos regrets

1. *Nom du regret*
2. *Description du regret*
3. *Catégorie du regret*
4. *Sentiment par rapport à ce regret*
5. *« Si seulement »*

Étape 2 : Examinez vos regrets

1. *Rôle joué dans la création de ce regret*
2. *Liste des gens que vous avez blessés en raison de ce regret*
3. *Liste des gens que vous blâmez pour ce regret*
4. *Conséquences de rester attaché à ce regret*

Étape 3 : Modifiez le schéma de vos pensées toxiques

1. *Analyse du schéma de pensées toxiques qui alimentent chaque regret*
2. *Pensée rationnelle pour contrer vos pensées toxiques qui alimentent ce regret*

Étape 4 : Pleurez vos pertes

1. *Pertes encourues par la situation liée à ce regret*
2. *Deuil de vos pertes*

Étape 5 : Faites amende honorable

1. *Amendes convenant à ce regret*
2. *Excuses et réparation de vos erreurs*
3. *Comportement qui blesse*

Étape 6 : Déterminez vos leçons et vos présents

1. *Leçons reçues pour chaque regret*
2. *Présents reçus pour chaque regret*
3. *Mise en application de vos leçons et de vos présents pour votre propre bénéfice*
4. *Mise en application de vos leçons et de vos présents au bénéfice des autres*

Étape 7 : Développez votre compassion

1. *Limites de vos capacités au moment de vivre les événements liés au regret*
2. *Ce que vous avez fait de bien*
3. *Mise en application des outils psychologiques et spirituels*

Étape 8 : Pardonnez aux autres

1. *Liste des personnes à qui pardonner*
2. *Raisons pour lesquelles vous devez pardonner*
3. *Avantages de ce pardon*
4. *Raisons pour lesquelles vous ne devez pas pardonner*
5. *Action de pardonner*

Étape 9 : Sachez vous pardonner

1. *Nécessité de vous pardonner*
2. *Raisons de vous pardonner à vous-même*
3. *Raisons de ne pas vous pardonner*
4. *Résistance à vous pardonner*
5. *Action de vous pardonner*
6. *Lâcher-prise sur vos regrets*

Étape 10 : Vivez libre de tout regret

1. *Mise en application des outils et des principes psychologiques et spirituels au quotidien*

Appendice C

Voici quelques outils, principes et schémas de pensées toxiques. Cet aide-mémoire vous rappelle la marche à suivre pour mettre en application les dix étapes. Utilisez-le dès maintenant pendant votre apprentissage et, par la suite, dans la vie de tous les jours. Voici donc ce résumé.

- ❖ *Vous libérer du regret en dix étapes*
- ❖ *Outils psychologiques et spirituels*
- ❖ *Principes psychologiques et spirituels*
- ❖ *Schémas de pensées toxiques*

Vous libérer du regret en dix étapes

1. Dressez la liste de vos regrets
2. Examinez vos regrets
3. Modifiez le schéma de vos pensées toxiques
4. Pleurez vos pertes
5. Faites amende honorable
6. Déterminez vos leçons et vos présents
7. Développez votre compassion
8. Pardonnez aux autres
9. Sachez vous pardonner
10. Vivez libre de tout regret

Outils psychologiques et spirituels (chapitre 3)

1. Analyse des pensées : technique visant à analyser la teneur de vos regrets, les événements qui y sont associés, vos sentiments à cet égard et les pensées que vous entretenez par rapport à vos regrets; vise à modifier les pensées et les sentiments qui vous habitent concernant vos regrets.

2. Journal personnel : outil servant à cataloguer et à analyser vos regrets, à clarifier votre pensée et à exprimer vos sentiments.

3. Prière : technique pour laisser jaillir vos réponses intuitives, pour vous donner du courage, de la discipline, de la force et puiser dans d'autres ressources dont vous aurez besoin pour vous aider à franchir les dix étapes.

4. Partage : outil pour trouver réponses et un soutien affectif de votre entourage alors que vous franchissez les dix étapes.

5. Affirmation : outil pour dépasser vos résistances et faciliter votre démarche pendant que vous franchissez les dix étapes.

6. Visualisation créative : outil pour dépasser vos résistances et faciliter votre démarche pendant que vous franchissez les dix étapes.

Principes psychologiques et spirituels (chapitre 13)

1. Mettez en application les présents reçus et les leçons tirées de vos regrets

2. Assumez vos responsabilités, faites amende honorable

3. Soyez toujours reconnaissant

4. Pratiquez l'humilité

5. Soyez au service des autres

6. Pardonnez-vous, pardonnez aux autres

7. Acceptez les gens, acceptez la vie

8. Laissez tomber vos vieux regrets

9. Abandonnez tout nouveau regret

10. Vivez résolument en ce moment présent

Schémas de pensées toxiques (chapitre 6)

1. Perfectionnisme

2. Contrôle exagéré

3. Prédiction de l'avenir

4. Divination (savoir ce que l'autre pense)

5. Personnalisation des événements

6. Comparaison incomplète

7. Culpabilité non méritée

8. Réinvention du passé

9. Rationalisation extrême

10. Utilisation du regret comme prétexte à l'inaction

À propos de l'auteur

Hamilton Beazley, Ph. D., est étudiant en résidence à l'université St. Edward, à Austin, au Texas, ainsi que professeur permanent associé au département de psychologie de l'université Georges Washington, à Washington, D. C. Il détient un baccalauréat en psychologie de l'université Yale et un doctorat en comportement organisationnel de l'université Georges Washington. La spiritualité contemporaine fut son principal champ d'études au doctorat. Il est membre de l'American Psychological Association.

Avant de mener une carrière universitaire, le docteur Beazley occupa plusieurs postes administratifs. Ainsi, il fut président du National Council on Alcoholism and Drug Dependence de la ville de New York et membre du comité exécutif de la Division on Addictions de Harvard Medical School. Il est membre du Board of Trustees of the Educational Advancement Foundation.

 **Recyclé**
Contribue à l'utilisation responsable
des ressources forestières
www.fsc.org Cert no. SGS-COC-003153
© 1996 Forest Stewardship Council
FSC   100%

Marquis imprimeur inc.

Québec, Canada
2009

Imprimé sur du papier Silva Enviro 100% postconsommation
traité sans chlore, accrédité Éco-Logo et fait à partir de biogaz.

certifié   procédé   100 % post-   archives   énergie
              sans   consommation   permanentes   biogaz
              chlore